OS NÁUFRAGOS DO *WAGER*

DAVID GRANN

Os náufragos do *Wager*

Uma história de motim e assassinato

Tradução
Pedro Maia Soares

Companhia Das Letras

Grafia atualizada segundo o Acordo Ortográfico da Língua Portuguesa de 1990, que entrou em vigor no Brasil em 2009.

Título original
The Wager: A Tale of Shipwreck, Mutiny and Murder

Capa e ilustração de capa
Cyriac Allard

Mapas
Jeffrey L. Ward

Revisão técnica
Dalmo Vieira Filho

Preparação
Julia Passos

Índice remissivo e glossário
Luciano Marchiori

Revisão
Luís Eduardo Gonçalves
Julian F. Guimarães

Dados Internacionais de Catalogação na Publicação (CIP)
(Câmara Brasileira do Livro, SP, Brasil)

Grann, David
Os náufragos do Wager : Uma história de motim e assassinato / David Grann ; tradução Pedro Maia Soares. — 1ª ed. — São Paulo : Companhia das Letras, 2024.

Título original: The Wager: A Tale of Shipwreck, Mutiny and Murder.
ISBN 978-85-359-3652-0

1. Velejadores 2. Relatos de viagens I. Título.

23-186276 CDD-910.9163

Índice para catálogo sistemático:
1. Velejadores : Relatos de viagens 910.9163
Eliane de Freitas Leite - Bibliotecária - CRB 8/8415

EDITORA SCHWARCZ S.A.
Rua Bandeira Paulista, 702, cj. 32
04532-002 — São Paulo — SP
Telefone: (11) 3707-3500
www.companhiadasletras.com.br
www.blogdacompanhia.com.br
facebook.com/companhiadasletras
instagram.com/companhiadasletras
twitter.com/cialetras

Para Kyra, Zachary e Ella

Nós somos o herói de nossa própria história.
Mary McCarthy

Talvez exista um monstro [...] *pode ser só a gente.*
William Golding, *Senhor das Moscas*

— A ROTA DO HMS WAGER —

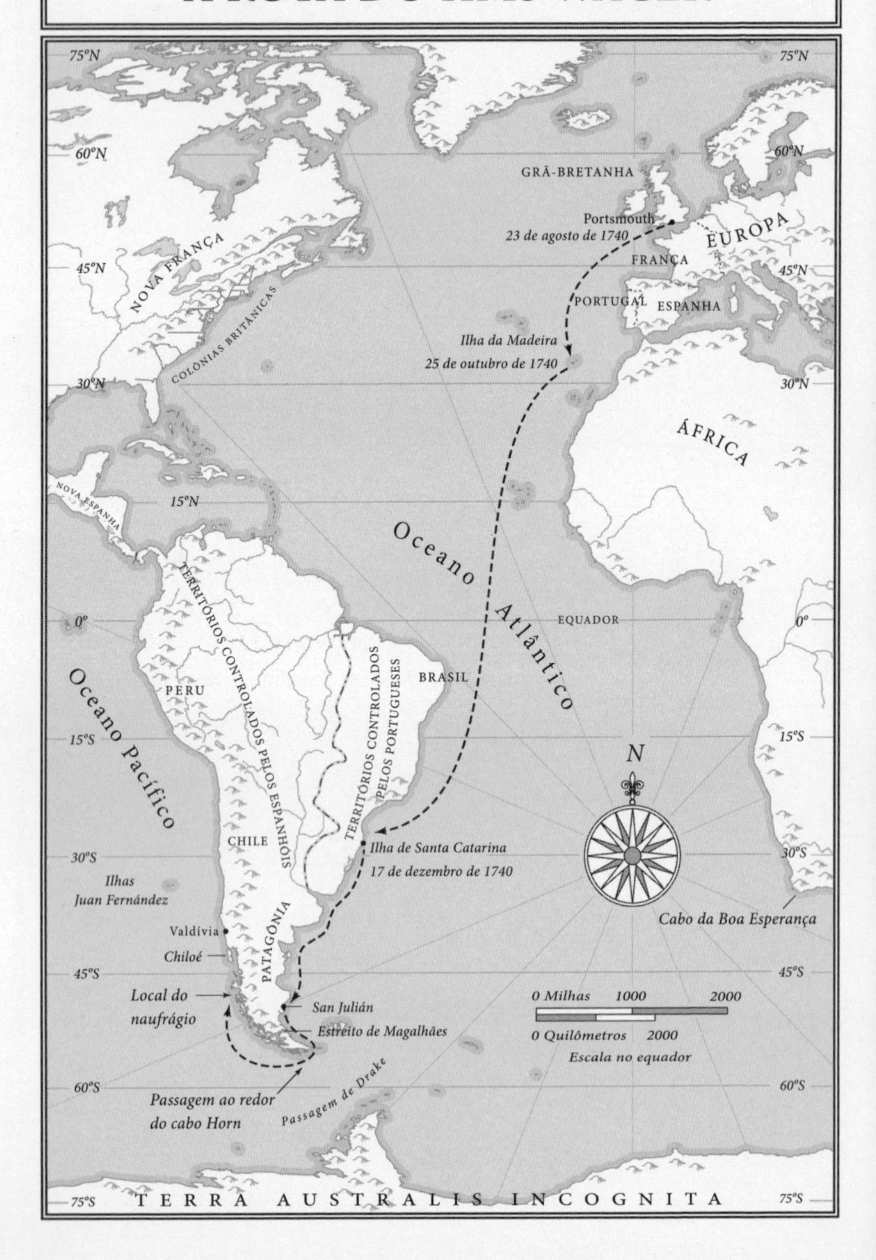

— PASSAGEM AO REDOR DO CABO HORN —
27 de fevereiro de 1741
N
CHILE
PATAGÔNIA
Estreito de Magalhães
Cabo das Onze
Mil Virgens
Cabo do Espírito Santo
53°S
53°S
Estreito de Magalhães
Oceano Atlântico
6 de março de 1741
Estreito de Le Maire
TERRA DO FOGO
55°S
55°S
Ilha dos
Estados
Oceano
Pacífico
Ilha do cabo Horn
Passagem de Drake
0 Milhas
100
200
0 Quilômetros
100
200

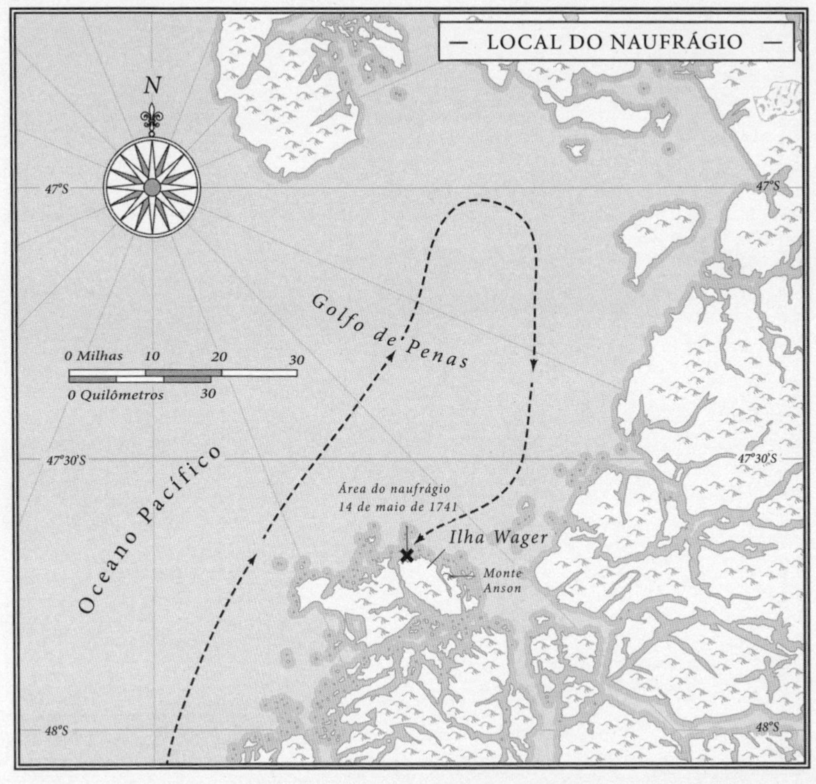
— LOCAL DO NAUFRÁGIO —
N
47°S
47°S
Golfo de Penas
0 Milhas
10
20
30
0 Quilômetros
30
47°30'S
47°30'S
Oceano Pacífico
Área do naufrágio
14 de maio de 1741
Ilha Wager
Monte
Anson
48°S
48°S

— ROTA DE FUGA DO PRIMEIRO GRUPO DE NÁUFRAGOS —

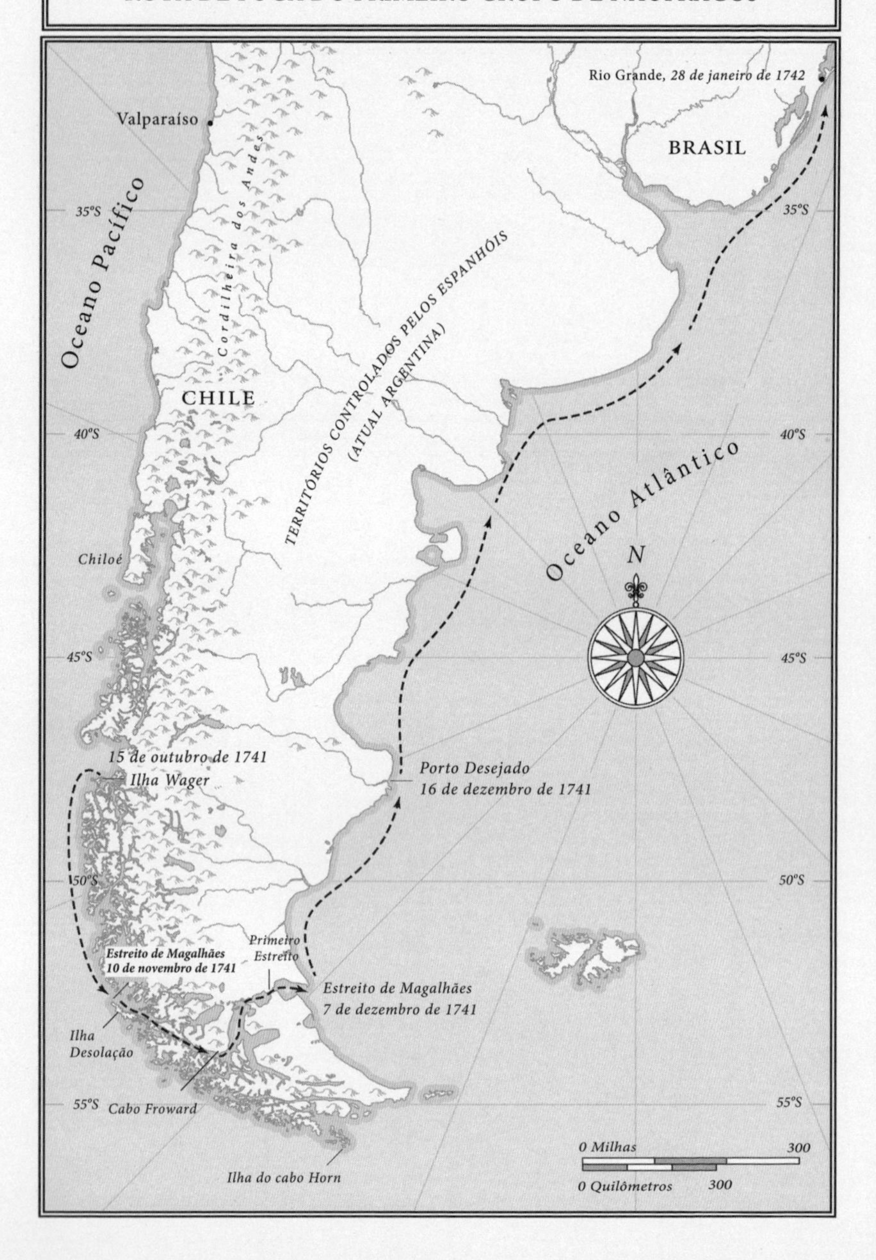

— ROTA DE FUGA DO SEGUNDO GRUPO DE NÁUFRAGOS —

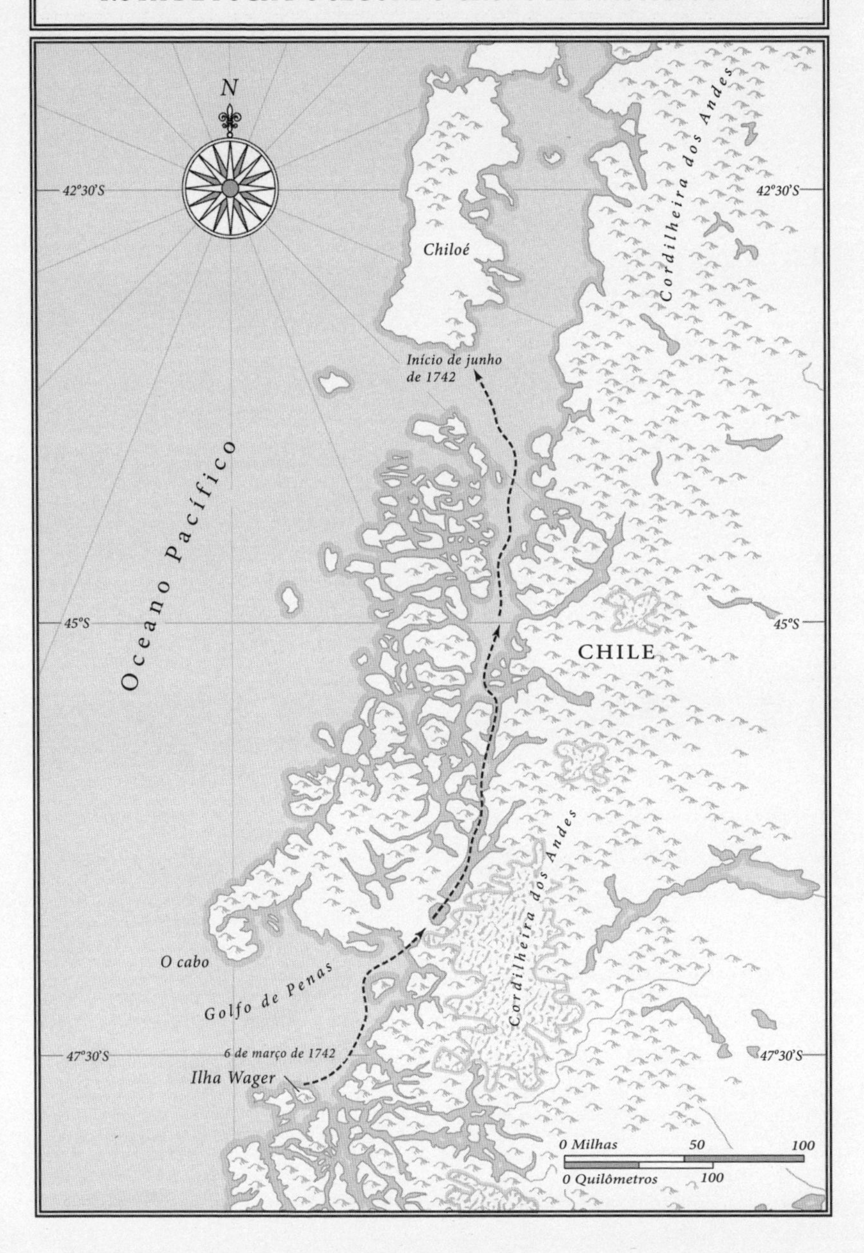

Sumário

Nota do autor

Devo confessar que não testemunhei o navio bater nas rochas ou a tripulação amarrar o capitão. Também não vi em primeira mão os atos de traição e assassinato. No entanto, passei anos vasculhando os escombros do arquivo: os diários de bordo desbotados, a correspondência mofada, os diários meio falsos, os registros que sobreviveram à conturbada corte marcial. Sobretudo, estudei os relatos publicados pelos envolvidos, que não só testemunharam os ocorridos, mas também os moldaram. Tentei reunir todos os fatos para determinar o que realmente aconteceu. Contudo, é impossível escapar das perspectivas conflitantes e às vezes beligerantes dos que participaram dos acontecimentos. Então, em vez de resolver as diferenças ou embaçar ainda mais as provas já embaçadas, tentei apresentar todos os lados, deixando o leitor dar o veredicto final — o julgamento da história.

Prólogo

A única testemunha imparcial foi o sol. Durante dias, ele observou o estranho objeto[1] subindo e descendo no oceano, jogado de maneira impiedosa pelo vento e pelas ondas. Uma ou duas vezes a embarcação quase se chocou contra um recife, o que poderia ter encerrado nossa história. No entanto, de algum modo — fosse por conta do destino, como alguns proclamariam mais tarde, ou por pura sorte —, ele foi parar numa enseada, na costa sudeste do Brasil, onde vários locais o viram.

Com mais de quinze metros de comprimento e três de largura, não tinha deixado de ser um barco, embora parecesse ter sido remendado com pedaços de madeira e tecido e depois desfigurado até ficar irreconhecível. As velas estavam rasgadas; a retranca, quebrada. A água do mar escorria pelo casco e um fedor emanava lá de dentro. Os observadores, ao se aproximarem, ouviram sons angustiantes: trinta homens estavam amontoados a bordo, com os corpos quase reduzidos a ossos. Suas roupas estavam em grande parte desintegradas. Seus rostos estavam envoltos em cabelos, emaranhados e salgados como algas marinhas.

Alguns estavam tão fracos que nem conseguiam ficar de pé. Um deles deu o último suspiro e morreu. Mas uma figura que parecia estar no comando se levantou com uma força de vontade extraordinária e anunciou que eles eram náufragos do navio de guerra britânico HMS *Wager*.

Quando a notícia chegou à Inglaterra, foi recebida com descrença. Em setembro de 1740, durante um conflito imperial com a Espanha, o *Wager*, transportando cerca de 250 oficiais e tripulantes, partira de Portsmouth como membro de uma esquadra para uma missão secreta: capturar um galeão espanhol repleto de tesouros, conhecido como "o prêmio de todos os oceanos". Perto do cabo Horn, na ponta da América do Sul, a esquadra foi engolfada por ventos com a força de um furacão, e acreditava-se que o *Wager* tinha afundado com todos os seus tripulantes. Mas 283 dias depois de o navio ter sido visto pela última vez, esses homens emergiram milagrosamente no Brasil.

Eles haviam naufragado numa ilha deserta na costa da Patagônia. A maioria dos oficiais e tripulantes tinha morrido, mas 81 sobreviventes partiram num barco improvisado em parte com os destroços do *Wager*. Tão apertados a bordo que mal conseguiam se mover, eles atravessaram vendavais e ondas gigantescas ameaçadoras, tempestades de gelo e terremotos. Mais de cinquenta morreram ao longo da árdua jornada e, quando os poucos remanescentes chegaram ao Brasil, três meses e meio depois, eles haviam percorrido quase 5 mil quilômetros — uma das viagens de náufragos mais longas já registradas. Eles foram aclamados por sua engenhosidade e bravura. Como observou o líder do grupo, era difícil acreditar que "a natureza humana pudesse suportar os sofrimentos que suportamos".[2]

Seis meses depois, outro barco chegou sob uma nevasca à costa sudoeste do Chile. Era ainda menor — uma canoa de madeira impulsionada por uma vela costurada com trapos de cobertores. A bordo estavam outros três sobreviventes, e o estado deles era ainda mais assustador. Estavam seminus e extremamente magros; insetos enxameavam sobre seus corpos, mordiscando o que restava de carne. Um deles estava tão delirante que "havia se perdido por completo",[3] como disse um companheiro, "não se lembrando de nossos nomes [...] ou mesmo do seu próprio".

Depois que se recuperaram e voltaram para a Inglaterra, esses três homens fizeram uma denúncia chocante contra os companheiros que haviam reaparecido no Brasil. Eles não eram heróis: eram amotinados. Na controvérsia que se seguiu, com acusações e contra-acusações de ambos os lados, ficou claro que, enquanto estavam encalhados na ilha, os oficiais e a tripulação do *Wager* haviam lutado para sobreviver nas circunstâncias mais extremas. Enfrentando fome e temperaturas congelantes, eles construíram um posto avançado e tentaram recriar a ordem naval. Mas, à medida que a situação se deteriorava, os oficiais e a tripulação do *Wager* — aqueles supostos apóstolos do Iluminismo — caíram num estado hobbesiano de depravação. Houve facções em guerra, saqueadores, deserções e assassinatos. Alguns sucumbiram ao canibalismo.

De volta à Inglaterra, as principais figuras de cada grupo, junto com seus aliados, foram convocadas pelo Almirantado para encarar uma corte marcial. O julgamento ameaçou expor a natureza secreta não apenas dos acusados, mas também de um império cuja autoproclamada missão era disseminar a civilização.

Vários dos acusados publicaram seus relatos sensacionais — e extremamente conflitantes — do que um deles chamou de caso "obscuro e intrincado".[4] Os filósofos Rousseau, Voltaire e Montesquieu foram influenciados pelas narrativas da expedição, assim como, mais tarde, Charles Darwin e dois dos grandes romancistas do mar, Herman Melville e Patrick O'Brian. O principal objetivo dos suspeitos era persuadir o Almirantado e o público. Um sobrevivente de um dos grupos escreveu o que chamou de "narrativa fiel",[5] e frisou: "Fui escrupulosamente cuidadoso para não inserir uma única palavra inverídica, pois falsidades de qualquer tipo seriam absurdas numa obra destinada a resgatar o caráter do autor".[6] Para o líder da oposição, o inimigo havia fornecido uma "narrativa imperfeita"[7] que "difamava [seus antagonistas] com as maiores calúnias".[8] Ele jurou: "Permanecemos ou caímos pela verdade; se a verdade não nos sustentar, nada nos sustentará".[9]

Todos nós procuramos dar coerência — propor um significado — para os eventos caóticos da existência. Vasculhamos as imagens cruas de nossas memórias e as selecionamos, polimos, apagamos. De tal forma que emergimos como os heróis de nossas narrativas, nos permitindo conviver com o que fizemos — e com o que deixamos de fazer.

Mas esses homens acreditavam que sua vida dependia das histórias que contavam. Se não conseguissem apresentar um relato convincente, poderiam ser pendurados na ponta da verga de um navio e morrer enforcados.

PARTE I

O MUNDO DE MADEIRA

1. O primeiro-tenente

Cada homem da esquadra arrastava uma história de vida, além de um pesado baú de marinheiro. Um amor não correspondido, uma condenação à prisão de que ninguém podia suspeitar, uma esposa grávida deixada chorando. Talvez sede de fama e fortuna, talvez medo da morte. David Cheap,[1] primeiro-tenente do *Centurion*, a nau capitânia da esquadra, não era diferente. O escocês corpulento de quarenta e poucos anos, nariz comprido e olhos intensos fugia — de brigas por herança com o irmão, de credores, de dívidas que o impossibilitavam de encontrar uma noiva adequada. Em terra, Cheap parecia condenado, incapaz de navegar pelos inesperados baixios da vida pregressa. No entanto, ao se empoleirar no tombadilho de um navio de guerra britânico, cruzando os vastos oceanos com um chapéu de três bicos e uma luneta, ele transbordava de confiança — alguns diriam até que com um toque de arrogância. O mundo de madeira de um navio, governado pelos rígidos regulamentos da Marinha, pelas leis do mar e, acima de tudo, pela endurecida camaradagem dos homens, proporcionara-lhe um refúgio. De repente, ele sentia uma ordem cristalina, uma clareza de propósito. E o mais novo posto de Cheap, apesar dos inúmeros riscos da nova posição, de pragas e afogamentos a tiros de canhão inimigo, oferecia o que ele ansiava: uma chance de reivindicar uma rica recompensa e se tornar capitão de seu próprio navio, tornando-se um senhor do mar.

O problema era que ele não conseguia fugir da maldita terra. Ele estava preso — amaldiçoado, na verdade — no estaleiro de Portsmouth, no canal da Mancha, lutando com uma futilidade febril para equipar o *Centurion* e deixá-lo pronto para navegar. Seu enorme casco de madeira, com quase 45 metros de comprimento e doze metros de largura, estava atracado a uma doca. Carpinteiros, calafates, armadores e marceneiros percorriam seus conveses como ratos (que também eram abundantes). Uma cacofonia de martelos e serras. As ruas de paralelepípedo depois do estaleiro estavam congestionadas com carrinhos de mão barulhentos e carroças puxadas por cavalos, com carregadores, mascates, batedores de carteira, marinheiros e prostitutas. De tempos em tempos, um contramestre soprava um apito assustador e os tripulantes saíam cambaleando das cervejarias, separavam-se de namoradas novas ou antigas e iam em direção aos navios de partida, direto para baixo do chicote de seus oficiais.

Era janeiro de 1740, e o Império Britânico se mobilizava para lutar contra a Espanha, império rival. Num lance que aumentou subitamente as perspectivas de Cheap, o capitão George Anson,[2] sob o qual ele servia no *Centurion*, foi escolhido pelo Almirantado para ser comodoro e liderar uma esquadra de cinco navios de guerra contra os espanhóis. A promoção foi inesperada. Como filho de um obscuro proprietário rural, Anson não contava com o nível de patrocínio,[3] a graxa — ou "interesse", como era mais educado dizer — que impulsionava muitos oficiais e seus homens mastro acima.[4] Anson, então com 42 anos, ingressara na Marinha aos catorze e servira por quase três décadas sem liderar uma grande campanha militar nem conquistar um prêmio lucrativo.

Alto, de rosto comprido e testa alta, não era uma pessoa muito acessível. Seus olhos azuis eram inescrutáveis e, longe da companhia de alguns amigos de confiança, quase nunca abria a boca. Um estadista, depois de se encontrar com ele, observou: "Anson, como de costume, falou pouco".[5] Ele se correspondia com mais parcimônia ainda, como se duvidasse da capacidade das palavras de transmitir o que via ou sentia. "Ele gostava de ler pouco, e menos ainda de escrever ou ditar suas cartas, e aquela aparente negligência [...] atraiu a má vontade de muita gente", escreveu um parente.[6] Mais tarde, um diplomata brincou que Anson era tão ignorante que tinha estado "ao redor do mundo todo, mas nunca nele".[7]

Não obstante, o Almirantado reconheceu em Anson o que Cheap também vira nele ao longo dos dois anos em que estivera na tripulação do *Centurion*: um marinheiro formidável. Anson dominava o mundo da madeira e, igualmente importante, dominava a si mesmo — permanecia calmo e estável sob pressão. Um parente observou: "Ele tinha noções elevadas de sinceridade e honra e as praticava sem desvio".[8] Além de Cheap, ele atraíra um círculo de talentosos oficiais subalternos e protegidos, todos competindo por sua atenção. Mais tarde, um deles disse a Anson que era mais grato a ele do que ao próprio pai e que faria qualquer coisa para "agir de acordo com a boa opinião que você tem de mim".[9] Se Anson tivesse sucesso em seu novo papel de comodoro da esquadra, poderia nomear o capitão que quisesse. E Cheap, que de início servira como segundo-tenente de Anson, era agora seu braço direito.

Como Anson, Cheap passara grande parte da vida no mar, uma existência brutal da qual esperava escapar. Samuel Johnson observou certa vez: "Nenhum homem será um marinheiro se tiver engenhosidade suficiente para ir para a prisão; pois estar em um navio é estar numa cadeia, com o acréscimo da chance de afogamento".[10] O pai de Cheap possuíra uma grande propriedade em Fife, na Escócia, e um título — o segundo Laird de Rossie — que evocava nobreza, mesmo que não a conferisse. Seu lema, estampado no brasão da família, era *Ditat virtus*: "A virtude enriquece". Ele teve sete filhos com a primeira esposa e, depois que ela morreu, teve mais seis com a segunda, entre eles David.

Em 1705, ano em que David comemorou seu oitavo aniversário, o pai saiu para buscar leite de cabra e caiu morto. Como era costume, o herdeiro masculino mais velho, James, meio-irmão de David, foi quem herdou a maior parte da propriedade. E assim David foi golpeado por forças que escapavam ao seu controle, um mundo dividido entre primogênitos e filhos mais jovens, entre ricos e pobres. Para agravar sua revolta, James, agora assentado como terceiro Laird de Rossie, esquecia com frequência de pagar a mesada que havia sido legada a seus meios-irmãos e à meia-irmã: alguns eram aparentemente mais membros da família do que outros. Levado a buscar trabalho, David se tornou aprendiz de um mercador, mas suas dívidas aumentaram. Assim, em 1714, ano em que completou dezessete anos, ele fugiu para o mar, uma decisão que evidentemente foi bem recebida por sua família, como atesta o que seu tutor escreveu ao irmão mais velho: "Quanto mais cedo ele for embora, melhor será para você e para mim".[11]

Após esses contratempos, Cheap parecia estar mais consumido por seus sonhos inflamados, mais determinado a mudar o que chamava de "destino infeliz".[12] Sozinho, em um oceano distante do mundo que conhecia, ele poderia provar seu valor em lutas contra a natureza, enfrentando tufões, vencendo navios inimigos e resgatando seus companheiros de calamidades.

Mas, embora tenha perseguido alguns piratas —[13] inclusive o irlandês maneta Henry Johnson, que disparava a arma apoiando o cano no que havia restado de seu braço —, essas primeiras viagens foram bastante monótonas. Ele devia patrulhar as Índias Ocidentais, missão que costumava ser considerada a pior da Marinha por conta do risco de doenças. "O flagelo do açafrão"; "o fluxo sangrento"; "a febre quebra-ossos"; "a morte azul".

Mas Cheap resistira. Não havia algo a ser dito sobre isso? Além do mais, ganhara a confiança de Anson e trabalhara para chegar a primeiro-tenente. Sem dúvida, o fato de eles compartilharem um desdém por brincadeiras imprudentes, ou o que Cheap considerava uma "maneira vaporosa", ajudou.[14] Um ministro escocês, que mais tarde se tornou próximo de Cheap, observou que Anson o havia empregado porque ele era "um homem de bom senso e conhecimento".[15] Cheap, o devedor outrora desprezado, estava a apenas um degrau de sua cobiçada capitania. E quando estourou a guerra contra a Espanha, ele estava a um passo de enfrentar uma batalha de verdade pela primeira vez.

O conflito tinha origem na interminável disputa entre as potências europeias para expandir seus impérios.[16] Elas competiam para conquistar ou controlar áreas cada vez maiores do planeta, com o objetivo de explorar e monopolizar recursos naturais valiosos e mercados comerciais de outras nações. Nesse processo, subjugaram e destruíram inúmeros povos indígenas e justificavam seu egoísmo brutal — inclusive o crescente tráfico atlântico de escravizados — com a alegação de que estavam de algum modo levando "civilização" para os lugares obscuros da Terra. Havia muito tempo que a Espanha era o império dominante na América Latina, mas a Grã-Bretanha, que já possuía colônias ao longo da Costa Leste americana, estava agora em ascensão — e decidida a romper o domínio de sua rival.

Assim, em 1738, Robert Jenkins, um capitão mercante britânico, foi convocado a comparecer ao Parlamento, onde consta que alegou que um oficial espanhol invadiu seu brigue no Caribe e, acusando-o de contrabandear açúcar das colônias da Espanha, cortou a orelha esquerda dele. Jenkins supostamente exibiu seu apêndice decepado conservado em uma jarra[17] e entregou "minha causa ao meu país".[18] O incidente acendeu ainda mais as paixões do Parlamento e dos panfletários, levando as pessoas a pedir sangue — orelha por orelha — e também saques. O conflito ficou conhecido como a Guerra da Orelha de Jenkins.

As autoridades britânicas logo elaboraram um plano para atacar um centro de riqueza colonial espanhola: Cartagena. Era nessa cidade sul-americana na costa do Caribe que grande parte da prata extraída das minas peruanas era embarcada em comboios armados para a Espanha. A ofensiva britânica, munida de uma enorme frota de 186 navios e liderada pelo almirante Edward Vernon, seria o maior ataque anfíbio da história. Mas havia também outra operação muito menor: a que havia sido atribuída ao comodoro Anson.

Com cinco navios de guerra e uma chalupa de reconhecimento, ele e cerca de 2 mil homens navegariam pelo Atlântico e contornariam o cabo Horn[19] para "tomar, afundar, queimar ou destruir de algum modo"[20] navios inimigos e enfraquecer as possessões espanholas da costa do Pacífico, da América do Sul às Filipinas. O governo britânico, ao arquitetar seu plano, queria evitar a impressão de que estava apenas patrocinando a pirataria. No entanto, no cerne da operação estava um ato de pura ladroagem: roubar um galeão espanhol carregado com prata virgem e centenas de milhares de moedas de prata. Duas vezes por ano, a Espanha enviava esse galeão — que nem sempre era o mesmo navio — do México para as Filipinas para comprar seda, especiarias e outros produtos asiáticos, que, por sua vez, eram vendidos na Europa e nas Américas. Essas trocas estabeleciam elos cruciais no império comercial global da Espanha.

Cheap e os outros participantes da missão raras vezes conheciam os planos dos que estavam no poder, mas eram atraídos pela perspectiva tentadora de receber uma parte do tesouro. O reverendo Richard Walter, capelão de apenas 22 anos do *Centurion*, que mais tarde compilou um relato da viagem,[21] descreveu o galeão como "o prêmio mais desejável que se pode encontrar em qualquer parte do mundo".[22]

Se vencessem — "se for do agrado de Deus abençoar nossas armas",[23] como disse o Almirantado —, Anson e seus homens continuariam circundando a Terra antes de voltar para casa. O Almirantado havia dado a Anson um código e uma cifra para usar em sua comunicação escrita, e um oficial advertiu que a missão deveria ser realizada da "maneira mais secreta e rápida".[24] Caso contrário, a esquadra de Anson poderia ser interceptada e destruída por uma grande armada espanhola que estava sendo montada sob o comando de Don José Pizarro.

Cheap estava diante de sua expedição mais longa — talvez ficasse fora por três anos — e mais perigosa. Mas ele se via como um cavaleiro errante do mar em busca do "maior prêmio de todos os oceanos". E, ao longo do caminho, ainda poderia se tornar capitão.

No entanto, se a esquadra não embarcasse rápido o bastante, Cheap temia que todo o grupo fosse aniquilado por uma força ainda mais perigosa do que a armada espanhola: os mares violentos ao redor do cabo Horn. Apenas uns poucos navegantes britânicos haviam conseguido fazer essa travessia, onde os ventos costumam soprar com força de vendaval, as ondas podem chegar a quase trinta metros e os icebergs espreitam. Os marinheiros achavam que a melhor chance de sobreviver era durante o verão austral, entre dezembro e fevereiro. O reverendo Walter citou essa "máxima essencial",[25] explicando que durante o inverno não só os mares eram mais violentos e as temperaturas, congelantes, como havia menos horas de luz no dia, período em que se podia discernir o litoral desconhecido. Todas essas razões, argumentou ele, tornariam a navegação por essa costa desconhecida a "mais desanimadora e terrível".

Mas desde que a guerra fora declarada, em outubro de 1739, o *Centurion* e os outros navios de guerra da esquadra — o *Gloucester*, o *Pearl* e o *Severn* — ficaram ilhados na Inglaterra, à espera de serem consertados e equipados para a próxima viagem. Cheap assistia impotente enquanto os dias passavam. Janeiro de 1740 veio e foi. Depois fevereiro e março. Fazia quase seis meses que a guerra com a Espanha havia sido declarada; contudo, a esquadra não estava pronta para navegar.

Deveria ser uma força imponente. Os navios de guerra estavam entre as máquinas mais sofisticadas já feitas: castelos de madeira flutuantes movidos por vento e vela através dos oceanos. Refletindo a natureza dual de seus criadores, foram concebidos para ser tanto instrumentos de morte quanto casas de centenas de marinheiros vivendo como uma família. Como num jogo de xadrez letal e flutuante, essas peças eram distribuídas ao redor do globo para realizar o que Sir Walter Raleigh havia imaginado: "Quem comanda os mares comanda o comércio do mundo; quem comanda o comércio do mundo comanda as riquezas do mundo".[26]

Cheap sabia que o *Centurion* era um navio incrível. Rápido e robusto, pesando cerca de mil toneladas, ele tinha, como os outros navios de guerra da esquadra de Anson, três mastros altos com vergas cruzadas — mastros de madeira dos quais as velas se desenrolavam. O *Centurion* podia abrir até dezoito velas por vez. Seu casco brilhava com verniz, e ao redor da popa estavam pintadas, em relevo dourado, figuras mitológicas gregas, entre elas Poseidon. Na proa cavalgava um leão esculpido em madeira de quase cinco metros, pintado de vermelho vivo. Para aumentar as chances de sobreviver a uma barragem de balas de canhão, o casco tinha uma camada dupla de tábuas, o que em alguns pontos lhe dava uma espessura de mais de trinta centímetros. O navio tinha vários conveses, cada um empilhado sobre o seguinte, e dois deles tinham fileiras de canhões de ambos os lados, com seus ameaçadores canos negros apontando de portinholas quadradas. Augustus Keppel, um aspirante a marinheiro de quinze anos e um dos protegidos de Anson, gabava-se de que outros navios de guerra "não tinham chance no mundo" contra o poderoso *Centurion*.[27]

No entanto, construir, consertar e equipar essas embarcações era um esforço hercúleo, mesmo em tempo de paz — em um período de guerra, era o caos. Os estaleiros reais, que estavam entre os maiores locais de fabricação de barcos do mundo, estavam lotados de navios — com vazamentos, semiconstruídos, que precisavam ser carregados e descarregados.[28] Os de Anson foram colocados no que era conhecido como Fileira dos Podres. Por mais sofisticados que os navios de guerra fossem com sua propulsão a vela e artilharia letal, eram, em grande parte, feitos de materiais simples e perecíveis: cânhamo, lona e, acima de tudo, madeira.[29] A construção de um único grande navio de guerra podia exigir até 4 mil árvores; quarenta hectares de floresta podiam ser derrubados.[30]

A maior parte da madeira era de carvalho duro, mas ainda era suscetível aos elementos pulverizadores da tempestade e do mar. O *Teredo navalis* — um molusco avermelhado, que pode crescer mais de trinta centímetros — comia os cascos.[31] (Colombo perdeu dois navios para esses animais durante sua quarta viagem às Índias Ocidentais.) Os cupins também furavam conveses, mastros e portas de cabine, assim como os carunchos. Uma espécie de fungo devorava o núcleo de madeira do navio. Em 1684, Samuel Pepys, secretário do Almirantado, ficou surpreso ao descobrir que muitos dos navios de guerra em construção já estavam tão estragados que "corriam o risco de afundar em seus próprios ancoradouros".[32]

Um importante construtor naval estimou que o navio de guerra médio durava apenas catorze anos. E, para sobreviver por esse tempo, tinha de ser praticamente refeito após cada viagem longa, com novos mastros, revestimento e cordame. Caso contrário, havia o risco de desastre. Em 1782, enquanto o *Royal George* de 55 metros — por um tempo, o maior navio de guerra do mundo — estava ancorado perto de Portsmouth, com uma tripulação completa a bordo, a água começou a inundar seu casco. Ele afundou. A causa foi objeto de disputa, mas uma investigação culpou o "estado geral de deterioração de suas madeiras".[33] Estima-se que novecentas pessoas morreram afogadas.

Cheap soube que uma inspeção do *Centurion* havia revelado a variedade costumeira de desgastes causados pelo mar. Um armador relatou que o revestimento de madeira do casco estava "tão carcomido"[34] que teve de ser retirado e substituído. O mastro de proa, perto da proa, tinha uma cavidade podre de trinta centímetros de profundidade, e as velas estavam, como Anson anotou em seu diário, "muito comidas pelos ratos".[35] Os outros quatro navios de guerra da esquadra enfrentavam problemas semelhantes. Além disso, cada um tinha de ser carregado com toneladas de equipamentos e provisões que incluíam cerca de sessenta quilômetros de cabos, quase 1500 metros quadrados de velas e animais o bastante para encher uma fazenda: galinhas, porcos, cabras e gado. (Podia ser extremamente difícil fazer esses animais embarcarem: novilhos "não gostam da água", reclamou um capitão britânico.)[36]

Cheap implorou à administração naval que terminasse de

preparar o *Centurion*. Mas era aquela velha história dos tempos de guerra: embora grande parte do país tivesse clamado por batalha, o povo não estava disposto a pagar o suficiente por isso. E a Marinha estava perto do limite. Cheap podia ser instável, seu humor mudava como o vento — e ali estava ele, preso como um homem da terra, um escriba! Ele insistiu com os funcionários do estaleiro para substituir o mastro danificado, mas eles responderam que a cavidade poderia ser consertada. Cheap escreveu ao Almirantado para denunciar essa "maneira muito estranha de raciocínio",[37] e as autoridades acabaram cedendo. No entanto, mais tempo foi perdido.

E onde estava o bastardo da frota, o *Wager*? Ao contrário dos outros navios de guerra, ele não tinha sido feito para a batalha, na origem era um navio mercante — o assim chamado *East Indiaman*, porque fazia comércio naquela região. Destinado a cargas pesadas, era atarracado e desajeitado, uma monstruosidade de quase quarenta metros. Depois que a guerra começou, a Marinha, precisando de navios adicionais, comprou-o da Companhia das Índias Orientais por quase 4 mil libras. Desde então, ele havia sido levado a 120 quilômetros a nordeste de Portsmouth, em Deptford, um estaleiro real no Tâmisa, onde estava passando por uma metamorfose: as cabines foram destruídas, buracos foram abertos nas paredes externas e uma escada foi eliminada.

O capitão do *Wager*, Dandy Kidd, examinou o trabalho que estava sendo feito. Com 56 anos e supostamente descendente do infame bucaneiro William Kidd, era um marinheiro experiente e supersticioso — lia presságios nos ventos e nas ondas. Conquistara havia pouco tempo o que Cheap sonhava: o comando de seu próprio navio. Pelo menos da perspectiva de Cheap, Kidd merecera sua promoção, ao contrário do capitão do *Gloucester*,

Richard Norris, cujo pai, Sir John Norris, era um almirante famoso; este ajudou o filho a obter um posto na esquadra, observando que haveria "ação e boa sorte para aqueles que sobrevivessem".[38] O *Gloucester* foi o único navio da esquadra a ser consertado rapidamente, o que levou outro capitão a reclamar: "Fiquei três semanas no cais e não cravei nem um prego, porque o filho de Sir John Norris deve ser atendido primeiro".[39]

O capitão Kidd tinha uma história: havia deixado Dandy, seu filho de cinco anos, num colégio interno, porque não tinha mãe para criá-lo. O que aconteceria com o menino se ele não sobrevivesse à viagem? O capitão Kidd já temia os presságios. Em seu diário de bordo, escreveu que o novo navio quase "virou"[40] e alertou o Almirantado de que o *Wager* talvez fosse um "excêntrico" — um navio que adernava de forma anormal. Para dar lastro ao casco a fim de que o navio não virasse, mais de quatrocentas toneladas de ferro-gusa e pedras de cascalho foram levadas pelas escotilhas para o porão escuro, úmido e cavernoso.

Os trabalhadores labutaram de forma árdua durante um dos invernos mais frios da história da Inglaterra e, assim que o *Wager* estava pronto para zarpar, Cheap descobriu, consternado, que algo extraordinário acontecera: o Tâmisa congelara, brilhando de uma margem à outra com ondas espessas e inquebráveis de gelo. Um funcionário de Deptford informou ao Almirantado que o *Wager* estava preso até que o rio derretesse. Dois meses se passaram até o navio ser liberado.

Em maio, o antigo *East Indiaman* enfim saiu do estaleiro de Deptford transformado em navio de guerra. A Marinha os classificava pelo número de canhões e, com 28, ele estava na sexta categoria — a mais baixa. Foi batizado em homenagem a Sir Charles Wager, o primeiro lorde do Almirantado, de 74 anos. Ademais, o termo em inglês também significa "aposta". O nome do navio parecia adequado: eles não estavam todos jogando com a vida?

Enquanto descia o Tâmisa,[41] flutuando com as marés ao longo daquela via central de comércio, o *Wager* passou por navios das Índias Ocidentais carregados de açúcar e rum do Caribe, por navios das Índias Orientais com seda e especiarias da Ásia, por baleeiros que voltavam do Ártico com óleo de baleia para lanternas e sabão. Nesse momento, sua quilha encalhou num baixio. Imagine naufragar ali! Mas logo voltou a flutuar e, em julho, chegou finalmente ao porto de Portsmouth, onde Cheap o viu. Os marinheiros observavam de forma impiedosa os navios que passavam, apontando suas curvas elegantes ou seus defeitos horríveis.[42] E embora tivesse assumido a aparência orgulhosa de um navio de guerra, o *Wager* não conseguia esconder seu antigo eu, e o capitão Kidd implorou ao Almirantado, mesmo nessa data tardia, que lhe desse uma nova camada de verniz e tinta, para brilhar como os outros navios.

Em meados de julho, nove meses desde o início da guerra, não havia ocorrido nenhum derramamento de sangue. Se a esquadra partisse de imediato, Cheap estava confiante de que poderia chegar ao cabo Horn antes do final do verão austral. Mas ainda faltava aos navios de guerra o elemento mais importante: os homens.

Por conta da duração da viagem e das invasões anfíbias planejadas, cada navio de guerra da esquadra de Anson deveria transportar um número maior de marinheiros e fuzileiros navais do que fora projetado para levar. Esperava-se que o *Centurion*, que costumava comportar quatrocentas pessoas, navegasse com cerca de quinhentas, e o *Wager* teria cerca de 250, quase o dobro de sua tripulação normal.

Cheap esperou durante muito tempo que os tripulantes chegassem. Mas a Marinha esgotara seu suprimento de voluntários,[43] e a Grã-Bretanha não tinha recrutamento militar. Robert Walpole, o primeiro primeiro-ministro do país,[44] alertou que a escassez de tripulação inutilizara um terço dos navios da Marinha. "Ah! marinheiros, marinheiros, marinheiros!", ele gritou numa reunião.[45]

Enquanto batalhava com outros oficiais para conseguir marujos, Cheap recebeu mais uma notícia perturbadora: os homens que haviam sido recrutados estavam ficando doentes. Suas cabeças latejavam e seus membros estavam tão doloridos que pareciam ter levado uma surra. Em casos graves, somavam-se a esses sintomas diarreia, vômitos, ruptura de vasos sanguíneos e febre de até 41 graus, o que os levava ao delírio — "pegando objetos imaginários no ar", como relatava um tratado médico.[46]

Alguns sucumbiram antes mesmo de ir para o mar. Cheap contou pelo menos duzentos doentes e mais de 25 mortos, isso apenas no *Centurion*. Ele havia trazido seu jovem sobrinho Henry para servir de aprendiz na expedição... E se ele morresse? Até Cheap, que era tão indomável, estava sofrendo do que chamou de "estado de saúde muito indiferente".[47]

Era uma epidemia devastadora de "febre do navio", hoje conhecida como tifo.[48] Na época, ninguém sabia que a doença era uma infecção bacteriana, transmitida por piolhos e outras pragas. Como os barcos transportavam recrutas pouco asseados e amontoados na sujeira, os homens se tornavam vetores letais, mais mortais do que uma cascata de balas de canhão.[49]

Anson instruiu Cheap a levar os doentes às pressas para um hospital improvisado em Gosport, nas cercanias de Portsmouth, na esperança de que se recuperassem a tempo para a viagem. A esquadra precisava desesperadamente de homens. Mas como o hospital estava superlotado, a maioria dos doentes teve de ser alojada em tavernas vizinhas, que ofereciam mais bebida do que remédios, e onde três pacientes às vezes tinham que se espremer em um único catre. Um almirante observou: "Dessa maneira miserável, eles morrem muito rápido".[50]

Depois que os esforços pacíficos para contratar tripulantes fracassaram, a Marinha recorreu ao que um secretário do Almirantado chamou de estratégia "mais violenta".[51] Gangues armadas foram despachadas para forçar marinheiros a servir — na verdade, para sequestrá-los. As gangues percorriam cidades e vilas e agarravam qualquer um que fosse traído por sinais de que seria marinheiro: a conhecida camisa xadrez, calças largas e chapéu redondo; os dedos besuntados de alcatrão, que era usado para tornar quase tudo em um navio mais durável e resistente à água. (Os marinheiros eram conhecidos como "alcatrões".) As autoridades locais receberam ordens para "apreender todos os marinheiros, barqueiros, pescadores e balseiros dispersos".[52]

Mais tarde, um marinheiro contou que caminhava em Londres quando um estranho deu um tapinha em seu ombro e perguntou: "Qual navio?".[53] Ele negou que fosse marinheiro, mas seus dedos manchados de alcatrão o traíram. O estranho apitou; em um instante, apareceu um pelotão. "Eu estava nas mãos de seis ou oito rufiões que logo descobri serem uma patrulha de recrutamento", escreveu. "Eles me arrastaram por várias ruas, apesar dos protestos dos transeuntes e das expressões de solidariedade que estes me lançavam."[54]

Patrulhas de recrutamento também saíam em barcos, vasculhando o horizonte em busca de navios mercantes que chegavam — o campo de caça mais fértil. Com frequência, os homens apreendidos estavam retornando de viagens distantes e não viam suas famílias havia anos; tendo em vista os riscos de uma longa viagem durante a guerra, talvez nunca mais as vissem.

Cheap ficou próximo de um jovem aspirante do *Centurion*

chamado John Campbell, que havia sido apreendido enquanto servia num navio mercante. Uma patrulha invadiu a embarcação e, quando ele os viu arrastar um homem mais velho em lágrimas, deu um passo à frente e se ofereceu para ir no lugar dele. O chefe da patrulha comentou: "Prefiro ter um rapaz de caráter do que um homem chorão".[55]

Dizem que Anson ficou tão impressionado com a bravura de Campbell que o nomeou guarda-marinha. Mas a maioria dos marinheiros fazia de tudo para escapar dos "ladrões de corpos" — escondendo-se em porões apertados, listando-se como mortos em livros de registro e abandonando navios mercantes antes de chegar a um porto importante.[56] Em 1755, quando uma patrulha de recrutamento cercou uma igreja em Londres em busca de um marinheiro que estava lá dentro, este conseguiu, segundo uma reportagem da época, escapar disfarçado com "uma longa capa, capuz e gorro de velha dama".[57]

Os marinheiros apreendidos eram transportados nos porões de pequenos navios conhecidos como tênderes, que se assemelhavam a prisões flutuantes, com grades aferrolhadas nas escotilhas e fuzileiros navais de guarda com mosquetes e baionetas. "Neste lugar passamos o dia e a noite seguinte amontoados, pois não havia espaço para sentar ou ficar de pé separados", relembrou um marinheiro. "Estávamos numa situação lamentável, muitos estavam enjoados, alguns vomitavam, outros fumavam, enquanto muitos estavam tão sufocados pelo mau cheiro que desmaiavam por falta de ar."[58]

Os membros da família, ao saberem que um parente — filho, irmão, marido ou pai — havia sido apreendido, corriam para os pontos de onde tênderes estavam partindo, na esperança de ver seus entes queridos. Samuel Pepys descreve em seu diário uma cena de esposas de marinheiros apreendidos reunidas num cais perto da Torre de Londres: "Em minha vida, nunca vi uma expressão tão natural de paixão como vi nos lamentos de algumas mulheres que corriam para procurar seus maridos em cada grupo de homens trazido para o cais, e quando um navio partia elas choravam pensando que eles poderiam estar lá, ficavam com os olhos fixos no navio até onde o luar lhes permitia enxergar. Doía meu coração ouvi-las".[59]

A esquadra de Anson abrigou dezenas de homens recrutados à força. Cheap recebeu pelo menos 65 deles para o *Centurion*; por mais desagradável que achasse aquele procedimento, ele precisava de todos os marinheiros que pudesse conseguir. No entanto, os recrutas relutantes desertavam na primeira oportunidade, assim como os voluntários que estavam apreensivos.[60] Em um único dia, trinta homens desapareceram do *Severn*. Dos enfermos enviados para Gosport, muitos aproveitavam a falta de segurança para fugir — ou, como disse um almirante, "partir assim que pudessem rastejar".[61] Ao todo, mais de 240 homens fugiram da esquadra,[62] inclusive o capelão do *Gloucester*. Quando o capitão Kidd despachou uma patrulha de recrutamento para encontrar novos marinheiros para o *Wager*, seis membros da patrulha desertaram.

Anson ordenou que a esquadra atracasse longe o suficiente do porto de Portsmouth para que nadar rumo à liberdade fosse impossível — uma tática frequente que levou um marinheiro preso a escrever para a esposa: "Eu daria tudo o que tinha, nem que fossem cem guinéus, se pudesse chegar à costa. Eu só fico deitado no convés todas as noites. [...] Não há esperança de chegar até você. [...] Faça o melhor que puder pelas crianças e que Deus proteja a você e a elas até que eu volte".[63]

Cheap, que acreditava que um bom marinheiro deve possuir "honra, coragem [...], estabilidade",[64] ficou sem dúvida alarmado com a qualidade dos recrutas que permaneceram. As autoridades locais, sabendo que o recrutamento forçado era impopular, aproveitaram a oportunidade para se livrar de elementos indesejáveis. Mas os voluntários não eram muito melhores. Um almirante escreveu que um grupo de recrutas estava cheio de "varíola, coceira, de aleijados, de doentes do mal do rei [escrófula] e de portadores de todos os outros males dos hospitais de Londres, e servirá apenas para espalhar uma infecção dentro dos navios; quanto ao resto, a maioria é ladrão, arrombador de casas, sujeitos da prisão de Newgate e a própria imundície de Londres". E concluiu: "Em todas as guerras anteriores, nunca vi um grupo de homens tão ruim, a bem da verdade, eles são tão ruins que não sei como descrevê-los".[65]

Para resolver a escassez de homens, pelo menos em parte, o governo enviou à esquadra de Anson 143 fuzileiros navais, que naquela época eram um ramo do Exército, com seus próprios oficiais.[66] Eles deveriam ajudar nas invasões terrestres e também dar uma mãozinha no mar. Porém, eram recrutas tão inexperientes que nunca haviam pisado em um navio nem sabiam como disparar uma arma. O Almirantado admitiu que eram "inúteis".[67] Em desespero, a Marinha tomou a medida extrema de arrebanhar para a esquadra de Anson quinhentos soldados inválidos do Royal Hospital, em Chelsea, um lar de aposentados criado no século XVII para veteranos que eram "velhos, coxos ou enfermos a serviço da Coroa".[68] Muitos estavam na casa dos sessenta, setenta anos, e eram reumáticos, surdos, parcialmente cegos, sofriam de convulsões ou aleijados. Por conta da idade e das deficiências, os soldados foram considerados inaptos para o serviço ativo. O reverendo Walter os descreveu como os "objetos mais decrépitos e miseráveis que poderiam ser coletados".[69]

A caminho de Portsmouth, quase metade desses inválidos escapou, inclusive um que tinha uma perna de pau. "Todos aqueles que tinham membros e força para sair de Portsmouth desertaram", observou o reverendo Walter.[70] Anson pediu ao Almirantado que substituísse o que seu capelão chamou de "destacamento idoso e doente". Mas não havia recrutas disponíveis e, depois que Anson dispensou alguns dos homens mais enfermos, seus superiores ordenaram que eles voltassem a bordo.

Cheap observou os inválidos que chegavam, muitos deles tão fracos que tinham de ser levados para os navios em macas. Seus rostos em pânico traíam o que todos sabiam em segredo: eles estavam navegando para a morte. Como reconheceu o reverendo Walter: "Com toda a probabilidade, eles morreriam inutilmente por doenças prolongadas e dolorosas; e isso também depois de terem gastado a atividade e a força da juventude a serviço do país".[71]

Em 23 de agosto de 1740, após quase um ano de atrasos, a batalha antes da batalha terminou com "tudo pronto para prosseguir viagem", como um oficial do *Centurion* escreveu em seu diário.[72] Anson ordenou que Cheap disparasse um dos canhões. Foi o sinal para a esquadra desatracar e, ao som do tiro, toda a força — os cinco navios de guerra e a chalupa de reconhecimento *Trial*,[73] de 25 metros, bem como dois cargueiros pequenos, o *Anna* e o *Industry*, que os acompanhariam em parte da viagem — despertou para a vida. Oficiais saíram de seus alojamentos; os contramestres sopravam seus apitos e gritavam: "Todos ao convés! Todos ao convés!"; marujos corriam para amarrar redes e afrouxar velas. Tudo ao redor de Cheap — os olhos e ouvidos de Anson — parecia estar em movimento, e então os navios começaram a se mover também.

Adeus aos cobradores de dívidas, aos burocratas invejosos, às frustrações sem fim. Adeus a tudo aquilo.

Quando começou a descer o canal da Mancha em direção ao Atlântico, o comboio foi cercado por outros navios que partiam, disputando vento e espaço. Várias embarcações colidiram, aterrorizando os não iniciados a bordo. E então o vento, inconstante como os deuses, mudou de maneira abrupta bem na frente deles. A esquadra de Anson, incapaz de suportar o vento, foi forçada a retornar ao ponto de partida. Tentou partir mais duas vezes e teve de recuar. Em 5 de setembro, o *Daily Post* de Londres informou que a frota ainda estava "esperando por um vento favorável".[74] Depois de todas as provações e tribulações — as provações e tribulações de Cheap —, eles pareciam condenados a permanecer ali.

Por fim, em 18 de setembro, quando o sol estava se pondo, os marinheiros pegaram uma brisa propícia. Até mesmo alguns dos recrutas com mais resistência à jornada ficaram aliviados por enfim estarem a caminho. Ao menos teriam tarefas para distraí-los, e agora poderiam perseguir aquela tentação serpentina: o galeão. "Os homens se animaram com a esperança de ficar imensamente ricos", escreveu um marinheiro do *Wager* em seu diário, "e em poucos anos retornar à velha Inglaterra carregados com a riqueza de seus inimigos."[75]

Cheap assumiu o posto de comando no tombadilho, uma plataforma elevada na popa que servia como ponte para os oficiais e que abrigava o leme e uma bússola. Ele inalou o ar salgado e ouviu a esplêndida sinfonia ao redor: o balançar do casco, o estalar das adriças, o bater das ondas na proa. Os navios deslizavam em formação elegante, com o *Centurion* liderando o caminho, suas velas abertas como asas ao vento.

Depois de um tempo, Anson ordenou que uma flâmula vermelha, que indicava sua posição de comodoro da frota, fosse içada no mastro principal do *Centurion*. Os outros capitães dispararam suas armas treze vezes cada um em saudação — um estrondoso aplauso, um rastro de fumaça que desapareceu no céu. Os navios emergiram do canal, nascidos para o mundo de novo, e Cheap, sempre vigilante, viu a costa recuar até que, por fim, foi cercado pelo profundo mar azul.

2. Um cavalheiro voluntário

John Byron[1] acordou com os gritos maníacos do contramestre do *Wager* e seus ajudantes, convocando para a vigília matinal: "Acordem! Acordem!". Ainda não eram quatro da manhã e estava escuro, embora Byron não conseguisse ver de seu alojamento nas entranhas do navio se era dia ou noite. Como aspirante no *Wager* — tinha apenas dezesseis anos —, foi-lhe dado um lugar abaixo do tombadilho, abaixo do convés superior e até abaixo do convés inferior, onde os marinheiros comuns dormiam em redes, com seus corpos pendurados nas vigas. Byron estava enfiado na parte de trás do quarto convés — um buraco úmido e abafado, sem luz natural. O único lugar abaixo disso era o porão do navio, onde se acumulava água suja, e seu cheiro fétido atormentava o rapaz, que dormia logo acima dali.

O *Wager* e o resto da esquadra estavam no mar havia apenas duas semanas, e Byron ainda estava se acostumando ao ambiente. O pé-direito do quarto convés era inferior a 1,5 metro e, se ele não se abaixasse ao se levantar, batia a cabeça. Compartilhava essa catacumba de carvalho com os outros jovens aspirantes. Cada um tinha um espaço de apenas 55 centímetros de largura para pendurar as redes e, às vezes, seus cotovelos e joelhos esbarravam nos que dormiam ao lado. Esse espaço ainda era uns vinte centímetros maior do que o destinado aos marinheiros comuns, mas muito menor do que o que os oficiais tinham em suas cabines particulares, em especial o capitão, cuja grande cabine no tombadilho contava com quarto de dormir, sala de jantar e uma varanda com vista para o mar. Tal como na terra, havia uma graduação entre os espaços apropriados, e onde você deitava sua cabeça marcava seu lugar na hierarquia.

A câmara de carvalho continha as poucas coisas que Byron e seus companheiros haviam conseguido enfiar nos baús de madeira que guardavam todos os seus pertences para a viagem. A bordo, essas caixas funcionavam como cadeiras, mesas de jogo e escrivaninhas. Um romancista descreveu o alojamento de um aspirante do século XVIII: atulhado de pilhas de roupas sujas, "pratos, copos, livros, chapéus de três bicos, meias sujas, escovas de dente, uma ninhada de ratos brancos e um papagaio engaiolado".[2] Mas o emblema da cabine de qualquer aspirante era uma mesa de madeira longa o suficiente para um corpo se deitar, onde eram amputados membros. O alojamento servia também de sala de cirurgia, e a mesa era um lembrete dos perigos que estavam por vir: quando o *Wager* estivesse em batalha, o lar de Byron ficaria cheio de serras para ossos e de sangue.

O contramestre e seus ajudantes continuavam a berrar e a soprar seus apitos. Andavam pelos conveses com lanternas, inclinavam-se sobre os marinheiros adormecidos e gritavam: "Levanta ou vai pro chão! Levanta ou vai pro chão!". Quem não se levantasse teria a corda que segurava a rede cortada, jogando seu corpo no convés. O contramestre do *Wager*, uma figura corpulenta chamada John King, provavelmente não tocaria num aspirante. Mas Byron sabia que o melhor era ficar longe dele. Os contramestres, que eram responsáveis por reunir as tripulações e administrar punições — inclusive açoitar os indisciplinados com uma bengala de bambu —, eram violentos notórios. No entanto, havia algo especialmente enervante em King. Um membro da tripulação observou que ele sofria de "um temperamento perverso e turbulento" e era "tão agressivo na fala que não conseguíamos suportá-lo".[3]

Byron precisava se levantar logo. Não havia tempo para tomar banho, o que raramente acontecia, devido ao suprimento limitado de água; e ele começava a se vestir, superando qualquer desconforto que sentisse ao se desnudar diante de estranhos e viver em meio a tanta miséria. Ele vinha de uma das linhagens mais antigas da Inglaterra — sua ascendência remontava à conquista normanda — e era nobre por ambos os lados da família. Seu pai, já falecido, havia sido o quarto Lord Byron, e sua mãe era filha de um barão. Seu irmão mais velho, o quinto Lord Byron, era membro da Câmara dos Lordes. E John, sendo o filho mais novo de um nobre, era, na linguagem da época, um cavalheiro "honrado".

O *Wager* estava muito distante de Newstead Abbey,[4] a propriedade da família Byron, com seu castelo de tirar o fôlego. Parte dele havia sido construída no século XII para ser um mosteiro. A propriedade de mais de 1200 hectares era cercada pela floresta de Sherwood, lendário refúgio de Robin Hood. A mãe de Byron gravara seu nome e sua data de nascimento — 8 de novembro de 1723 — numa janela do mosteiro. O jovem aspirante do *Wager* estava destinado a se tornar avô do poeta Lord Byron, que evocou com frequência Newstead Abbey em seus versos românticos. "A própria mansão era vasta e venerável", escreveu ele, acrescentando que "deixava uma grande impressão na mente,/ Pelo menos daqueles cujos olhos estão em seus corações".[5]

Dois anos antes de Anson iniciar sua expedição, John Byron, então com catorze anos, deixou a escola de elite de Westminster e se apresentou como voluntário na Marinha. Isso ocorreu em parte porque seu irmão mais velho, William, herdou a propriedade da família e junto com ela a mania de tantos Byron — que acabou por levá-lo a esbanjar a fortuna familiar, reduzindo Newstead Abbey a ruínas. ("O salão de meus pais, arte deteriorada", escreveu o poeta.)[6] William, que encenava falsas batalhas navais em um lago e feriu fatalmente um primo num duelo de espadas, foi apelidado de Lord Malvado.

John Byron ficou com poucos meios de ganhar uma vida respeitável. Ele poderia entrar para a Igreja, como um de seus irmãos mais jovens acabou fazendo, mas isso era muito enfadonho para sua sensibilidade. Ele poderia servir no Exército, o que muitos cavalheiros preferiam, porque podiam se sentar à toa em um cavalo com aparência elegante. E havia a Marinha, na qual era preciso trabalhar e sujar as mãos de fato.

Samuel Pepys tentou encorajar jovens nobres e cavalheiros a pensar em ir para o mar como um "serviço honrado".[7] Em 1676, ele estabeleceu uma nova política para tornar esse caminho mais atraente para os privilegiados: se fossem aprendizes em um navio de guerra por pelo menos seis anos e passassem em um exame oral, seriam contratados como oficiais da Marinha Real de Sua Majestade. Esses voluntários, que muitas vezes começavam como servos do capitão ou o que era conhecido como um *King's letter boy* [rapaz de cartas do rei], acabaram sendo classificados como aspirantes, o que lhes dava uma posição ambígua num navio de guerra. Forçados a trabalhar como marinheiros comuns para que pudessem "aprender os cabos", também eram reconhecidos como oficiais em treinamento, futuros tenentes e capitães, talvez até almirantes, e estavam autorizados a andar no tombadilho. Apesar dessas tentações, a carreira naval era considerada um tanto imprópria para uma pessoa com o pedigree de Byron — uma "perversão", como disse Samuel Johnson, que conhecia a família do garoto.[8] No entanto, ele foi arrebatado pela mística do mar. Era fascinado por livros sobre marinheiros, como o de Sir Francis Drake, tanto que os levou a bordo do *Wager*, com as histórias de façanhas marítimas escondidas em seu baú.

Contudo, mesmo para jovens nobres atraídos por uma vida no mar, a mudança repentina podia ser chocante. "Ó deuses, que diferença!", um desses aspirantes lembrou. "Eu esperava uma espécie de casa elegante com canhões nas janelas, um conjunto ordenado de homens, em suma, esperava encontrar uma espécie de Grosvenor Place, flutuando como a Arca de Noé." Em vez disso, observou ele, o convés era "sujo, escorregadio e molhado; os cheiros, abomináveis; toda a visão, nojenta; e quando observei o traje desleixado dos aspirantes, vestidos com jaquetas arredondadas e surradas, chapéus ensebados, sem luvas, e alguns sem sapatos, esqueci toda a glória [...] e, quase pela primeira vez na vida — e gostaria de poder dizer que foi a última —, tirei o lenço do bolso, cobri o rosto e chorei como a criança que era".[9]

Os marinheiros pobres e recrutados à força recebiam um conjunto básico de roupas, conhecido como "slops" [lavagem], para evitar o que era considerado "mau cheiro prejudicial" e "bestialidade desagradável", pois a Marinha ainda não havia instituído uniformes oficiais.[10] Embora a maioria dos homens da posição de Byron pudesse pagar por um ornamento de renda e seda, seus trajes costumavam precisar se adequar às exigências da vida a bordo: um chapéu, para protegê-los do sol; uma jaqueta (em geral azul), para se aquecer; um lenço de pescoço, para enxugar a testa; e calças — aquela curiosa moda iniciada pelos marinheiros. Essas calças, como a jaqueta, eram curtas para evitar que ficassem presas nos cabos e, durante o mau tempo, eram revestidas com alcatrão pegajoso para protegê-las. Mesmo nessas vestes humildes, Byron era uma figura impressionante, com pele pálida e luminosa; olhos castanhos grandes e curiosos; e cachos no cabelo. Mais tarde, um observador o descreveu como irresistivelmente bonito — "o campeão de sua forma".[11]

Ele pegava a rede e a enrolava junto com a roupa de cama. Então subia rápido uma série de escadas que ligavam os conveses, certificando-se de não se perder na vastidão do interior do navio. Por fim, emergia, como um mineiro de rosto escurecido, por uma escotilha no tombadilho, respirando o ar fresco.

A maior parte da tripulação do navio, inclusive Byron, havia sido dividida em dois turnos de vigia alternados — cerca de cem pessoas de cada vez —, e enquanto ele e seu grupo trabalhavam na parte de cima do navio, os que haviam trabalhado antes descansavam embaixo. Na escuridão, Byron ouvia passos apressados e uma babel de sotaques. Havia homens[12] de todos os estratos da sociedade, de almofadinhas a mendigos, que precisavam ter seus salários confiscados para pagar o comissário, Thomas Harvey, por seus *slops* e talheres. Além dos artesãos navais profissionais — carpinteiros, tanoeiros e veleiros —, havia pessoas de uma variedade desnorteante de profissões.

Ao menos um membro da tripulação, John Duck, era um marinheiro negro livre de Londres. A Marinha britânica protegia o comércio de escravizados, mas os capitães que precisavam de marinheiros qualificados muitas vezes recrutavam à força homens negros livres.[13] Embora a sociedade em um navio nem sempre fosse tão rigidamente segregada quanto sua equivalente em terra, havia discriminação generalizada. E Duck, que não deixou nenhum registro escrito, encarava uma ameaça que nenhum marinheiro branco enfrentava: se capturado no exterior, poderia ser vendido como escravo.

A bordo também havia dezenas de garotos — alguns, talvez, com apenas seis anos — treinando para ser marinheiro ou oficial regular. E velhos enrugados: o cozinheiro, Thomas Maclean, estava na casa dos oitenta anos. Vários tripulantes eram casados e tinham filhos; Thomas Clark, o capitão e navegador-chefe, até levou o filho na viagem. Como observou um marinheiro: "Um navio de guerra pode ser chamado com justiça de epítome do mundo, no qual há uma amostra de cada caráter, homens bons e maus". Entre os últimos, observou ele, estavam "assaltantes de estrada, ladrões, batedores de carteira, libertinos, adúlteros, jogadores, satiristas, procriadores de bastardos, impostores, proxenetas, parasitas, rufiões, hipócritas, jovens dândis decadentes".[14]

A Marinha britânica era conhecida por sua capacidade de reunir indivíduos rebeldes no que o vice-almirante Horatio Nelson chamou de "bando de irmãos". Mas o *Wager* tinha um número incomum de tripulantes relutantes e problemáticos, entre eles o ajudante de carpinteiro James Mitchell. Ele assustava Byron ainda mais do que o contramestre, King, pois parecia arder com uma raiva assassina. Byron ainda não podia saber com certeza a verdadeira natureza de seus companheiros marinheiros nem a sua: uma viagem longa e perigosa expunha inexoravelmente a alma oculta de alguém.

Byron assumiu sua posição no tombadilho. Os que estavam de guarda faziam mais do que vigiar: participavam do manejo da complexa nave, um leviatã que nunca dormia e estava constantemente em movimento. Como aspirante, esperava-se que Byron ajudasse em tudo, desde ajustar as velas até levar as mensagens dos oficiais. Ele logo descobriu que cada indivíduo ocupava uma posição, que designava não só onde ele trabalhava no navio, mas também onde se situava na hierarquia. O capitão Kidd, que comandava do tombadilho, estava no topo dessa estrutura. No mar, fora do alcance de qualquer governo, ele tinha uma autoridade enorme. "O capitão tinha de ser pai e confessor, juiz e júri para seus homens", escreveu um historiador. "Concentrava mais poder sobre eles do que o rei, pois o rei não podia mandar açoitar alguém. O capitão podia ordenar que entrassem em batalha e, portanto, tinha o poder de vida e morte sobre todos a bordo."[15]

O tenente Robert Baynes era o segundo no comando do *Wager*.[16] Com cerca de quarenta anos, servia na Marinha havia quase uma década e apresentava certificações de dois ex-capitães atestando suas habilidades. No entanto, muitos membros da tripulação o achavam indeciso. Embora viesse de uma família notável — seu avô Adam Baynes havia sido membro do Parlamento —, eles se referiam a ele como "Beans", o que, de modo intencional ou não, parecia apropriado. Ele e outros oficiais graduados de plantão supervisionavam o turno e se certificavam de que as ordens do capitão estavam sendo seguidas. Como navegadores, mestre Clark e seus imediatos traçavam o curso do navio e instruíam o contramestre sobre o rumo correto; o contramestre, por sua vez, dirigia os dois timoneiros que seguravam a roda dupla e pilotavam o navio.

Os que não eram marinheiros profissionais mas eram especializados em outros ofícios formavam sua própria unidade social: o veleiro consertava lonas, o armeiro afiava espadas, o carpinteiro consertava mastros e tapava vazamentos perigosos no casco, o cirurgião cuidava dos doentes. (Seus ajudantes eram conhecidos como *loblolly boys*, porque serviam mingau.)

Os marinheiros também estavam separados em divisões que refletiam suas habilidades. Os gajeiros, que eram jovens e ágeis e admirados por sua coragem, subiam aos mastros para desfraldar e enrolar as velas e ficar de vigia, pairando no céu como aves de rapina. Depois vinham os designados para o castelo de proa, um convés parcial voltado para a proa, onde controlavam as velas de proa e lançavam as âncoras, a maior das quais pesava cerca de duas toneladas. Os homens do castelo de proa tendiam a ser os mais experientes, e seus corpos exibiam os estigmas de anos no mar:

dedos tortos, pele coriácea, cicatrizes de açoites. No degrau inferior, situado no convés ao lado do gado barulhento e de suas fezes, ficavam os marinheiros de primeira viagem, sem experiência no mar, a quem se delegava algum serviço não qualificado.[17]

Por fim, numa categoria própria, estavam os fuzileiros navais: soldados destacados do Exército que eram também patéticos marinheiros de primeira viagem. Enquanto estavam no mar, eram governados pela autoridade naval e tinham de obedecer ao capitão do *Wager*, mas eram comandados por dois oficiais do Exército: um capitão de expressão neutra chamado Robert Pemberton e seu tenente esquentadinho, Thomas Hamilton, que originalmente fora designado para o *Centurion*, mas acabou realocado depois de se meter numa briga de faca com outro fuzileiro naval e ameaçar duelar até a morte. No *Wager*, os fuzileiros navais ajudavam principalmente a puxar e levantar as velas. E, caso estourasse uma insurreição a bordo, o capitão ordenaria que eles a reprimissem.

Para o navio prosperar, cada um desses elementos precisava ser integrado numa organização firme. Ineficiência, erros, estupidez, embriaguez — tudo podia levar ao desastre. Um marinheiro escreveu que um navio de guerra era um "conjunto de maquinário *humano*, no qual cada homem é uma roda, uma correia ou uma manivela, todos se movendo com regularidade e precisão maravilhosas de acordo com a *vontade* de seu maquinista — o todo-poderoso capitão".[18]

Nas primeiras horas da manhã, Byron observava os tais elementos ocupados com suas tarefas. Ele ainda estava aprendendo a arte da marinhagem, sendo iniciado numa civilização misteriosa[19] tão estranha que para um menino era como se estivesse "sempre dormindo ou sonhando".[20] Além disso, esperava-se que, sendo nobre e futuro oficial, ele aprendesse a desenhar, esgrimir e dançar — e pelo menos fingir que entendia um pouco de latim.

Um capitão britânico recomendava que um jovem oficial em treinamento levasse para bordo uma pequena biblioteca com os clássicos de Virgílio e Ovídio e poemas de Swift e Milton. "É errado supor que um cabeça-dura qualquer irá se transformar num marinheiro", explicou o capitão. "Não conheço nenhuma situação na vida que exija uma educação tão boa quanto a de um oficial de mar. Ele deve ser um homem de letras e línguas, um matemático e um cavalheiro."[21]

Byron também precisava aprender a pilotar o navio, emendar e manejar os cabos de laborar, virar de bordo, ler as estrelas e as marés, usar um quadrante para fixar sua posição e medir a velocidade do navio lançando uma linha com nós espaçados de modo uniforme na água para depois contar quantos escaparam de suas mãos durante um período de tempo. (Um nó equivalia a pouco mais de uma milha náutica por hora, ou 1,852 quilômetro por hora.)

Ele precisava decifrar uma linguagem nova e misteriosa, uma espécie de código secreto, ou seria ridicularizado como um marinheiro de primeira viagem. Quando lhe mandavam *pull the sheets* [puxar os lençóis], era melhor puxar a escota, o cabo amarrado ao punho da vela, em vez de esticar o lençol. Não devia falar da latrina, mas sim da cabeça — essencialmente um buraco no convés por onde os dejetos mergulhavam no oceano. E Deus o livrasse de dizer que estava *on a ship* em vez de *in a ship*. O próprio Byron foi batizado com um nome novo. Os homens começaram a chamá-lo de Jack. John Byron passou a ser Jack Tar [Joãozinho Alcatrão].

Durante a era da navegação a vela, quando as embarcações movidas a vento eram a única ponte para atravessar os vastos oceanos, a linguagem náutica era tão difundida que foi adotada por aqueles que estavam em terra firme. "*Toe the line*" [dedo na linha] deriva de quando os garotos em um navio eram forçados a ficar parados para inspeção com os dedos dos pés sobre uma linha de junção de tábuas do convés. "*Pipe down*" [cala boca] era o apito do contramestre para que todos ficassem quietos à noite, e "*piping hot*" [muito quente] era seu chamado para as refeições. Um "*scuttlebutt*" [mexerico] era um barril de água em torno do qual os marinheiros fofocavam enquanto esperavam por suas rações. Um navio estava "*three sheets to the wind*" [três lençóis ao vento] quando os cabos das velas se rompiam e o navio ficava fora de controle, como se estivesse bêbado. "*Turn a blind eye*" [virar o olho cego] tornou-se uma expressão popular depois que o vice-almirante Nelson usou de forma deliberada seu olho cego para olhar o telescópio e assim ignorar a bandeira de sinalização de seu superior para recuar.

Byron não só teve de aprender a falar como um marinheiro — e xingar como um —[22] como também a suportar um regime de punição. Seu dia era regido pelo som dos sinos, que tocavam a cada meia hora durante um turno de quatro horas (uma meia hora era calculada pelo esvaziamento de uma ampulheta). Dia após dia, noite após noite, ele ouvia o badalar dos sinos e subia para seu posto no tombadilho, com o corpo tremendo, as mãos calejadas, os olhos turvos. E se violasse as regras, poderia ser amarrado ao cordame ou, pior, ser açoitado com um chicote de nove longas cordas que podiam rasgar a sua pele.

Byron também estava aprendendo os prazeres da vida no mar. Durante as refeições, a comida, que consistia principalmente em carne bovina e suína salgada,[23] ervilhas secas, aveia e biscoitos, era surpreendentemente abundante, e ele gostava de jantar em seu alojamento com seus colegas aspirantes Isaac Morris e

Henry Cozens. Enquanto isso, os marinheiros se reuniam no convés de artilharia, desenganchavam tábuas de madeira que pendiam de cabos presos ao teto para usar como mesa e se sentavam em grupos de oito ou mais. Como os marinheiros escolhiam seus companheiros de mesa, essas unidades eram como famílias, e os membros relembravam e confiavam uns nos outros ao saborear sua ração diária de cerveja ou destilados. Byron estava começando a formar aquelas amizades profundas que surgiam de estar em lugares tão apertados, e ele se tornou próximo em particular de seu companheiro de mesa Cozens. "Nunca conheci um homem de melhor índole", escreveu ele — "quando sóbrio."[24]

Havia outros momentos de alegria, em especial aos domingos, quando um oficial gritava: "Todos a jogar!". O navio de guerra se transformava então numa área de lazer, com homens jogando gamão e garotos brincando no cordame. Anson gostava de carteado e ganhou uma reputação de jogador habilidoso, cujos olhos vazios mascaravam suas intenções. O comodoro também gostava muito de música. Todo grupo tinha pelo menos um ou dois violinistas,[25] e os marinheiros faziam danças e contradanças no convés. Uma canção popular era sobre a Guerra da Orelha de Jenkins:

Arrancaram o nariz e as duas orelhas dele...
E com escárnio devolveram uma delas,
"Leve-a ao seu mestre", eles disseram.
Mas nosso rei, posso dizer, ama os súditos
E fará cair o orgulho altivo da Espanha.[26]

Talvez a maior diversão de Byron fosse se sentar no convés do *Wager* e ouvir os velhos marujos contarem histórias do mar — histórias de amores perdidos, quase naufrágios e batalhas gloriosas.

Esses relatos pulsavam com vida, a vida do narrador, a vida que já havia escapado da morte e podia repetir a dose.

Envolvido por essa fantasia, Byron adquiriu o hábito de encher seus diários com as próprias observações. Tudo parecia ser "surpreendente" ou "extraordinário".[27] Ele anotou que havia criaturas desconhecidas, como um pássaro exótico — "o mais impressionante que já vi" — com cabeça de águia, penas "negras como azeviche e brilhantes como a seda mais fina".

Um dia, Byron recebeu uma ordem assustadora, que em algum momento todos os aspirantes ouviam: "Vá para o alto!". Ele treinara no mastro menor da mezena, mas agora precisava escalar o principal, o mais alto dos três, de uns trinta metros de altura. Sem dúvida morreria se caísse, como acontecera com outro marinheiro do *Wager*. Um capitão britânico lembrou que certa vez, quando dois de seus melhores rapazes estavam subindo, um se desequilibrou e atingiu o outro, fazendo com que ambos caíssem: "Eles bateram com a cabeça na boca dos canhões. Eu estava caminhando no tombadilho e vi aquele espetáculo horrível. É impossível dizer o que senti na hora ou descrever a dor que tomou a tripulação do navio".[28]

Byron tinha certa sensibilidade artística (um amigo disse que ele gostava de quem entendia de arte) e não gostava de parecer um almofadinha delicado. Certa vez, ele disse a um membro da tripulação: "Posso suportar as adversidades tão bem quanto o melhor de vocês e devo me acostumar a elas".[29] Então, começou a escalar. Era fundamental para ele subir no lado do mastro de onde sopra o vento, para que, quando o navio adernasse, seu corpo fosse pressionado contra os cabos. Ele deslizou por cima da amurada e colocou os pés em enfrechates — pequenos apoios horizontais que servem de degraus, presos aos cabos quase verticais que seguravam o mastro. Usando essa malha de cabos como uma escada instável, Byron se içou para o alto. Ele subiu três metros, depois quatro, depois sete. A cada onda, o mastro balançava para a frente e para trás, enquanto os cabos tremiam em suas mãos. Quando já havia subido cerca de um terço do percurso, chegou ao lado da verga principal, a viga de madeira que se estendia do mastro como os braços de uma cruz, e de onde se desenrolava a vela mestra. Era também onde, no mastro de cabo, um amotinado condenado era enforcado — ou, como dizia o ditado, "subia pela alameda da Escada e descia pela rua do Cabo".

Não muito acima da verga ficava o cesto da gávea maior — uma pequena plataforma usada para vigiar, onde Byron poderia descansar. A maneira mais simples e segura de chegar lá era deslizar por um buraco no meio da plataforma. No entanto, considerava-se que o chamado buraco do marinheiro de primeira viagem era para covardes. A menos que quisesse ser ridicularizado pelo resto da viagem (nesse caso não seria melhor mergulhar para a morte?), Byron tinha de contornar a borda da plataforma segurando-se em cabos conhecidos como arreigadas das enxárcias da gávea. Esses cabos eram inclinados e, conforme os escalava, seu corpo ia ficando cada vez mais paralelo ao convés. Sem entrar em pânico, ele tinha de tatear com o pé em busca de um enfrechate e se içar para a plataforma.

Ao ficar de pé no cesto da gávea, ele teve pouco tempo para comemorar. O mastro não era formado por uma longa vara de madeira, mas sim por três grandes pilares empilhados uns sobre os outros. E Byron havia subido apenas a primeira seção. Conforme ele continuava o trajeto, os cabos das enxárcias convergiam, e os espaços entre elas ficavam cada vez mais estreitos. Um alpinista inexperiente teria dificuldade em encontrar um apoio para os pés e, naquela altura, não havia mais espaço entre os enfrechates horizontais para envolver o braço e descansar. Com o vento açoitando-o, Byron passou pela segunda verga do mastro principal, na qual a vela grande secundária de lona estava amarrada, e pelos vaus reais — traves horizontais de madeira onde um vigia poderia se sentar e ter uma visão mais clara do navio. Ele continuou a subir e, quanto mais alto, mais sentia o mastro e seu corpo balançando de um lado para o outro, como se estivesse agarrado à ponta de um pêndulo gigante. As enxárcias que ele segurava tremiam de forma violenta. Esses cabos eram revestidos de alcatrão para ficarem protegidos das intempéries, e o contramestre era responsável pela manutenção deles para que permanecessem em boas condições. Byron se deparou com uma verdade inescapável do mundo da madeira: a vida de cada homem dependia do desempenho dos outros. Eram como as células do corpo humano; uma única maligna poderia destruir a todos.

Por fim, quase trinta metros acima da água, Byron alcançou a verga principal do joanete, posicionada quase no topo do mastro, onde estava a vela mais alta. Uma linha estava amarrada na base da verga, e ele teve de se arrastar por ela, enquanto inclinava o peito sobre a verga para se equilibrar. Então ele esperou as ordens: enrolar a vela ou rizá-la — enrolá-la parcialmente para reduzir a quantidade de lona estendida em ventos fortes. Herman Melville, que serviu num navio de guerra dos Estados Unidos na década de 1840, escreveu em *Redburn*: "Na primeira vez, rizamos as velas principais numa noite escura e me vi pairando sobre a verga com outros onze, enquanto o navio mergulhava e empinava como um cavalo louco. [...] Mas algumas repetições logo me acostumaram àquilo". E continuou:

> É surpreendente a rapidez com que um rapaz supera a timidez para subir até o alto. De minha parte, meus nervos ficaram tão firmes quanto o diâmetro da Terra. [...] Eu tinha grande prazer em enrolar as velas do joanete numa ventania, o que exigia manter as duas

mãos na verga. Havia um delírio selvagem nisso, um belo fluxo de sangue no coração; e todo o sistema era tomado por uma alegria, uma emoção e uma pulsação por ser lançado a cada passo nas nuvens de um céu tempestuoso e pairar como um anjo do julgamento final entre o céu e a terra.[30]

Como Byron estava agora no topo, bem acima de todos os conflitos nos conveses abaixo, ele podia ver os outros grandes navios da esquadra.[31] E, além deles, o mar — uma folha em branco na qual ele estava pronto para escrever sua própria história.

Às cinco da manhã de 25 de outubro de 1740, 37 dias depois da partida da esquadra da Inglaterra, um vigia do *Severn* avistou algo na luz do alvorecer. Depois que a tripulação acendeu lanternas e disparou vários canhões para alertar o resto da esquadra, Byron também viu um contorno irregular no horizonte. "Terra à vista!" Era a ilha da Madeira, na costa noroeste da África, conhecida pelo clima de primavera perene e pelo vinho soberbo, que parecia, como observou o reverendo Walter, "criado pela Providência para refrescar os habitantes da zona tórrida".[32]

A esquadra ancorou numa baía no lado leste da ilha — a última parada da expedição antes da travessia de quase 8 mil quilômetros pelo Atlântico até a costa sul do Brasil. Anson mandou que as tripulações reabastecessem os barcos rapidamente com água e madeira e carregassem grandes quantidades daquele vinho delicioso. Ele estava ansioso para seguir em frente. Propusera-se a chegar à ilha da Madeira em não mais de duas semanas, mas devido aos ventos contrários, havia demorado três vezes mais. Qualquer esperança de circum-navegar a América do Sul durante o verão austral parecia estar sumindo. "As dificuldades e os perigos da passagem pelo cabo Horn no inverno enchiam nossa imaginação", confessou o reverendo Walter.[33]

Antes de levantar âncora, em 3 de novembro, dois eventos fizeram toda a frota tremer. Primeiro, Richard Norris, capitão do *Gloucester* e filho do almirante John Norris, renunciou ao cargo de forma inesperada. "Por estar extremamente doente desde que deixei a Inglaterra", escreveu ele numa mensagem a Anson, "temo que minha saúde não me permitirá prosseguir numa viagem tão longa."[34] O comodoro atendeu ao pedido, embora desprezasse toda falta de coragem — tanto que mais tarde persuadiu a Marinha a acrescentar um regulamento que especificava que qualquer pessoa considerada culpada de "covardia, negligência ou desamor" durante a batalha "deverá sofrer a morte".[35] Até o reverendo Walter, a quem um colega descreveu como "um homem um tanto insignificante, fraco e doentio",[36] disse sobre o medo: "Ao diabo! É uma paixão ignóbil e abaixo da dignidade do homem!".[37] Walter observou duramente que Norris "largou" o comando.[38] Mais tarde, durante a guerra, quando comandava outro navio, Richard Norris seria acusado de demonstrar os "maiores sinais de medo"[39] ao recuar numa batalha, recebendo a ordem de encarar uma corte marcial. Em carta ao Almirantado, ele insistiu que agradecia a oportunidade de "remover aquela infâmia que a maldade e a falsidade lançaram sobre mim".[40] Mas, antes da audiência, ele desertou e não se soube mais dele.

A saída de Norris iniciou uma cascata de promoções entre os comandantes. O capitão do *Pearl* foi designado para o *Gloucester*, um navio de guerra mais poderoso. O capitão do *Wager*, Dandy Kidd — a quem outro oficial descreveu como um "comandante digno e humano e universalmente respeitado a bordo de seu navio" —,[41] passou para o *Pearl*. Em seu lugar no *Wager* ficou George Murray, filho de um nobre e que até então comandava a chalupa *Trial*.

A *Trial* era a única com uma vaga para comandante. Anson não tinha mais capitães para escolher, e então eclodiu uma disputa entre os oficiais subalternos. Um cirurgião naval comparou as rivalidades nos navios com as intrigas palacianas, nas quais todos "cortejam o favor de um déspota e tentam minar seus rivais".[42] Por fim, Anson escolheu seu obstinado primeiro-tenente, David Cheap.

A sorte de Cheap enfim mudara. A *Trial* de oito canhões não era um navio de guerra, mas ainda assim era um navio. No livro de registro da embarcação, seu nome foi consagrado como capitão David Cheap.

Capitães diferentes significam regras diferentes, e Byron teria de se ajustar ao novo comandante do *Wager*. Além disso, devido às mudanças, um desconhecido invadiu o dormitório lotado de Byron. Ele se apresentou como Alexander Campbell. Com apenas quinze anos e um forte sotaque escocês, ele era aspirante e havia sido trazido da *Trial* por Murray. Ao contrário dos outros aspirantes de quem Byron havia se tornado amigo, Campbell parecia arrogante e volátil. Alardeando seu status de futuro oficial para os marinheiros comuns, ele se comportava como um pequeno tirano, que fazia as ordens do capitão serem cumpridas de forma impiedosa, às vezes com os punhos.

Enquanto a mudança de comando inquietava Byron e os outros homens, um segundo acontecimento foi ainda mais perturbador. O governador da ilha da Madeira informou a Anson que à espreita, na costa ocidental da ilha, estava uma armada espanhola de pelo menos cinco belonaves enormes, entre elas um navio de 66 canhões com cerca de setecentos combatentes, uma canhoneira de 54 canhões e quinhentos homens e um navio imenso de 74 canhões e setecentos combatentes. A notícia da missão de Anson havia vazado — o que depois foi confirmado por um capitão britânico no Caribe, que apreendeu um navio com documentos espanhóis que detalhavam toda a "inteligência" que havia sido reunida sobre a expedição de Anson.[43] O inimigo sabia de tudo e despachou a armada comandada pelo futuro vice-rei de Nova Granada, o marquês José Alfonso Pizarro. O reverendo Walter observou que esse contingente tinha "a intenção de interromper nossa expedição"[44] e acrescentou que, "em força, eles eram muito superiores".[45]

A esquadra esperou até o anoitecer para escapar da ilha da Madeira, e Byron e seus companheiros receberam ordens de apagar as lanternas a bordo, para evitar que fossem vistos. Eles não estavam mais rondando o mar em segredo. Agora, estavam sendo caçados.

3. O artilheiro

Um dos fuzileiros navais do *Wager* bateu num tambor, o sinistro "toque de despertar", e então homens e garotos meio adormecidos ou meio vestidos correram pela escuridão para seus postos de batalha. Eles tiraram do convés o que havia de coisas soltas — qualquer uma que pudesse se estilhaçar em fragmentos letais durante um ataque. Um menino de catorze anos que serviu num navio de guerra britânico relembrou que "nunca tinha visto um homem ser morto antes", até que, durante uma escaramuça, uma lasca atingiu um companheiro no "topo da cabeça, e quando ele caiu o sangue e os miolos escorreram pelo convés".[1] A perspectiva do mundo de madeira se transformar em chamas era uma ameaça ainda mais grave. Os homens do *Wager* encheram baldes de água e prepararam os grandes canhões do navio, aquelas bestas de ferro de duas toneladas com focinhos de 2,5 metros ou mais. Um único canhão exigia pelo menos seis pessoas para liberar sua força destrutiva.[2]

Cada membro da equipe se movia de acordo com seu papel a bordo. O "macaco da pólvora", selecionado entre os garotos, atravessou correndo o convés dos canhões para pegar um cartucho que vinha do paiol subterrâneo por um alçapão, onde todos os materiais explosivos estavam guardados a sete chaves. Fuzileiros navais estavam de guarda. Não era permitido acender nem uma vela ali.

O menino pegou o cartucho, que continha vários quilos de pólvora, e correu para sua arma designada, tomando cuidado para não tropeçar no emaranhado de homens e máquinas e provocar um incêndio explosivo. Outro homem de sua equipe pegou o cartucho e o empurrou para dentro da boca do canhão. Em seguida, um carregador enfiou ali uma bola de ferro fundido de oito quilos, depois um chumaço de pano para mantê-la no lugar. Cada canhão estava montado em um carro com quatro rodas de madeira, e os homens, usando talhas, blocos e cabos grossos, empurravam a arma para a frente até que o cano saísse por uma portinhola. Um após o outro, nos dois lados do navio, as bocas dos canhões surgiram.

Enquanto isso, ajustadores e gajeiros cuidavam das velas. Ao contrário de um campo de batalha, não havia uma posição fixa no mar: o navio estava sempre mudando com o vento, as ondas e as correntes. Um capitão tinha de se adaptar a essas forças imprevisíveis e aos movimentos de um adversário astuto, e tudo isso exigia enormes habilidades táticas — as habilidades de um artilheiro e de um marinheiro. Na fúria do combate, com balas de canhão, metralha, tiros de mosquete e estilhaços de sessenta centímetros voando em todas as direções, o capitão talvez precisasse içar velas extras ou abaixá-las, virar de bordo ou recuar, perseguir ou fugir. E talvez tivesse que bater a proa no navio inimigo, para que seus homens pudessem atacá-lo com machados de abordagem, alfanges e espadas, e assim o tiroteio dava lugar ao combate corpo a corpo.

Os homens do *Wager* trabalhavam em silêncio para que pudessem ouvir as ordens que eram dadas: "Fure o cartucho... Aponte a arma... Pegue o fósforo... Fogo!".

O chefe da equipe, que também era o encarregado de acender o estopim, enfiou um pavio de queima lenta numa extremidade fechada da arma e, em seguida, se afastou junto com o resto da tripulação enquanto a centelha acendia o cartucho e o tiro explodia com tanta força que o canhão recuou violentamente, até que a corda da culatra, presa ao costado, o conteve. Se alguém demorasse para sair de trás dele, seria esmagado. Por todo o navio, os grandes canhões disparavam, e as balas de oito quilos zuniam no ar a cerca de 360 metros por segundo, com uma fumaça ofuscante e um rugido ensurdecedor, fazendo os conveses estremecerem como se o mar estivesse fervendo.[3]

Parado em meio ao calor e à luz estava o artilheiro do *Wager*, John Bulkeley. Ele estava entre os poucos na companhia desorganizada do navio que pareciam prontos para um possível ataque. Mas o chamado às armas acabou sendo apenas um exercício — o comodoro Anson, depois de receber a informação de que havia uma armada espanhola à espreita, empenhou-se cada vez mais em preparar todos para a batalha.

Bulkeley executava suas tarefas com a eficiência implacável de uma de suas frias armas pretas. Ele era um verdadeiro marinheiro, tendo servido mais de uma década na Marinha. Começou a carreira fazendo tarefas sujas, mergulhando as mãos no balde de alcatrão e bombeando o porão, aprendendo com os oprimidos a "rir da maldade vingativa", nas palavras de um marujo, a "odiar a opressão, apoiar o infortúnio".[4] Ele foi subindo do convés inferior até que, alguns anos antes da viagem de Anson, se apresentou a um conselho de especialistas e foi aprovado num exame oral para ser artilheiro.

Enquanto o capitão e o tenente recebiam suas comissões da Coroa e muitas vezes trocavam de navio após uma única viagem, os especialistas técnicos, como o artilheiro e o carpinteiro, recebiam mandados do Conselho da Marinha e deveriam ser designados de modo permanente a determinado navio, que se tornava mais ou menos sua casa. Estavam classificados abaixo dos oficiais do mar comissionados, mas eram, de muitas maneiras, o coração do barco: um corpo profissional que o mantinha funcionando. Bulkeley era responsável por todos os instrumentos de morte do *Wager*. Era uma função essencial, especialmente em tempos de conflito, e isso se refletia nos regulamentos da Marinha: havia mais artigos relacionados com as funções do artilheiro do que com as do mestre, ou mesmo do tenente. Como disse um comandante: "Um artilheiro no mar deve ser habilidoso, cuidadoso e corajoso, pois a força do navio está em suas mãos".[5] O *Wager* transportava as munições de toda a esquadra, e Bulkeley comandava um vasto arsenal que incluía pólvora suficiente para detonar uma pequena cidade.

Cristão devoto, esperava um dia descobrir o que chamava de "Jardim do Senhor".[6] Embora o *Wager* devesse realizar serviços religiosos dominicais, Bulkeley se queixava de que "a oração fora totalmente negligenciada a bordo" e que na Marinha "a devoção, de maneira tão solene, é tão raras vezes realizada que só conheci um exemplo durante os muitos anos em que pertenci a ela".[7] Ele trouxera um livro intitulado *The Christian's Pattern: or, A Treatise of the Imitation of Jesus Christ* [O modelo dos cristãos: Ou um tratado da imitação de Jesus Cristo] e parecia encarar a jornada traiçoeira, pelo menos em parte, como uma forma de se aproximar de si mesmo e de Deus. O sofrimento pode "fazer o homem entrar em si mesmo",[8] instruía o livro, mas neste mundo de tentações "a vida do homem é uma guerra na terra".[9]

Apesar de suas crenças, ou talvez por causa delas, Bulkeley havia dominado as artes sombrias da artilharia e estava determinado a fazer do *Wager*, para usar uma de suas expressões preferidas, "o terror de todos os seus inimigos".[10] Ele sabia o ponto exato em que a tripulação deveria abrir fogo ao passar por uma onda. Misturava com habilidade cartuchos e empacotava granadas com farinha de milho e, quando necessário, puxava os fusíveis com os dentes. O mais importante: guardava com empenho as munições que lhe eram confiadas, sabendo que, se caíssem em mãos descuidadas ou amotinadas, poderiam destruir o navio de dentro para fora. Um manual naval de 1747 enfatizava que um artilheiro deve ser um "homem sóbrio, cuidadoso e honesto"[11] e parecia descrever Bulkeley com exatidão ao afirmar que alguns dos melhores artilheiros haviam vindo do "estrato mais baixo a bordo, chegando a favorito por pura força da diligência e do esforço".[12] Bulkeley era tão habilidoso e confiável que, ao contrário da maioria dos artilheiros em navios de guerra, foi colocado no comando de um dos grupos de vigilância do *Wager*. Em seu diário, ele escreveu com certo orgulho: "Embora eu fosse o artilheiro do navio, era responsável por vigiar durante toda a viagem".[13] Bulkeley parecia, como observou um oficial naval, um líder instintivo.

No entanto, ele estava preso à sua classe. Ao contrário de seu novo capitão, George Murray, ou do aspirante John Byron, ele não era um dândi de meias de seda. Não tinha um pai barão ou algum patrono poderoso que preparasse seu caminho para o tombadilho. Ele poderia ser superior a Byron — e poderia ser para o jovem um guia em um navio de guerra —, mas mesmo assim era considerado socialmente inferior. Embora houvesse casos de artilheiros que se tornavam tenentes ou capitães, eram raros, e Bulkeley era franco e seguro de si demais para bajular seus superiores, o que considerava uma prática "degenerada".[14] Como observou o historiador N. A. M. Rodger: "No tradicional estilo inglês, os especialistas eram mantidos em seu lugar; eram os oficiais comissionados, educados apenas como marinheiros, que assumiam o comando".[15]

Bulkeley era sem dúvida fisicamente imponente. Certa vez, lutou com um auxiliar de John King, o ameaçador contramestre do *Wager*. "Ele me obrigou a me defender, e logo eu o dominei", escreveu Bulkeley em seu diário.[16] No entanto, não há descrições da aparência de Bulkeley, se era alto ou baixo, careca ou de cabelos grossos, olhos azuis ou escuros. Ele não tinha como pagar para que o célebre artista Joshua Reynolds pintasse seu retrato posando com um traje naval régio e uma peruca empoada, como Anson, Byron e o aspirante do *Centurion* Augustus Keppel fizeram. (O retrato de Keppel, baseado na imagem clássica de Apolo, retratava-o atravessando uma praia diante de um mar repleto de espuma.) O passado de Bulkeley também é em grande parte obscuro, como se tivesse sido coberto por alcatrão junto com suas mãos calejadas. Em 1729, ele se casou com uma mulher chamada Mary Lowe. Eles tiveram cinco filhos — a mais velha, Sarah, tinha dez anos, e o mais novo, George Thomas, tinha menos de um ano. Moravam em Portsmouth. Isso é tudo o que sabemos dos antecedentes de Bulkeley. Ele surge em nosso relato como um daqueles colonos que chegavam à fronteira americana sem uma história discernível — um homem que só pode ser considerado por seus atos atuais.

No entanto, podemos vislumbrar alguns de seus pensamentos privados porque ele sabia escrever — e escrevia bem. Bulkeley não era obrigado, como os oficiais mais graduados, a fazer um diário de bordo, mas mantinha um para si mesmo de todo modo. Esses volumes, escritos em grossas folhas de papel com pena e tinta — tinta que às vezes borrava quando o navio balançava ou ao receber respingos do mar —, eram formatados em colunas, sob as quais eram anotados, a cada dia, a direção do vento, a localização do navio e quaisquer "observações e acidentes notáveis".[17] As notas deviam ser impessoais, como se os elementos selvagens pudessem ser contidos pela codificação. Daniel Defoe reclamou que os diários de bordo dos marinheiros muitas vezes não passavam de "relatos tediosos de [...] quantas léguas eles navegavam todos os dias; onde tinha vento, quando soprava forte ou suave".[18] Não obstante, esses diários, que refletiam a viagem, tinham um ímpeto narrativo inerente, com começo, meio e fim, além de reviravoltas imprevistas. E alguns inseriam notas pessoais. Bulkeley, em um de seus diários, transcreveu o verso de um poema:

Corajosos eram os primeiros Homens que no Oceano
Abriram as novas Velas, quando o naufrágio do Navio
[era o pior:
Agora Mais Perigos vindos apenas do HOMEM encontramos,
Do que das Rochas, das Ondas e do Vento.[19]

Depois de uma viagem, o capitão de um navio entregava os diários de bordo ao Almirantado, fornecendo resmas de informações para a construção de um império — uma enciclopédia do mar e de terras desconhecidas. Anson e seus oficiais consultavam com frequência os diários dos poucos marinheiros que se haviam aventurado no cabo Horn.

Além disso, esses "diários de memória", como um historiador os chamou,[20] criavam um registro de quaisquer ações controversas ou contratempos que ocorriam durante uma viagem. Se necessário, poderiam ser apresentados como prova em cortes marciais; carreiras e vidas podiam depender deles. Um tratado do século XIX sobre marinharia prática aconselhava que cada diário de bordo fosse "guardado com cuidado, e todas as entrelinhas e rasuras deveriam ser evitadas, pois sempre levantam suspeitas". E continuava: "As anotações devem ser feitas o mais rápido possível após cada situação, e nada deve ser escrito que o imediato não esteja disposto a sustentar num tribunal de justiça".[21]

Esses diários de bordo também estavam se tornando a base

de histórias de aventura populares para o público em geral.[22] Alimentada por gráficas, pela crescente alfabetização e por um fascínio por lugares antes desconhecidos da população europeia, havia uma demanda insaciável pelo tipo de narrativa que os marinheiros há muito teciam no castelo de proa. Em 1710, o conde de Shaftesbury observou que histórias sobre o mar eram "em nossos dias atuais o que os livros de cavalaria eram na época de nossos antepassados".[23] Os livros que atiçavam a imaginação fervorosa de jovens como Byron se assemelhavam ao formato cronológico de um diário de bordo, mas apresentavam uma reflexão mais pessoal; o individualismo estava se infiltrando neles.

Bulkeley não planejava publicar seu diário; a autoria desse crescente corpo de literatura ainda era limitada a oficiais comandantes ou a homens de certa posição e classe. Mas, em contraste com o comissário do *Trial*, Lawrence Millechamp, que confessou em seu diário ser "incompetente" para a tarefa de "escrever as folhas a seguir",[24] Bulkeley adorava registrar o que via. Isso lhe dava uma voz, mesmo que ninguém além dele a ouvisse.

Certa manhã de novembro, não muito tempo depois de Bulkeley e seus companheiros terem deixado a ilha da Madeira, um vigia empoleirado no topo do mastro avistou um navio subindo no horizonte. Ele soou o alarme: "Vela à vista!".

Anson se certificou de que todos os cinco navios de guerra ficassem próximos, para que pudessem estabelecer rápido uma linha de batalha na qual os barcos se espalhassem de modo uniforme, como uma corrente alongada, a fim de consolidar seu poder e facilitar a ajuda a qualquer elo enfraquecido.[25] Essa formação era a maneira como duas frotas costumavam se enfrentar,[26] mas aos poucos isso mudaria, culminando em 1805, quando o vice-almirante Horatio Nelson desafiou a rígida linha de batalha em

Trafalgar para, como ele disse, "surpreender e confundir o inimigo", de modo que "eles não saberão o que pretendo fazer".[27] Mesmo na época de Anson, capitães astutos costumavam esconder suas intenções, usando truques e fingimentos. Um capitão poderia surgir na névoa e roubar o vento de seu oponente ao bloquear suas velas. Ou poderia fingir enfrentar dificuldades antes de lançar um ataque. Ou tentar se passar por amigo, talvez acenando numa língua estrangeira, para se aproximar e atirar à queima-roupa.

Depois que o vigia de Anson avistou a embarcação, era imperativo determinar se ela era amiga ou inimiga. Um marinheiro descreveu o protocolo a ser seguido quando uma nave estranha era avistada. O capitão corria e gritava para o vigia: "Topo do mastro aí!".[28]

"Senhor!"

"Como é a aparência dele?"

"Uma embarcação de pano redondo, senhor."

O capitão exigia silêncio na proa e na popa e, depois de um tempo, gritava de novo: "Topo do mastro aí!".

"Senhor!"

"Como é a aparência dele?"

"Um navio grande, senhor, está vindo em nossa direção."

Os oficiais e a tripulação do *Wager* se esforçaram para saber de onde vinha o navio e seu objetivo. Mas ele estava longe demais, não passava de uma sombra ameaçadora. Anson sinalizou para o capitão Cheap, recém-empossado no tombadilho da veloz *Trial*, para ir atrás de mais informações. Cheap e seus homens partiram com as velas abertas. Bulkeley e os outros esperaram e prepararam os canhões mais uma vez, numa ansiedade nervosa — o estresse constante de batalhar num vasto oceano com meios limitados de vigilância e comunicação.

Depois de duas horas, Cheap se aproximou do navio e disparou um tiro de advertência. Ele virou de bordo, permitindo que Cheap chegasse mais perto. Descobriu que era apenas um navio holandês com destino às Índias Orientais. Os homens da esquadra voltaram aos seus postos de vigia, pois o inimigo, como a força do mar, ainda poderia surgir no horizonte.

Não muito tempo depois, ocorreu um cerco invisível.[29] Embora nenhuma arma tenha sido disparada, muitos dos companheiros de Bulkeley começaram a desmaiar, como se tivessem sido atingidos por uma força maligna. Os garotos não conseguiam mais subir nos mastros. Os inválidos recrutados à força sofriam ainda mais, contorcendo-se febris nas redes, suando e vomitando em baldes ou em si mesmos. Alguns deliravam e precisavam ser vigiados para não cair no mar. A bomba bacteriana do tifo, plantada nos navios antes da partida, entrava agora em erupção em toda a frota. "Nossos homens ficaram perturbados e doentes", observou um oficial, acrescentando que a febre estava "começando a reinar entre nós".[30]

Quando a esquadra estava na Inglaterra, os infectados podiam ao menos ser levados à terra para receber tratamento; agora, estavam presos nos navios superlotados — o distanciamento social, se pudessem ao menos entender esse conceito, era impossível —, e seus corpos cheios de piolhos encostavam em novas vítimas inocentes. Os piolhos rastejavam de um marinheiro para outro e, embora suas picadas não fossem perigosas, os vestígios de fezes que depositavam na ferida resultante estavam carregados de bactérias. Quando um marinheiro coçava inocentemente a picada — a saliva do piolho causava coceira —, ele se tornava um participante involuntário de sua própria invasão corporal. Os patógenos entravam na corrente sanguínea e, então, o contágio se espalhava de piolho em piolho e atacava a força vital da esquadra.

Bulkeley não tinha certeza de como se proteger, exceto se dedicar com ainda mais intensidade a Deus. O cirurgião do *Wager*, Henry Ettrick, montou uma enfermaria no convés inferior, onde havia mais espaço para pendurar redes do que a área de operação no alojamento dos aspirantes. (Quando os marinheiros enfermos se protegiam no convés inferior das adversidades que vinham do lado de fora, dizia-se que estavam "sob o clima".) Ettrick se dedicava a seus pacientes e era um perito no uso da faca, capaz de amputar um membro em poucos minutos. Ele inventara o que chamou de "máquina para reduzir fraturas da coxa" — uma engenhoca de sete quilos com roda e pinhão que prometia ao paciente se recuperar sem mancar.[31]

Apesar dessas inovações, Ettrick e outros médicos da época tinham pouco conhecimento científico sobre doenças e não tinham ideia de como impedir um surto de tifo. O mestre-escola do *Centurion*, Pascoe Thomas, resmungou que as teorias de infecção de Ettrick consistiam em um inútil "fluxo de palavras, com pouco ou nenhum significado".[32] Como o conceito de germes ainda não havia surgido, os instrumentos cirúrgicos não eram esterilizados, e a paranoia sobre a origem da epidemia consumia os marinheiros como a própria doença. O tifo se espalhava pela água ou pela sujeira? Através do toque ou do olhar? Uma teoria médica predominante na época sustentava que certos ambientes estagnados, como os de um navio, exalavam odores nocivos que causavam doenças em humanos. Acreditava-se que havia mesmo alguma coisa "no ar".

À medida que os membros da esquadra de Anson adoeciam, os oficiais e cirurgiões percorriam os conveses em busca de possíveis culpados: o porão imundo, as velas mofadas, a carne rançosa, o suor humano, a madeira podre, os ratos mortos, a urina e os excrementos, o gado imundo, o hálito sujo. A fetidez havia desencadeado uma praga de insetos — tão bíblica que era inseguro, como observou Millechamp, "para um homem abrir a boca com medo de que voassem goela abaixo".[33] Alguns membros da tripulação transformavam tábuas de madeira em leques improvisados. "Um certo número de homens era empregado para acenar para a frente e para trás, a fim de agitar o ar infectado", lembrou um oficial.[34]

O capitão Murray e os outros oficiais superiores realizaram uma conferência de emergência com Anson. Bulkeley não foi incluído — havia certos ambientes em que sua entrada não era permitida. Ele logo soube que os oficiais haviam discutido como deixar entrar mais ar abaixo do convés. Anson ordenou aos carpinteiros que cortassem seis aberturas adicionais no casco de cada navio de guerra, logo acima da linha d'água. Ainda assim, a praga se acelerou, com mais dezenas de infectados.

Ettrick e outros médicos posicionados nas enfermarias ficaram sobrecarregados. Tobias Smollett, cujo romance picaresco *The Adventures of Roderick Random* [As aventuras de Roderick Random] se baseou em suas experiências como auxiliar de cirurgião naval durante a guerra contra a Espanha, escreveu sobre uma epidemia: "Eu ficava muito menos surpreso com a morte de pessoas a bordo do que com a recuperação de qualquer doente. Aqui eu vi cerca de cinquenta desgraçados, suspensos em fila, tão amontoados uns sobre os outros [...] e privados da luz do dia e do ar fresco; respirando nada além de [...] seus próprios excrementos e corpos doentes".[35] Enquanto um enfermo lutava pela vida nos mares solitários longe de casa, seus companheiros podiam visitá-lo, segurar uma lanterna sobre seus olhos vazios e tentar animá-lo — ou talvez, como um capelão em um navio de guerra descreveu, "deixar cair lágrimas silenciosas sobre ele, ou chamá-lo com as entonações mais comoventes".[36]

Um dia, no *Wager*, vários homens saíram da enfermaria carregando um longo pacote embrulhado. Era o cadáver de um de seus companheiros. Segundo a tradição, um corpo que seria enterrado no mar devia ser enrolado numa rede, junto com pelo menos uma bala de canhão.[37] (Quando a rede era costurada, o último ponto era dado no nariz da vítima, para ter certeza de que estava morta.) O cadáver enrijecido era posto numa prancha e uma bandeira britânica era colocada sobre ele, fazendo com que se parecesse menos com uma múmia. Os bens pessoais do falecido — as roupas, os objetos e o baú — eram recolhidos para leilão, a fim de arrecadar dinheiro para a viúva ou outros membros da família; até mesmo os marinheiros mais empobrecidos faziam lances exorbitantes. "A morte é sempre solene, mas nunca tanto como no mar", lembrou um marinheiro.[38]

> O homem está perto de você — ao seu lado —, você ouve a voz dele e em um instante ele se foi, e nada além de um vazio mostra sua perda... Há sempre um beliche vazio no castelo de proa, e um homem precisando dele quando a pequena guarda noturna é reunida. Há um a menos para assumir o leme e um a menos para se deitar com você na verga. Você sente falta de sua forma e do som de sua voz, pois o hábito os tornou quase necessários para você, e cada um de seus sentidos sente a perda.

O sino do *Wager* tocou, e Bulkeley, Byron e os outros homens se reuniram no convés, nos passadiços e nos botalós. Os oficiais e a tripulação dos outros navios também se aproximaram, formando uma espécie de cortejo fúnebre. O contramestre gritou: "Tirem os chapéus", e os enlutados mostraram a cabeça. Eles rezaram pelos mortos, e talvez também por eles mesmos.

O capitão Murray recitou as palavras: "Assim, entregamos seu corpo às profundezas". Após a retirada da bandeira, a prancha foi levantada e o corpo deslizou sobre a amurada. Um barulho de algo caindo na água quebrou o silêncio. Bulkeley e seus ajudantes observaram o companheiro afundar com o peso da bala de canhão até desaparecer, naquela última viagem desconhecida, nas profundezas do oceano.

Em 16 de novembro, os capitães do *Anna* e do *Industry*, a dupla de cargueiros que acompanhava a esquadra, informaram a Anson que já haviam cumprido seu contrato com a Marinha e que queriam voltar para casa — um desejo sem dúvida intensificado pela crescente epidemia e pela iminência de ter de cruzar o cabo Horn. Como a esquadra não tinha espaço para armazenar as provisões restantes dos dois navios, incluindo toneladas de conhaque, Anson decidiu liberar apenas o *Industry*, que não estava em boas condições para navegar.

Cada navio de guerra carregava a bordo pelo menos quatro pequenos barcos para transportar mercadorias e pessoas para a costa ou entre os navios. O maior era o escaler, com cerca de dez metros de comprimento, e que como os outros podia navegar a remo ou a vela. Esses pequenos barcos eram mantidos amarrados ao convés de um navio e, para iniciar o perigoso processo de transferência dos suprimentos restantes do *Industry*, os homens de Anson começaram a baixá-los no mar turbulento. Enquanto isso, muitos oficiais e tripulantes redigiam às pressas cartas para serem enviadas de volta à Inglaterra. Poderia levar meses, se não anos, até que tivessem outra chance de se comunicar com seus entes queridos.

Bulkeley poderia contar à esposa e aos filhos que, embora a morte tivesse perseguido a esquadra pelo mar, ele permanecia milagrosamente saudável. Se os cirurgiões estavam certos e a febre era causada por cheiros venenosos, por que algumas pessoas no navio eram afetadas e outras ficavam ilesas? Muitos dos devotos acreditavam que as doenças que levavam ao fim da vida tinham origem na natureza degenerada dos seres humanos — sua ociosidade, sua dissolução e sua devassidão. O primeiro compêndio médico para cirurgiões marítimos, publicado em 1617, alertava que as pragas eram a maneira de Deus eliminar "os pecadores da Terra".[39] Talvez os marinheiros de Anson estivessem passando pelo mesmo que os egípcios, e Bulkeley tivesse sido poupado por algum propósito justo.

Na noite de 19 de novembro, terminou a transferência da carga do *Industry*. Bulkeley escreveu de maneira sucinta em seu diário: "O cargueiro *Industry* se separou".[40] Sem que ele e os outros membros da esquadra soubessem, esse navio seria logo capturado pelos espanhóis. As cartas jamais chegariam.

Em dezembro, mais de 65 membros da esquadra já haviam sido enterrados no mar.[41] A doença, relatou o reverendo Walter, "não era apenas terrível em sua primeira instância, mas mesmo suas sequelas com frequência se mostravam fatais para aqueles que se consideravam curados dela", pois "sempre os deixava num estado muito fraco e indefeso".[42] Embora o cirurgião-chefe do *Centurion*, o médico mais experiente da esquadra, tivesse poucos recursos à disposição, ele trabalhava com bravura para salvar vidas. Até que em 10 de dezembro ele também sucumbiu.

A esquadra continuou navegando. Bulkeley vasculhava o horizonte em busca da América do Sul, a terra firme. No entanto, não havia nada a ser visto, exceto o mar. Ele era um conhecedor de seus vários tons e formas. Havia águas cristalinas, irregulares, com franjas brancas, salobras, azuis transparentes, ondulantes e iluminadas pelo sol que brilhavam como estrelas. Certa vez, escreveu Bulkeley, o mar estava tão vermelho que "parecia sangue".[43] Cada vez que a esquadra cruzava uma faixa da imensa extensão líquida, outra aparecia diante deles, como se toda a Terra estivesse submersa.

Em 17 de dezembro — seis semanas depois de deixar a ilha da Madeira e três meses desde que havia partido da Inglaterra — Bulkeley vislumbrou uma mancha inconfundível no horizonte: uma faixa de terra. "Vimos a ilha de Santa Catarina ao meio-dia", escreveu entusiasmado em seu diário de bordo.[44] Situada na costa sul do Brasil, essa ilha estava sob controle português. (Em 1494, na sequência da viagem revolucionária de Colombo, o papa Alexandre VI, com um gesto de mão imperioso, dividiu o mundo além da Europa ao meio, concedendo o lado ocidental à Espanha e, a Portugal, as regiões orientais, incluindo o Brasil.) O cabo Horn ficava 3 mil quilômetros ao sul de Santa Catarina e, com a perspectiva da aproximação do inverno, Anson estava ansioso para prosseguir. No entanto, ele sabia que seus homens precisavam se recuperar, e os navios de madeira precisavam ser consertados antes de entrar em regiões hostis sob controle espanhol.

Ao se aproximarem da ilha, puderam ver florestas exuberantes e montanhas que deslizavam para o mar. Um grupo de indígenas guaranis havia prosperado ali, caçando e pescando, mas depois que os exploradores europeus fizeram contato, no século XVI, e que os colonos portugueses chegaram, no século XVII, eles foram dizimados por doenças e perseguições — esse tributo interminável pago ao imperialismo que raramente, ou nunca, era registrado em diários de bordo. A ilha estava agora tomada por bandidos que, segundo o mestre-escola Thomas, "haviam seguido para lá após fugirem de outras partes do Brasil para escapar da justiça".[45]

A esquadra ancorou em um porto, e Anson de imediato enviou para a terra firme as centenas de doentes. Os que conseguiram acamparam numa clareira e construíram abrigos com velas puídas, com a lona branca ondulando com a brisa. Enquanto os cirurgiões e ajudantes de enfermeiro cuidavam dos doentes, Bulkeley, Byron e outros caçavam macacos, javalis e o que o tenente Philip Saumarez descreveu como um "pássaro muito singular, chamado tucano, cuja plumagem é vermelha e amarela, com um bico longo que parece um casco de tartaruga".[46] Os marinheiros também descobriram uma abundância de plantas medicinais. "A gente pode se imaginar numa farmácia", observou maravilhado o tenente.[47]

Não obstante, a doença não cedeu, e pelo menos oitenta homens e garotos morreram na ilha; seus corpos foram enterrados em covas rasas e arenosas.[48] Em relatório ao Almirantado, Anson observou que, desde que a esquadra deixara a Inglaterra, 160 dos cerca de 2 mil membros haviam perecido. E a frota nem havia começado a parte mais perigosa da viagem.

Bulkeley passou o Natal na ilha. Três marinheiros morreram naquele dia, lançando uma sombra sobre a data, e qualquer comemoração que tenha ocorrido foi tão superficial que ninguém a mencionou em seus diários. Na manhã seguinte, continuaram com suas tarefas — reabastecer suprimentos, consertar mastros e velas, lavar o convés com vinagre para desinfetar. O carvão também queimava dentro dos cascos para eliminar as baratas e os ratos que proliferavam, um procedimento que o mestre-escola Thomas descreveu como "de primeira necessidade, pois esses bichos são extremamente problemáticos".[49] Ao amanhecer de 18 de janeiro de 1741, a esquadra partiu para o cabo Horn.

Não demorou para que os homens fossem engolidos por uma ventania que os deixou sem visão — o primeiro indício do clima sinistro que estava por vir. Na chalupa *Trial*, oito jovens estavam no alto rizando uma vela quando o vento partiu o mastro, catapultando-os para o mar. Sete foram resgatados, observou Millechamp, embora todos estivessem "cortados e machucados da maneira mais terrível".[50] O oitavo homem ficou preso nos tentáculos do cordame e se afogou.

Depois que a tempestade passou, Bulkeley percebeu que o

Pearl, sob o comando de Dandy Kidd, desaparecera. "Nós o perdemos de vista", escreveu ele em seu diário.[51] Durante dias, Bulkeley e seus ajudantes procuraram o navio, mas ele havia sumido, junto com seu pessoal. Depois de quase um mês, era dado por certo que o pior havia acontecido. Então, em 17 de fevereiro, um vigia avistou os mastros do navio riscando o céu. Anson instruiu os marinheiros do *Gloucester* a navegar atrás dele, mas o *Pearl* disparou para longe, como se sua tripulação estivesse aterrorizada. Por fim, o *Gloucester* alcançou o *Pearl*, e seus oficiais revelaram por que haviam sido tão cautelosos. Vários dias antes, enquanto procuravam a esquadra, haviam detectado cinco navios de guerra, um dos quais içou um grande estandarte vermelho, o que significava que era a nau capitânia de Anson. Empolgado, o *Pearl* correu em direção à frota, mas enquanto sua tripulação baixava um escaler com um grupo para saudar o comodoro, alguém gritou que o pingente não parecia estar certo. Os navios não eram de Anson — eram da armada espanhola liderada por Pizarro, que havia feito uma réplica do pingente de Anson. "Eles estavam à distância de um tiro de canhão quando descobrimos a trapaça", relatou um oficial do navio inglês.[52]

Os marinheiros do *Pearl* de imediato apertaram as velas e tentaram fugir. Enquanto eram perseguidos — cinco navios contra um —, começaram a jogar toneladas de suprimentos ao mar — barris de água, remos, até mesmo o escaler — a fim de limpar o convés para a batalha e velejar mais rápido. Os navios inimigos, com as armas preparadas, se aproximavam. À frente do *Pearl*, o mar em constante mudança escurecia e ondulava, um sinal, temiam os homens, de recifes. Se o *Pearl* voltasse, seria pulverizado pelos espanhóis; se continuasse, poderia encalhar e afundar.

Pizarro sinalizou para que seus navios parassem. O *Pearl* seguiu em frente. Ao cruzar a ondulação, os homens a bordo se prepararam para o impacto, para a destruição, mas não houve nenhum solavanco. Nem mesmo um estremecimento. A água havia sido agitada simplesmente pela desova dos peixes, e o navio deslizou sobre eles. A esquadra de Pizarro retomou sua perseguição, mas o *Pearl* estava com uma vantagem muito grande, e naquela noite escapou na escuridão.

Enquanto Bulkeley e seus ajudantes avaliavam as consequências desse encontro (como eles lidariam com a perda de provisões? A que distância estava a esquadra de Pizarro?), um dos oficiais do *Pearl* contou a Anson que algo mais havia acontecido enquanto estavam separados: "Lamento informar ao senhor que nosso comandante, capitão Dandy Kidd, morreu" de febre.[53] Bulkeley conhecia Kidd desde seu tempo no *Wager* — era um ótimo capitão e uma boa alma. De acordo com o diário de um oficial, pouco antes de morrer, Kidd saudou seus homens como "bravos companheiros" e implorou que obedecessem ao próximo comandante. "Eu devo partir logo", murmurou ele. "Espero ter feito as pazes com Deus."[54] Preocupado com o destino do filho de cinco anos, que aparentemente não tinha mais ninguém para cuidar dele, redigiu seu testamento, reservando dinheiro para a educação do menino e para o seu "progresso no mundo".[55]

A morte do capitão Kidd provocou mais uma rodada de mudanças nos comandos. Bulkeley foi informado de que o recém-nomeado comandante do *Wager*, Murray, estava sendo promovido outra vez, agora para o *Pearl*. Quanto ao *Wager*, o navio receberia um novo líder, alguém que nunca havia comandado um navio de guerra: David Cheap. Os homens se perguntaram se Cheap entendia, como o capitão Kidd e o comodoro Anson, que o segredo para estabelecer o comando não era tiranizar os homens, mas convencê-los, ter empatia por eles e inspirá-los — ou se seria um daqueles déspotas que governavam pelo chicote.[56]

Bulkeley raramente revelava seus sentimentos e, em seu diário, anotou essa reviravolta nos acontecimentos com frieza, como se fosse apenas mais uma prova naquela infindável "guerra na terra". (Do mesmo modo que seu livro sobre o cristianismo perguntava: "Como será coroada a tua paciência, se nenhuma adversidade te acontecer?")[57] Mas sua anotação se deteve em um detalhe perturbador. Ele escreveu que o capitão Kidd, em seu leito de morte, fizera uma profecia a respeito da expedição: "Ela terminaria em pobreza, vermes, fome, morte e destruição".[58]

PARTE II

DENTRO DA TEMPESTADE

4. Navegação estimada

Assim que David Cheap subiu a bordo do *Wager*, os oficiais e a tripulação se reuniram no convés e o cumprimentaram com toda a pompa devida a um capitão de navio de guerra. Sopraram-se apitos, tiraram-se chapéus. No entanto, havia uma inquietação inevitável. Enquanto Cheap examinava seus novos homens — entre eles o sério artilheiro Bulkeley e o ansioso aspirante Byron —, a tripulação estava de olho no novo capitão. Ele não era *um deles*; agora estava no comando e era responsável por todos a bordo. De acordo com outro oficial, o posto exigia "controle de temperamento, integridade de propósito, vigor mental e abnegação. [...] Espera-se e exorta-se que ele — e apenas ele — leve um conjunto de seres indisciplinados e discordantes a um estado de perfeita disciplina e obediência, de modo que [...] a segurança do navio possa ser garantida".[1] Cheap havia sonhado por muito tempo com esse momento, e era reconfortante saber que muitos aspectos do mundo da madeira eram estáveis: uma vela era uma vela, um leme era um leme. Mas outros eram imprevisíveis — de que modo ele lidaria com as surpresas? Como se perguntava um capitão recém-

-nomeado no conto de Joseph Conrad "O cúmplice secreto", até que ponto ele se mostraria "fiel a essa concepção ideal da própria personalidade que todo homem estabelece em segredo para si mesmo"?[2]

Mas Cheap não tinha tempo para filosofar: precisava comandar um navio. Com a ajuda de seu dedicado mordomo Peter Plastow, ele logo se acomodou na espaçosa cabine, uma marca de sua nova posição. Guardou seu baú, que continha a valiosa carta de Anson que o nomeava capitão do *Wager*. Depois reuniu a tripulação e ficou diante deles no tombadilho. Era seu dever recitar os Artigos de Guerra — 36 regras que regulavam o comportamento de todos os homens e meninos a bordo.[3] Ele repassou a ladainha de sempre — nada de xingamentos, nada de bebedeira, nada de ações escandalosas em detrimento da honra de Deus —, até chegar ao artigo 19. Ao pronunciar a regra com firmeza, as palavras assumiram um novo significado: "Nenhuma pessoa da frota deve proferir qualquer palavra de sedição ou motim [...] sob pena de morte".

Cheap começou a preparar o *Wager* para contornar o cabo Horn, a ilha rochosa e estéril que marca o extremo sul das Américas.[4] Os mares do extremo sul são as únicas águas que fluem de forma ininterrupta ao redor do globo, o que faz com que acumulem uma força enorme, com ondas que crescem ao longo de 8 mil quilômetros à medida que avançam de um oceano para o outro. Quando enfim chegam ao cabo Horn, precisam passar por um corredor estreito, formado pelo fim da América do Sul e a parte mais setentrional da península Antártica. Esse funil, conhecido como passagem de Drake, torna a torrente ainda mais pulverizadora. As correntes não são apenas as mais antigas da Terra, como as mais fortes, transportando mais de 100 milhões de metros cúbicos de água por segundo, mais de seiscentas vezes a vazão do rio Amazonas. Sem falar nos ventos. Vindos do Pacífico, onde nenhum pedaço de terra os detém, com frequência adquirem a força de um furacão e podem atingir trezentos quilômetros por hora. Os marinheiros se referem às latitudes com nomes que captam a intensidade crescente: os Turbulentos Quarenta, os Furiosos Cinquenta e os Berrantes Sessenta.

Além disso, uma súbita diminuição na profundidade do mar na região — vai de quatrocentos metros para apenas noventa — se combina com as outras forças para gerar ondas de uma magnitude assustadora. Esses "vagalhões do cabo Horn" podem ser mais altos que um mastro de 25 metros. Por vezes, essas ondas trazem blocos de gelo letais. E a colisão entre frentes frias vindas da Antártida e frentes quentes equatoriais produzem um ciclo interminável de chuva e neblina, granizo e neve, trovões e relâmpagos.

Quando descobriu essas águas no século XVI, uma expedição britânica[5] voltou atrás depois de lutar contra o que um capelão a bordo descreveu como "os mares mais loucos".[6] Mesmo os navios que completaram a jornada pelo cabo Horn perderam inúmeras vidas, e tantas foram as expedições que terminaram em aniquilação — naufrágio e desaparecimento — que a maioria dos europeus abandonou essa rota. A Espanha preferia levar cargas até a costa do Panamá e depois transportá-las por terra através dos mais de oitenta quilômetros de selva sufocante e infestada de doenças até os navios que esperavam na costa oposta. Qualquer coisa para não instigar o Horn.

Herman Melville, que cruzou a região, comparou-a em *Jaqueta Branca* à descida ao Inferno de Dante. "Naqueles fins de mundo não existem crônicas", escreveu ele, exceto pelas ruínas de mastros e cascos que sugerem finais sombrios — "de navios que deixaram seus portos e dos quais nunca mais se teve notícia". E continuou: Impossível cabo! Pode se aproximar dele da direção que for, da forma que quiser; vindo de leste ou de oeste; com o vento a ré ou de través ou pela alheta; e, ainda assim, o cabo Horn será o cabo Horn. [...] Pobres aprendizes! Que Deus proteja os imprudentes![7]

Ao longo dos anos, os marinheiros se esforçaram para encontrar um nome adequado para esse cemitério aquático nos confins da Terra. Alguns o chamaram de "Terrível", outros de "Estrada dos homens mortos". Rudyard Kipling o apelidou de "ódio cego de Horn".[8]

Cheap se debruçou sobre seus gráficos incompletos. Os nomes de outros lugares da região eram igualmente desestabilizadores: ilha Desolação. Porto da Fome. Rochas do Engano. Baía da Separação dos Amigos.

Como os outros capitães da esquadra, Cheap estava se aproximando dessa área parcialmente às cegas. Para determinar sua localização, ele precisava calcular os graus de latitude e longitude, baseando-se nas linhas imaginárias que cartógrafos desenham no globo.[9] As linhas latitudinais, que correm paralelas, indicam a que distância ao norte ou ao sul uma pessoa está do equador. Cheap podia descobrir sua latitude com relativa facilidade, determinando a posição do barco em relação às estrelas. Mas, como Dava Sobel documenta em *Longitude*, calcular a posição leste-oeste era um enigma que confundiu cientistas e marinheiros por muito tempo. Durante a expedição de Fernão de Magalhães, a primeira a circum-navegar o globo, em 1522,[10] um escriba a bordo escreveu que quem conduz "não vai falar da longitude".[11]

As linhas longitudinais, que correm perpendiculares aos paralelos da latitude, não têm ponto de referência fixo, como o equador. E assim os navegadores devem estabelecer sua própria demarcação — seu porto de origem ou alguma outra linha arbitrária — a partir da qual podem medir a que distância estão a leste ou a oeste. (Hoje, Greenwich, na Inglaterra, é designado como o meridiano principal que marca zero grau de longitude.) Como a longitude representa uma distância na direção da rotação diária da Terra, medi-la é ainda mais complicada pelo tempo. Cada hora do dia corresponde a quinze graus de longitude. Se um marinheiro comparar a hora exata em seu navio com a do ponto de referência selecionado, ele poderá calcular sua longitude. Mas os relógios do século XVIII não eram confiáveis, em especial no mar. Como escreveu Isaac Newton: "Devido ao movimento do navio, à variação de calor e frio, úmido e seco, e à diferença de gravidade em diferentes latitudes, tal relógio ainda não foi feito".[12] Cheap levava consigo um relógio de bolso de ouro, que, apesar de suas dívidas, ele tinha conservado consigo. Mas era impreciso demais para ajudar.

Quantos navios, com vidas e cargas preciosas, naufragaram porque os marinheiros não sabiam exatamente onde estavam? Uma costa a sotavento — ou seja, situada na direção para a qual um navio está sendo soprado — poderia emergir de repente diante deles em meio à escuridão ou numa névoa densa. Em 1707, quatro navios de guerra britânicos colidiram com uma ilha rochosa na ponta sudoeste da Inglaterra — sua terra natal. Mais de trezentas pessoas morreram. Ao longo dos anos, à medida que as baixas causadas pela navegação errática aumentavam, algumas das maiores mentes científicas tentaram decifrar o mistério da longitude. Galileu e Newton pensavam que as estrelas eram a chave do enigma, enquanto outros inventavam planos absurdos que envolviam tudo, de "uivos de cães feridos" até "explosões de canhão de navios sinalizadores".[13] Em 1714, o Parlamento britânico aprovou a Lei da Longitude, que oferecia um prêmio de 20 mil libras, equivalente hoje a cerca de 3,5 milhões de dólares, para quem descobrisse uma solução "praticável e útil".

O *Centurion*, o navio anterior de Cheap, desempenhara um papel no teste de um novo método potencialmente revolucionário. Quatro anos antes desta viagem, ele havia recebido a bordo um inventor de 43 anos chamado John Harrison, que o primeiro lorde do Almirantado Charles Wager havia recomendado como um "homem muito engenhoso e sóbrio".[14] Harrison recebeu carta branca para testar no navio sua mais recente engenhoca — um relógio de cerca de sessenta centímetros de altura, com pesos de bola e braços oscilantes. Ele ainda estava sendo desenvolvido, mas quando Harrison o usou para medir a longitude do *Centurion*, anunciou de forma correta que o navio estava fora de rota por... sessenta milhas! Harrison continuou a aprimorar seu cronômetro até que, em 1773, aos oitenta anos, ganhou o prêmio.

Mas Cheap e seus colegas não tinham esse dispositivo milagroso. Precisavam confiar na "navegação estimada" — processo que usava uma ampulheta para estimar o tempo, enquanto uma linha com nós era lançada no mar para avaliar a velocidade do navio. O método, que também intuía os efeitos dos ventos e das correntes, levava a suposições informadas e exigia confiança. Muitas vezes, para um comandante, como disse Sobel, "a técnica da navegação estimada o marcava como um homem morto".[15]

Cheap estava animado, pelo menos, com o calendário. Era fevereiro, o que significava que a esquadra chegaria aos mares ao redor do cabo Horn em março, antes que o inverno austral baixasse. Contra todas as probabilidades, a esquadra conseguiu. Mas o que Cheap não sabia — assim como nenhum dos marujos — era que o verão não era a época mais segura para contornar o Horn de leste a oeste. Embora em maio e nos meses de inverno de junho e julho a temperatura do ar seja mais fria e haja menos luz, os ventos são temperados e às vezes sopram do leste, facilitando a navegação em direção ao Pacífico. Durante o resto do ano, as condições são mais brutais. Com efeito, no mês equinocial de março, quando o Sol está bem em cima do equador, os ventos e as ondas que vêm da direção oeste tendem a atingir seu pico. E assim

Cheap estava indo rumo ao "ódio cego de Horn" não apenas por navegação estimada, como também na época mais perigosa.

Cheap guiou o *Wager* para o sul, ao longo da costa do que hoje é a Argentina. Ele se manteve próximo dos outros seis navios da esquadra e conservou os conveses limpos para a batalha, caso a armada espanhola aparecesse, e mandou rizar as velas e fechar as escotilhas. "Tivemos aqui um clima turbulento e incerto, com [...] tanto vento e mar que nos fizeram boiar com dificuldade", escreveu o mestre-escola Thomas.[16]

A *Trial* estava com um mastro quebrado e, para consertá-lo, a esquadra passou vários dias no porto de San Julián. Exploradores que passaram antes por ali relataram ter visto habitantes na região, mas agora ela parecia abandonada. "As únicas coisas notáveis que encontramos aqui são tatus, ou o que os marinheiros chamam de porcos de armadura", escreveu o comissário da *Trial*, Millechamp. "Eles têm o tamanho de um gato grande, o nariz como o de um porco, com uma casca grossa [...] resistente a um golpe forte de martelo."[17]

San Julián não era apenas um lugar desolado; era também, aos olhos de Cheap e seus homens, uma lembrança terrível do preço que uma viagem longa e claustrofóbica poderia custar à tripulação de um navio. Quando Fernão de Magalhães ancorou ali, na Páscoa de 1520, vários de seus homens, cada vez mais ressentidos, tentaram depô-lo, e ele teve de reprimir um motim. Ordenou que um dos rebeldes fosse decapitado numa minúscula ilha do porto e que seu corpo fosse esquartejado e pendurado num patíbulo para que todos o vissem.

Cinquenta e oito anos depois, quando fez uma pausa em San Julián durante sua viagem ao redor do mundo, Francis Drake também suspeitou de uma trama latente e acusou um de seus homens, Thomas Doughty, de traição. (A acusação era provavelmente falsa.) Doughty implorou para ser levado de volta à Inglaterra e ter um julgamento adequado, mas Drake respondeu que não precisava de "advogados astutos" e acrescentou: "Tampouco me importo com as leis".[18] No mesmo local de execução que Magalhães havia usado, Doughty foi decapitado com um machado. Drake ordenou que a cabeça, ainda jorrando sangue, fosse levantada diante de seus homens, e gritou: "Vejam! Este é o fim dos traidores!".[19]

Enquanto os outros capitães esperavam que o mastro da *Trial* fosse consertado, um oficial identificou o local onde as execuções haviam ocorrido. A área, inquietou-se o tenente Saumarez, parecia ser a "casa de espíritos infernais".[20] E, em 27 de fevereiro, Cheap e seus homens ficaram aliviados ao deixar para trás o lugar que Drake batizara de ilha da Verdadeira Justiça e Julgamento — ou o que sua tripulação chamara de ilha do Sangue.

As correntes puxaram esses peregrinos para o fim do mundo. O ar ficou mais frio, a neve às vezes salpicava as pranchas. Cheap ficava exposto no tombadilho, envolto em seu autodenominado uniforme de capitão. Ele permanecia vigilante, olhando às vezes pela luneta. Havia pinguins, que Millechamp descreveu como "meio peixe, meio ave",[21] e havia baleias-francas e jubartes, soprando seus esguichos. O impressionável Byron escreveu mais tarde sobre os mares do sul: "É incrível o número de baleias que estão aqui, isso é perigoso para um navio, estivemos muito perto de atingir uma delas, outra esguichou água no tombadilho, e elas são as maiores que já vimos".[22] E havia o leão-marinho, que ele considerou "um animal bastante perigoso", observando: "Fui atacado por um quando menos esperava e tive muito trabalho para me livrar dele; eles são de um tamanho monstruoso e, quando irritados, emitem um rugido terrível".[23]

Os homens foram em frente. Enquanto a esquadra seguia a costa sul-americana, Cheap avistou a cordilheira dos Andes, que se estendia por todo o continente, com picos nevados que se elevavam em alguns lugares a mais de 6 mil metros. Logo uma névoa pairou sobre o mar, como uma presença fantasmagórica. Ela dava a tudo "um efeito terrível e agradável", escreveu Millechamp.[24] Os objetos pareciam sofrer mutações. "A terra às vezes parecia ter uma altura prodigiosa, com enormes montanhas quebradas", escreveu Millechamp, antes de, como mágica, se esticar, dobrar e ficar achatada. "Os navios passavam pela mesma transformação, às vezes pareciam enormes castelos em ruínas, às vezes eram vistos em suas formas adequadas, e às vezes como grandes toras de madeira flutuando na água." E concluiu: "Parecíamos estar mesmo em meio a encantamentos".[25]

Enquanto se dirigiam para o sul, Cheap e seus homens passaram pela entrada do estreito de Magalhães, que Anson decidiu evitar porque era apertado e tortuoso demais em alguns pontos. Passaram pelo cabo das Onze Mil Virgens e pelo cabo do Espírito Santo. Deslizaram livremente para além do continente. A única referência era uma ilha a oeste, que se estendia por quase 50 mil quilômetros quadrados e continha mais picos andinos. O mestre-escola Thomas reclamou que as encostas congeladas não apresentavam "um só verde alegre ao longo de toda a cena sombria".[26]

A ilha era a maior do arquipélago da Terra do Fogo, onde Magalhães e sua tripulação relataram ter visto as chamas de acampamentos nativos. Os conquistadores afirmaram que os habitantes dessas terras baixas eram gigantes. De acordo com o escriba de Magalhães, um deles era "tão alto que o mais alto de nós só chegava à sua cintura".[27] Magalhães chamou a região de Patagônia. O nome pode ter derivado dos pés dos nativos que, segundo a lenda, eram gigantescos; ou talvez o nome tenha sido emprestado de uma saga medieval que tinha uma figura monstruosa conhecida como "o Grande Patagon". Havia um desígnio sinistro nessas ficções. Ao retratar os nativos ao mesmo tempo como magníficos e menos que humanos, os europeus tentavam fingir que sua missão de conquista brutal era de alguma forma justa e heroica.

Na noite de 6 de março, a esquadra havia passado a ponta leste da Terra do Fogo. Para Cheap e seus homens, o teste supremo de marinharia havia chegado. Anson ordenou que as tripulações esperassem a luz da manhã. Para que, ao menos, pudessem ver. O *Wager* flutuava ao lado dos outros navios, com a proa voltada na direção do vento, balançando para a frente e para trás, como se estivesse acompanhando o ritmo de algum metrônomo. O céu acima deles parecia tão vasto e negro quanto o mar. Os estais e as enxárcias vibravam ao vento.

Cheap mandou que seus homens fizessem os preparativos finais. Eles substituíram as velas gastas por outras novas e protegeram os canhões e qualquer outra coisa que pudesse se tornar um projétil letal com o mar agitado. Os sinos tocavam a cada meia hora. Poucos homens dormiam. Apesar da aversão de Anson à papelada, ele escreveu com cuidado instruções para Cheap e os outros capitães, que foram solicitados a destruir esses planos, junto com quaisquer outros documentos confidenciais, se seus navios estivessem prestes a cair nas mãos do inimigo. Durante a passagem, enfatizou Anson, os capitães precisavam fazer todo o possível para não se separar da esquadra — ou "você responderá por sua conta e risco".[28] Se fossem forçados a se separar, deveriam contornar o cabo Horn e se encontrar no lado chileno da Patagônia, onde esperariam por Anson durante 56 dias. "Se eu não chegar nesse período, vocês devem concluir que sofri algum acidente", escreveu Anson. Um ponto ele deixou especialmente claro: caso ele morresse, eles deveriam continuar a missão e aderir à cadeia de comando, seguindo o novo oficial superior.

Ao primeiro raio de luz, Anson disparou os canhões do *Centurion*, e os sete navios partiram ao amanhecer. A *Trial* e o *Pearl* abriram o caminho, com seus vigias empoleirados nos vaus reais para esquadrinhar, como disse um oficial, "ilhas de gelo" e "sinalizar a qualquer perigo".[29] O *Anna* e o *Wager*, os navios mais lentos e menos robustos, compunham a retaguarda. Por volta das dez horas da manhã, a esquadra se aproximou do estreito de Le Maire, uma abertura de mais ou menos 25 quilômetros de largura entre a Terra do Fogo e a ilha dos Estados, a porta de entrada para o cabo Horn. Quando os navios entraram no estreito, eles se aproximaram da ilha dos Estados. A visão deixou os homens nervosos. "Embora a Terra do Fogo tivesse um aspecto árido e desolado", observou o reverendo Walter, aquela ilha "a supera em muito, na selvageria e no horror de sua aparência."[30] Ela era formada apenas de rochas fendidas por raios e terremotos e empilhadas de forma precária umas sobre as outras, elevando-se a novecentos metros de altura em pináculos de solidão gelada. Melville escreveu que essas montanhas "erguiam-se como a fronteira de algum outro mundo. Paredes reluzentes e ameias de cristal, como torres de observação de diamante na fronteira mais distante do céu".[31] Em seu diário, Millechamp descreveu a ilha como a coisa mais horrenda que conhecera — "um viveiro adequado para o desespero".[32]

Às vezes, um albatroz de barriga branca pairava no ar, exibindo a envergadura enorme, que podia chegar a mais de três metros, maior que qualquer ave. Numa expedição britânica anterior, um oficial avistou um albatroz na ilha dos Estados e, temendo que fosse um mau presságio, atirou nele — o navio naufragou mais tarde numa ilha. O incidente inspirou *A balada do velho marinheiro*, de Samuel Taylor Coleridge, na qual a morte do albatroz joga uma maldição no marinheiro, fazendo com que seus companheiros morram de sede:

Em vez da cruz, o albatroz
Em meu pescoço estava pendurado.[33]

Mesmo assim, os homens de Anson caçavam esses pássaros. "Lembro-me de um que foi apanhado com anzol e linha [...], atraído por um pedaço de carne de porco salgada", escreveu Millechamp. Embora o albatroz pesasse cerca de treze quilos, ele acrescentou, "o capitão, o tenente, o cirurgião e eu comemos tudo no jantar".[34]

Cheap e seus companheiros pareciam ter escapado de qualquer maldição. Apesar de algumas aproximações, haviam evitado os navios de Pizarro e o céu estava agora azul brilhante; e o mar, incrivelmente sereno. "A manhã deste dia, com seu brilho e suavidade", relatou o reverendo Walter, foi a mais agradável "que vimos desde a nossa partida da Inglaterra."[35] Os navios estavam sendo levados de forma fácil e tranquila para o Pacífico. Foi "uma travessia prodigiosa", escreveu um entusiasmado capitão em seu diário de bordo.[36] Convencidos de que a profecia moribunda do capitão Kidd estava errada, os homens começaram a se gabar de suas proezas e a planejar o que fariam com seu eventual tesouro. "Não podíamos deixar de nos convencer de que a maior dificuldade de nossa viagem chegava agora ao fim, e de que nossos sonhos mais otimistas estavam prestes a se realizar", observou o reverendo Walter.[37]

E então as nuvens escureceram, bloqueando o sol. Os ventos começaram a uivar e ondas furiosas surgiram do nada, explodindo contra os cascos. As proas dos navios, inclusive o leão pintado de vermelho do *Centurion*, mergulharam antes de se erguer suplicantes em direção ao céu. As velas entraram em convulsão, os cabos chicoteavam, e os cascos rangiam como se fossem rachar. Embora os outros navios conseguissem avançar aos poucos, o *Wager*, carregado, foi apanhado pelas correntes furiosas e, como se por alguma força magnética, estava sendo levado para o leste, de volta à ilha dos Estados, sendo quase despedaçado.

Enquanto o resto da esquadra assistia impotente, Cheap convocou todos os homens capazes do *Wager* a ir até onde ele estava, gritando comandos. Para reduzir as velas, os gajeiros trabalharam para se erguer nos mastros oscilantes. Como lembrou um gajeiro que passou por um vendaval, "a força do vento era literalmente de tirar o fôlego. No lais da verga, com os pés no estribo e apoiados apenas pelo torso fortemente curvado, nos agarramos em tudo o que pudemos. Tínhamos que virar a cabeça para respirar, ou o vento simplesmente enfiava o ar em nossas gargantas. A chuva picava nossos rostos e nossas pernas nuas como minúsculas bolas de chumbo. Era quase impossível abrir os olhos".[38] Cheap instruiu seus gajeiros a colher as velas superiores e rizar a principal. Ele precisava do equilíbrio perfeito: lona suficiente para levar o navio para longe das rochas, mas não tanto a ponto de soçobrá-lo. E o que era ainda mais complicado, precisava que todos os tripulantes desempenhassem com perfeição: o tenente Baynes devia mostrar alguma energia rara; o artilheiro confiante Bulkeley precisava provar sua habilidade marinheira; o jovem aspirante Byron tinha de reunir sua coragem e ajudar seu amigo Henry Cozens; o indisciplinado contramestre John King devia manter a tripulação em seus postos de modo obediente; os timoneiros deviam manobrar a proa em meio ao torvelinho das correntezas; os homens do castelo de proa precisavam controlar as velas; e o carpinteiro John Cummins e seu ajudante James Mitchell tinham de evitar danos ao casco. Até os marujos inexperientes deviam participar.

Enquanto se preparava no tombadilho, com o rosto encharcado pela água gelada, Cheap organizava essas forças, lutando para salvar o navio. *Seu* navio. Cada vez que o *Wager* começava a se afastar da ilha, as correntes o empurravam de volta. As ondas estouravam contra as rochas altas, rangendo e jorrando. O rugido era ensurdecedor. Como disse um marinheiro, a ilha parecia ter sido projetada para um único propósito — "esmagar a vida de frágeis mortais".[39] Mas Cheap permaneceu calmo e controlou cada elemento do navio, até que aos poucos, de forma notável, conseguiu colocar o *Wager* em segurança.

Ao contrário das vitórias em batalhas, essas façanhas contra a natureza, muitas vezes mais perigosa, não rendiam louros — isto é, nada além do que um capitão descreveu como o orgulho que a tripulação do navio sentira por ter cumprido um dever vital. Byron ficou maravilhado com o fato de que eles estavam "muito perto de naufragar nas rochas" e, ainda assim, "nós nos esforçamos ao máximo para recuperar nosso caminho perdido e nossa posição".[40] O calejado Bulkeley avaliou que Cheap era um "excelente marinheiro", e acrescentou: "Quanto à bravura pessoal, nenhum homem teve uma parcela maior dela".[41] Naquele momento, no surto final de alegria que a maioria deles jamais voltaria a experimentar, Cheap se tornara o homem que sempre imaginara ser: um senhor do mar.

5. A tempestade dentro da tempestade

As tempestades continuaram a castigar os navios dia e noite. John Byron olhava estarrecido para as ondas que quebravam sobre o *Wager* e balançavam o navio de 37 metros como se fosse um mísero barco a remo. A água se infiltrava por praticamente todas as emendas do casco, inundando os conveses inferiores e fazendo com que oficiais e tripulantes abandonassem suas redes e beliches; não havia mais nenhuma área "sob o clima". Os dedos dos homens queimavam de tanto segurar os cabos molhados, as vergas, as enxárcias, o leme, as escadas e as velas encharcados. Byron, ensopado pelas chuvas torrenciais e pelas ondas, não conseguia manter um fio seco em seu corpo. Tudo parecia pingar, murchar, se decompor.

Durante aquele março de 1741, enquanto a esquadra abria caminho pela escuridão uivante em direção ao esquivo cabo Horn (onde estavam eles exatamente no mapa?), Byron se esforçou para se manter em seu posto de vigia. Abria os pés como um vaqueiro de pernas arqueadas e se agarrava a qualquer coisa segura para não ser lançado no mar espumante. Relâmpagos iluminavam o céu, piscando diante dele, e depois tornavam o mundo ainda mais negro.

A temperatura continuou caindo até que as chuvas se transformaram em granizo e neve. Os cabos ficaram incrustados de gelo, e alguns homens sucumbiram ao congelamento. "Abaixo de quarenta graus de latitude, não há lei",[1] dizia um ditado dos marinheiros. "Abaixo de cinquenta graus, não há Deus." E Byron e o resto da equipe estavam agora no Furioso Cinquenta. O vento nessa região, observou ele, sopra com "tal violência que nada consegue resistir a ele, e o mar sobe tanto que despedaça um navio". "Era a navegação mais desagradável do mundo", concluiu ele.[2]

Byron sabia que a esquadra precisava que todos os homens e garotos perseverassem. Mas, em 7 de março, quase logo após o *Wager* passar pelo estreito de Le Maire, ele notou que muitos de seus companheiros não conseguiam mais se levantar das redes. A pele deles começou a ficar azul e depois preta como carvão — "uma exuberância de carne mofada", como disse o reverendo Walter.[3] Seus tornozelos inchavam horrivelmente, e o que quer que os consumia subia por seus corpos até as coxas, quadris e ombros, como um veneno corrosivo. O mestre-escola Thomas relembrou que, quando foi atacado pela doença, sentiu de início apenas uma pequena dor no dedão do pé esquerdo, mas logo notou nódulos duros e feridas ulcerosas se espalhando pelo corpo. Isso foi acompanhado "de dores tão excessivas nas articulações dos joelhos, tornozelos e dedos dos pés, que pensei, antes de experimentá-las, que a natureza humana jamais poderia suportá-las".[4] Mais tarde, Byron contraiu o terrível distúrbio e descobriu que com ele vinha "a dor mais violenta que se possa imaginar".[5]

À medida que o flagelo invadia o rosto dos marinheiros, alguns começaram a se assemelhar aos monstros de sua imaginação. Os olhos injetados de sangue ficaram arregalados. Os dentes caíram, assim como os cabelos. O hálito exalava o que um dos companheiros de Byron chamou de fedor insalubre, como se a morte já tivesse caído sobre eles. A cartilagem que unia seus corpos parecia se soltar. Em certos casos, até lesões antigas reapareciam. Um homem que havia sido ferido na batalha de Boyne, que ocorrera na Irlanda mais de cinquenta anos antes, teve suas antigas feridas reabertas. "Ainda mais surpreendente", observou o reverendo Walter, foi que um dos ossos desse homem, que havia se curado após sofrer uma fratura em Boyne, se fragmentou outra vez, "como se nunca tivesse sido consolidado".[6]

Depois, havia os efeitos sobre os sentidos. Em um momento, os homens podiam ser tomados por visões de riachos e pastagens bucólicas; depois, percebendo onde estavam, afundavam em total desespero. O reverendo Walter observou que esse "estranho abatimento dos espíritos" era marcado por "calafrios, tremores e [...] os terrores mais horríveis".[7] Um especialista em medicina comparou isso à "queda de toda a alma".[8] Byron viu alguns dos homens ficarem loucos —[9] ou, como escreveu um de seus companheiros, a doença "entrou em seus cérebros e eles deliraram".[10]

Eles estavam sofrendo do que um capitão britânico havia chamado de "a praga do mar": escorbuto.[11] Como todo mundo, Byron não sabia a causa desse mal.[12] O ataque a uma tripulação depois de pelo menos um mês no mar era o grande enigma da era da vela e matava mais marinheiros do que todas as outras ameaças combinadas — batalhas com canhões, tempestades, naufrágios e outras doenças. Nos navios de Anson, o escorbuto apareceu depois que os homens já estavam doentes, levando a um dos mais graves surtos marítimos. "Não pretendo descrever aquela doença terrível", relatou Anson, que costumava ser impassível, "mas nenhuma praga nunca igualou o grau que tivemos dela."[13]

Uma noite, durante a tempestade sem fim, enquanto Byron lutava para dormir em seu beliche encharcado e barulhento, ele ouviu os oito sinos e se esforçou para subir ao convés para mais um turno de guarda. Enquanto cambaleava pelo labirinto do navio, era difícil enxergar — as lâmpadas haviam sido apagadas por medo de que caíssem e pegassem fogo. Nem mesmo o cozinheiro tinha permissão para acender o fogão, obrigando os homens a comer carne crua.

Quando chegou ao tombadilho e sentiu a rajada de vento frio, Byron ficou surpreso ao encontrar apenas algumas dezenas de pessoas de guarda. "A maior parte dos homens", escreveu ele em seu relato, estava "incapacitada por fadiga e doença."[14]

Os navios corriam o risco de ficar sem mãos para operá-los. O cirurgião Henry Ettrick, que após a morte do cirurgião-chefe do *Centurion* fora transferido do *Wager* para lá, tentou estancar o surto. No convés inferior do *Centurion*, envolto num avental, ele pegou sua serra e abriu vários cadáveres, tentando identificar a causa da doença. Talvez os mortos salvassem os vivos. Segundo relatos de suas descobertas, os "ossos das vítimas, depois que a carne foi raspada, pareciam bastante pretos",[15] e o sangue parecia ter uma cor peculiar, como a de um "licor preto e amarelo".[16] Após várias dissecações, Ettrick proclamou que a doença era induzida pelo clima gelado.[17] No entanto, quando lhe disseram que o escorbuto atacava também em climas tropicais, ele admitiu que a causa poderia permanecer um "segredo completo".[18]

O surto se alastrou, como uma tempestade dentro da tempestade. Depois que Ettrick se mudou para o *Centurion*, o cirurgião da *Trial*, Walter Elliot, foi transferido para o *Wager*. Byron o descreveu como um jovem generoso, ativo e muito forte, que parecia destinado a sobreviver por mais tempo. Elliot era dedicado ao capitão Cheap, que agora lutava contra o escorbuto. "Foi um grande infortúnio", comentou Elliot, que seu capitão "ficasse doente naquele momento."[19]

O médico fez tudo ao seu alcance para ajudar Cheap, Byron e os outros homens doentes. Mas os remédios existentes eram tão inúteis quanto as teorias por trás deles. Várias pessoas, acreditando que devia haver alguma coisa vital para os seres humanos na terra, afirmavam que a única cura era enterrar os doentes no solo até o queixo.[20] Um oficial em outra viagem recordou a visão bizarra de ter "vinte cabeças de homens saindo do chão".[21]

Enquanto a expedição de Anson estava presa no mar, o principal medicamento prescrito era a "pílula e gota" do dr. Joshua Ward — um purgante cujo anúncio dizia realizar "muitas curas maravilhosas e repentinas".[22] Anson, que se recusava a deixar sua tripulação sofrer o que ele próprio não suportaria, engoliu as pílulas primeiro. Thomas escreveu que a maioria dos homens que as consumia era tomada "com muita violência, tanto por vômito quanto por fezes".[23] Um marinheiro, depois de uma única pílula, começou a sangrar pelas narinas e quase morreu. Ward se revelou um charlatão: sua poção continha quantidades venenosas do metaloide antimônio e, alguns suspeitavam, arsênico. As pílulas expurgavam os nutrientes de que os doentes necessitavam, provavelmente contribuindo para muitas mortes. O cirurgião Ettrick, que mais tarde morreria de doença durante a viagem, admitiu, desesperado, que todos os tratamentos disponíveis eram inúteis.

No entanto, a solução era muito simples. O escorbuto é causado por uma deficiência de vitamina C, devido à falta de frutas e vegetais crus na dieta. A pessoa com essa carência deixa de produzir a proteína fibrosa conhecida como colágeno, que mantém ossos e tecidos unidos e que é usada para sintetizar dopamina e outros hormônios que podem afetar o humor. (Os homens de Anson também pareciam sofrer de outras deficiências vitamínicas, como níveis insuficientes de niacina, o que pode levar à psicose, e de vitamina A, que causa cegueira noturna.) Mais tarde, o tenente Saumarez percebeu o poder de certos nutrientes. "Pude observar com clareza", escreveu ele, "que existe um *je ne sais quoi* na estrutura do sistema humano que não pode ser renovado, não pode ser preservado sem a ajuda de certas partículas terrestres ou, em outras palavras, a terra é o elemento próprio do homem, e vegetais e frutas são seu único remédio."[24] Tudo o que Byron e seus companheiros precisavam para combater o escorbuto era um pouco de frutas cítricas. Ao parar em Santa Catarina para coletar suprimentos, encontraram limão em abundância. A cura — aquele fruto não proibido que décadas depois seria fornecido a todos os marinheiros britânicos, dando-lhes o apelido de "limeys" — estivera ao alcance deles.

Enquanto a esquadra avançava, Byron observou angustiado que muitos dos doentes ofegavam com falta de ar. Pareciam estar se afogando, mesmo sem estar sob a água. Um após o outro, eles morreram — longe de suas famílias e dos túmulos de seus ancestrais. O reverendo Walter relatou que alguns que tentavam se levantar "morriam antes de chegar ao convés; nem era incomum que aqueles que conseguiam andar no convés e cumprir algum tipo de tarefa caíssem mortos em um instante".[25] Mesmo os que eram carregados em suas redes de uma parte do navio para outra morriam de repente. "Nada era mais frequente do que enterrar oito ou dez homens de cada navio todas as manhãs", escreveu Millechamp em seu diário.[26]

Ao todo, quase trezentos dos cerca de quinhentos homens do *Centurion* acabaram na lista de dispensados por causa de morte. Das cerca de quatrocentas pessoas que partiram da Inglaterra no *Gloucester*, três quartos foram enterrados no mar, inclusive todos os recrutas inválidos. O capitão, que também estava extremamente doente, escreveu em seu diário de bordo: "Tão terrível era a cena que as palavras não podem expressar o sofrimento com que alguns dos homens morreram".[27] O *Severn* havia enterrado 290 homens e garotos, já a *Trial* perdeu quase metade de sua tripulação. No *Wager*, Byron viu a companhia original de cerca de 250 oficiais e tripulantes diminuir para menos de 220 e, depois, cair para menos de duzentos. E os que estavam vivos eram quase indistinguíveis dos mortos — "tão fracos e tão reduzidos", como disse um oficial, "que mal podíamos caminhar pelo convés".[28]

A doença havia consumido não apenas o que colava os corpos dos marinheiros, mas também as tripulações dos navios. A outrora poderosa esquadra parecia composta por navios fantasmas, nos quais, de acordo com um relato, apenas animais nocivos prosperavam: "Um número tão grande de ratos era visto entre os conveses que pareceria incrível para qualquer pessoa, exceto para uma testemunha ocular".[29] Eles infestavam os alojamentos, atravessavam correndo as mesas de refeição e desfiguravam os mortos que jaziam no convés aguardando o enterro. Em um cadáver os olhos eram comidos, em outro, as bochechas.

Todos os dias, Byron e outros oficiais inscreviam, em seus registros, os nomes dos companheiros que haviam acabado de "partir desta vida". O capitão do *Severn* escreveu num relatório ao Almirantado que após a morte do comandante de seu navio, ele havia preenchido o cargo promovendo um marinheiro chamado Campbell — que havia demonstrado "grande diligência e comportamento resoluto em todas as nossas dificuldades e perigos"; momentos depois, o capitão acrescentou ao mesmo despacho: "Acabei de receber a notícia de que o sr. Campbell morreu neste dia".[30] Keppel, o aspirante do *Centurion*, cuja boca doente e desdentada parecia uma caverna escura, ficou tão cansado de catalogar os mortos que escreveu, desculpando-se: "Omiti inserir em meu diário as mortes de vários homens".[31]

Um falecimento posterior não foi negligenciado nos registros. A anotação truncada com as abreviações padrão que indicavam "marinheiro capaz" e "dispensado por morte" está agora manchada, mas ainda legível, como um epitáfio desbotado de Henry Cheap.[32] Era o jovem sobrinho e aprendiz do capitão Cheap. Sua morte, sem dúvida, abalou o novo capitão do *Wager* mais do que qualquer tempestade.

Byron tentava oferecer a seus companheiros falecidos um enterro adequado no mar, mas havia tantos cadáveres e tão poucas mãos para ajudar que muitas vezes os corpos eram jogados para fora do navio sem cerimônia. Como diria o poeta Lord Byron, que se baseou no que chamou de "a 'narrativa' de meu avô":[33] "Sem túmulo, sem dobre de sino, sem caixão e desconhecido".[34]

No final de março, após quase três semanas de tentativas inúteis de atravessar a passagem de Drake, a esquadra estava à beira do que o reverendo Walter chamou de "destruição total".[35] Sua única esperança era contornar rapidamente o cabo Horn e chegar ao porto seguro mais próximo: as ilhas Juan Fernández, um arquipélago desabitado no Pacífico, a 560 quilômetros da costa oeste do Chile. "Chegar lá era a única chance que nos restava para evitar morrer no mar", observou o reverendo Walter.[36]

Para John Byron, amante da literatura marítima, o arquipélago oferecia mais do que um refúgio: ele estava inscrito na tradição. Em 1709, o capitão inglês Woodes Rogers havia parado ali enquanto sua tripulação era devastada pelo escorbuto. Como ele detalhou em seu diário, depois publicado sob o título *A Cruising Voyage Round the World* [Um cruzeiro marítimo ao redor do mundo], que Byron havia lido com avidez, Rogers ficou surpreso ao descobrir numa ilha um marinheiro escocês chamado Alexander Selkirk, que viveu lá sozinho por quatro anos após ser deixado para trás por seu navio. Graças a sua extraordinária engenhosidade, ele conseguiu sobreviver, aprendendo a fazer fogo raspando gravetos, caçando animais e procurando nabos silvestres. "Quando suas roupas se desgastaram", explicou Rogers, "ele fez para si um casaco e um gorro de pele de cabra, que costurou com [...] um prego."[37] Selkirk lia uma Bíblia que trazia consigo, "então ele disse que naquela solidão vinha sendo o melhor cristão que já havia sido".[38] Rogers chamou Selkirk de "o monarca absoluto da ilha".[39] À medida que uma história passa de uma pessoa para outra, ela reverbera até se tornar tão ampla e mítica quanto o mar. E a história de Selkirk proporcionou o germe para o relato fictício que Daniel Defoe escreveu em 1719 sobre Robinson Crusoé —[40] uma ode não apenas à engenhosidade britânica, mas também ao domínio colonial do país sobre reinos distantes.

Enquanto eram golpeados pelas forças da natureza, Byron e seus companheiros ficaram encantados com as visões de Juan Fernández, que sem dúvida se tornaram mais deslumbrantes graças a seus sonhos escorbúticos. Naquela "ilha há muito desejada", como Millechamp a chamou,[41] eles encontrariam campos de esmeralda e riachos de água pura. Em seu diário, Thomas comparou a ilha ao Éden do *Paraíso perdido*, de John Milton.

Numa noite de abril, Byron e outros membros da esquadra determinaram que haviam atravessado a passagem de Drake e estavam a oeste da ilha do cabo Horn, podendo enfim virar para o norte e seguir em segurança para Juan Fernández. Mas, não muito depois dessa manobra, o vigia do *Anna* notou, sob a luz da lua, estranhas formações: rochas. Os tripulantes do navio dispararam os canhões duas vezes, como advertência, e logo os vigias dos outros navios também discerniram a costa saliente a sotavento, com rochas que se erguiam, como um capitão escreveu em seu diário de bordo, "tal qual duas torres negras de uma altura extraordinária".[42]

Mais uma vez, a navegação estimada estava errada — desta vez, por centenas de quilômetros. Os navios não estavam a oeste da ponta do continente; ao contrário, haviam sido levados para o leste pelos ventos e pelas correntes, e estavam encurralados. Os tripulantes conseguiram mudar a direção a tempo e evitar o naufrágio. Porém, mais de um mês após entrarem na passagem de Drake, ainda não haviam escapado do "ódio cego de Horn". Millechamp escreveu em seu diário: "Nossos marinheiros, quase todos desesperados para chegar à costa, entregaram-se voluntariamente à sua doença fatal". E invejavam "aqueles cuja sorte era morrer primeiro".[43]

O ânimo de Byron havia chegado ao fim. Para se livrar da terra, eles estavam voltando para o sul, na direção oposta da ilha de Robinson Crusoé — e de volta ao vórtice das tempestades.

6. Sozinho

Enquanto a esquadra tentava passar pela borda da América do Sul, as tempestades se intensificaram, o que levou Byron a chamá-las de "furacão perfeito",[1] embora fossem na verdade muitas tempestades, uma sucedendo a outra, com uma força crescente que parecia destinada a destruir toda a expedição. Por conta da diminuição do número de homens, o artilheiro do *Wager*, John Bulkeley, estava agora encarregado de dois turnos consecutivos — oito horas seguidas sendo martelado por ventos e ondas. Tal como o neófito Byron, ele escreveu em seu diário: "Tivemos [...] a maior onda que já vi".[2] O capitão veterano do *Severn* também observou, num relatório ao Almirantado, que era "o maior mar que eu já vi na vida" —[3] praticamente a mesma frase usada pelo comandante do *Pearl*, George Murray. De repente, esses homens do mar haviam perdido não só o poder de controlar a situação, mas até mesmo de descrevê-la.[4]

Cada vez que o *Wager* passava por uma onda, Bulkeley sentia o navio sendo lançado numa avalanche de água, caindo em cascata num abismo sem luz. Tudo o que ele podia discernir atrás de si era que uma montanha de água se aproximava; na frente, nada além de outra montanha aterrorizante. O casco balançava, inclinando-se tanto que as vergas às vezes mergulhavam no oceano, enquanto os gajeiros no alto se agarravam como aranhas à teia de cabos.

Uma noite, às onze horas, uma onda sobrepujou a esquadra. "Um mar furioso nos pegou de estibordo e quebrou da proa à popa", escreveu o mestre-escola Thomas do *Centurion* em seu diário, e acrescentou que a onda atingiu com tanta violência o navio que o deixou completamente de lado, antes de se endireitar devagar. "Ela derrubou e quase afogou todas as pessoas que estavam no convés."[5]

Se não se mantivesse o tempo todo amarrado, Bulkeley teria sido catapultado no ar. Um marinheiro, jogado no porão, quebrou o fêmur. O ajudante de um contramestre foi derrubado e quebrou a clavícula, depois a quebrou de novo em outra queda. Outro marinheiro quebrou o pescoço. Quando Thomas estava no tombadilho do *Centurion*, tentando observar as estrelas opacas para determinar sua posição, uma onda o derrubou. "Caí com a cabeça e o ombro direito com tamanha violência que fiquei atordoado", escreveu ele.[6] Quase inconsciente, foi carregado para sua rede, onde ficou por mais de duas semanas — uma convalescença nada tranquila, pois sua cama era um balanço ameaçador.[7]

Certa manhã, quando Bulkeley estava no leme do *Wager*, ele também quase foi arrastado por uma onda monstruosa — uma onda que, como ele disse, "me fez passar por cima do leme".[8] No dilúvio, um dos quatro barcos de transporte, o cúter, foi arremessado no convés. O contramestre, John King, queria jogá-lo ao mar. Mas Bulkeley ordenou-lhe: "Não faça nada com ele", não antes de consultar o capitão Cheap.[9]

Cheap estava em sua grande cabine, por onde parecia ter passado um tornado, com tudo jogado no chão. Em seu diário,

Bulkeley costumava criticar os oficiais do *Wager* — o contramestre era perverso, o mestre era inútil, o tenente era ainda mais inútil — e começou a nutrir certas reservas em relação ao novo capitão. Andando com uma bengala de ponta prateada, que estalava como a perna de pau de um pirata, Cheap parecia cada vez mais determinado a conquistar o clima e cumprir sua gloriosa missão. Bulkeley não confiava nesse aspecto de Cheap, reclamando em seu diário que o capitão com frequência não consultava seus oficiais e atacava qualquer um que manifestasse dúvidas.

Depois que Bulkeley o informou sobre a situação com o cúter, Cheap ordenou que ele tentasse salvá-lo e que abaixasse o botaló para pegar a bujarrona, a maior vela de proa, que balançava de forma perigosa. Mais tarde, Bulkeley observou com satisfação em seu diário que foi ele quem resgatou o cúter e segurou o pau da bujarrona.

Por causa da ferocidade dos ventos, o *Wager* e os outros navios precisavam às vezes enrolar as velas, balançando por dias com os mastros nus à mercê das ondas. As embarcações eram incontroláveis nesse estado e, a certa altura, o comodoro Anson, a fim de virar o *Centurion*, foi forçado a mandar vários gajeiros ficarem nas vergas, segurarem os cabos e usarem seus corpos para pegar o vento. A ventania soprou contra seus rostos, peitos, braços e pernas, como se fossem velas puídas. Com extraordinária ousadia, os homens resistiram ao vento com seus corpos congelados e côncavos por tempo suficiente para permitir que Anson manobrasse o navio. Mas um gajeiro perdeu o controle e foi lançado no oceano agitado.[10] Era impossível chegar a tempo de resgatá-lo, e os homens observaram enquanto ele os perseguia, tentando alcançá-los de maneira frenética, travando uma guerra heroica e solitária contra as ondas, até que desapareceu à distância — embora soubessem que ele ainda estava lá, nadando atrás do navio. "Ele pode ter passado um bom tempo consciente do horror que acompanhava sua situação irrecuperável", observou o reverendo Walter.[11]

O célebre poeta do século XVIII William Cowper leu mais tarde o relato de Walter e escreveu "The Castaway" [O náufrago], no qual imaginou o destino do marinheiro:

Varrido pela cabeça de bordo,
De amigos, de esperança, de tudo despojado,
Sua casa flutuante partiu para sempre.
[...]

Seus camaradas, que antes
Tinham ouvido sua voz em cada explosão.
Não conseguiam mais captar o som:
Pois então, pelo esforço subjugado, ele bebeu
A onda sufocante, e depois afundou.

Nenhum poeta o chorou; mas a página
De narrativa sincera,
Que fala de seu nome, seu valor, sua idade,
Está molhada com a lágrima de Anson.[12]

Bulkeley e os outros sobreviventes seguiram em frente. Eles não sofriam apenas de escorbuto: estavam ficando sem suprimentos novos. Os biscoitos estavam "tão corroídos", escreveu Thomas, que "eram quase nada além de pó, e um pequeno golpe os reduziria a isso de imediato". Não restava nenhum animal vivo, e a "carne de boi e de porco salgada estavam muito mofadas e podres, e o cirurgião se esforçava para nos impedir de comer qualquer coisa, alegando que, embora lento, era um veneno certo".[13] Em alguns navios restavam apenas alguns barris de água potável, e o capitão Murray confessou que, "se não tivesse agradado a

Deus" tirar tantos de sua gente com a doença, todos estariam mortos de sede.[14] Um marinheiro do *Centurion* ficou tão demente que teve de ser acorrentado. E os navios — a última proteção contra as forças da natureza — começaram a se despedaçar.

No *Centurion*, a vela da gávea, a segunda em tamanho, foi a que primeiro se partiu, explodindo quase em pedaços. Depois, várias das enxárcias, os grossos cabos verticais que sustentavam os mastros, se romperam, e logo depois as cabeças — os banheiros em forma de caixa no convés — foram destruídas pelas ondas, forçando os homens a se aliviarem em baldes ou se inclinarem perigosamente sobre a amurada. Então um raio atingiu o navio. "Um fogo rápido e sutil correu pelo nosso convés", escreveu o aspirante Keppel, "o qual, ao se alastrar, fez um estampido como de uma pistola e atingiu vários de nossos homens e oficiais, que com a violência do golpe ficaram pretos e azuis."[15] O "navio maluco", como o reverendo Walter chamava o *Centurion*,[16] havia começado a adernar de forma anormal. Até o orgulhoso leão estava se soltando do suporte. Nos outros navios, os oficiais fizeram sua própria "lista de defeitos", que se estendia por várias páginas, nas quais era citada a destruição dos principais cabos de laborar, como patarrás, cabos de punho de vela, brióis, cabos de valuma, adriças, estais, além de componentes como talhas, escadas, fogões, bombas manuais, grades e passarelas. O capitão do *Severn* relatou que seu navio estava em grande perigo — todas as velas estavam rasgadas, e o veleiro precisava consertá-las de imediato.

Um dia, Bulkeley ouviu o *Gloucester* disparar seus canhões como alerta: uma verga de seu mastro principal havia se partido em duas. Anson ordenou que o capitão Cheap enviasse John Cummins, o talentoso carpinteiro do *Wager*, para ajudar a consertá-la. Cummins era o amigo mais próximo de Bulkeley, e o artilheiro o viu partir num dos pequenos barcos de transporte, quicando nas ondas angustiantes, até ser puxado, meio afogado, para embarcar no *Gloucester*.

Embora fosse muito feio, o *Wager* era sagrado para Bulkeley, e todos os dias ele era devorado ainda mais do que os outros navios. Era arremessado e inundado. Sacudia, subia e descia, gemia, rachava. Então, um dia, depois de colidir contra uma onda, a mezena, um mastro vital, tombou como uma árvore abatida e despencou com seu cordame e velas no mar. Só sobrou um toco. Thomas previu que um navio nessas condições inevitavelmente pereceria naquelas águas. O *Wager*, batalhando contra as ondas, ficou cada vez mais para trás do resto da esquadra. O *Centurion* fez uma volta para se aproximar do *Wager*, e Anson — usando um megafone que lhe permitia se comunicar com o capitão Cheap através das ondas e do rugido do vento — gritou para perguntar por que ele não punha a vela superior em outro mastro para ajudar a impulsionar o navio.

"Meu cordame acabou e se rompeu de proa a popa, e meu pessoal está quase todo enfermo e derrubado", Cheap gritou de volta. "Mas eu vou recolocá-la o mais rápido possível."[17]

Anson disse que faria com que Cummins, o carpinteiro do *Wager*, que havia ficado preso no *Gloucester* por causa do mau tempo, fosse enviado de volta. Quando chegou, Cummins começou de imediato a trabalhar com seus companheiros, prendeu um botaló, uma vara grossa e comprida, de doze metros no toco e improvisou uma vela. Isso estabilizou um pouco o navio, e o *Wager* continuou a navegar.

Em meio a essas dificuldades, o único superior que Bulkeley nunca criticou foi Anson. Desde o início, o comodoro recebeu uma expedição organizada de forma lamentável, mas fez tudo o que pôde para preservar a esquadra e fortalecer o ânimo dos marinheiros. Ignorando as hierarquias navais asfixiantes, ele trabalhou ao lado da tripulação, auxiliando nas tarefas mais árduas. Compartilhava seu estoque particular de conhaque com os marujos para aliviar o sofrimento deles e animá-los. Quando a bomba do porão de um navio quebrou, ele mandou a de sua própria embarcação. E quando não tinha mais suprimentos para distribuir, encorajou os homens e os garotos com suas palavras, o que, dada sua natureza taciturna, parecia ainda mais estimulante.

Mas havia poucos homens e garotos saudáveis para conduzir os navios. O *Centurion*, que já tivera mais de duzentas pessoas servindo em cada turno, estava reduzido a seis marinheiros por turno. O capitão Cheap relatou sobre o *Wager*: "A tripulação de meu navio naquele momento infeliz estava quase toda doente [...], e eles estavam tão cansados com a duração excessiva da viagem, o longo trajeto de mau tempo e a escassez de água potável que pouquíssimos eram capazes de cumprir seu dever".[18] Algumas embarcações não conseguiam nem içar uma vela. O capitão Murray escreveu que sua tripulação havia resistido ao clima com uma "resolução que só se encontrava em marinheiros ingleses", mas por estarem agora "bastante exauridos e fatigados com o trabalho contínuo e a vigilância, e apertados pelo frio e pelo desejo de água [...], ficaram tão desanimados que se deitavam desesperados, lamentavam seus infortúnios e desejavam a morte como o único alívio para seu sofrimento".[19]

Em 10 de abril de 1741, sete meses depois que a esquadra partira da Inglaterra e mais de quatro semanas desde que entrara na passagem de Drake, o *Severn* e o *Pearl* começaram a ficar para trás. Então, desapareceram. "Perdi de vista o *Severn* e o *Pearl*", escreveu Bulkeley em seu diário.[20] Alguns suspeitaram que os oficiais desses navios haviam desistido e dado meia-volta no cabo Horn, recuando para um local seguro. Thomas alegou que eles pareciam "atrasar de forma intencional".[21]

A esquadra, reduzida a cinco navios, dos quais apenas três eram de guerra, se esforçou para permanecer unida. Para sinalizar sua localização, penduravam lanternas e disparavam seus canhões a quase cada meia hora. Bulkeley sabia que se o *Wager* se separasse da frota e do comodoro Anson, não haveria ninguém para resgatá-los caso afundassem ou naufragassem. Eles poderiam ser forçados a passar seus dias, como disse o reverendo Walter, "em alguma costa desolada, sem nenhuma esperança razoável de voltar a desembarcar".[22]

O *Centurion* foi o primeiro a desaparecer na escuridão. Depois que Bulkeley avistou suas luzes bruxuleantes na noite de 19 de abril, ele escreveu em seu diário: "Esta foi a última vez que vi o comodoro".[23] Ele distinguia os outros navios à distância, mas eles também logo "desapareceram", com o som de seus canhões sendo abafado pelo vento. O *Wager* estava sozinho no mar, entregue ao seu próprio destino.

7. O golfo da Dor

David Cheap, comandante do HMS *Wager*, jamais voltaria atrás. A tripulação continuou a murchar, e seu próprio corpo foi tomado pelo que ele, para evitar o estigma do escorbuto, preferiu chamar de "reumatismo" e "asma".[1] A embarcação, o primeiro navio de guerra sob seu comando, não estava apenas deformada, sem mastro, com velas rasgadas e vazamentos graves; estava sozinha no mar agitado. Apesar de tudo isso, ele continuou navegando, determinado a encontrar Anson no lugar combinado. Se Cheap falhasse nesse desafio, seria ele um capitão de verdade?

Depois que esse objetivo fosse alcançado, e depois que os homens que restavam no grupo de Cheap se recuperassem, eles iriam prosseguir com o plano que o comodoro Anson lhe havia confiado: um ataque a Valdivia, uma cidade na costa sudoeste do Chile. Como o *Wager* carregava grande parte dos armamentos da esquadra, o sucesso do primeiro ataque contra os espanhóis — e talvez de toda a expedição — dependia de ele chegar milagrosamente ao ponto de encontro. A própria falta de esperança da situação oferecia um apelo humano peculiar: se Cheap vencesse, ele se tornaria um herói, seus feitos seriam celebrados em histórias e baladas de marinheiros. Nunca mais seus compatriotas duvidariam do que ele era feito.

Vigília após vigília, sino após sino, ele continuou a navegar, lutar, batalhar, até que três semanas se passaram desde que foi separado da esquadra. Com habilidade e ousadia, e um toque de desumanidade, ele fizera o *Wager* navegar ao redor do cabo Horn, juntando-se àquele clube de elite, e se apressava agora pelo Pacífico, em direção ao nordeste da costa chilena da Patagônia. Em alguns dias, ele chegaria ao ponto de encontro. Imaginem a expressão de Anson quando visse o *Wager* perdido e percebesse que seu ex-tenente havia salvado a pátria!

No entanto, o Pacífico não fez jus ao nome. À medida que o *Wager* seguia para o norte, margeando a costa chilena, todas as tempestades anteriores pareciam ter se combinado numa única fúria climática. Alguns dos homens pareciam prontos para "*cut and run*" [cortar e correr],[2] tal como se suspeitava que os oficiais e as tripulações do *Pearl* e do *Severn* haviam feito. Mas Cheap — com os olhos inflamados e os dentes soltos — permaneceu inabalável. Ele exigia que a tripulação estaiasse as velas, subisse nos mastros em meio a fortes rajadas de vento e acionasse a bomba manual, que exigia abaixar recipientes de ferro numa longa corrente no porão cheio de água e depois puxá-los para cima — um ritual árduo que tinha de ser repetido sem parar. Cheap contava com o aspirante Alexander Campbell para intimidar a tripulação e fazer cumprir suas ordens. "Minha ligação com o capitão era fervorosa", reconheceu Campbell.[3] Mais tarde, um marujo amaldiçoou o aspirante e jurou vingança.

Cheap incentivava os homens a seguirem de forma implacável — ao mesmo tempo em que jogavam ao mar um número crescente de cadáveres. "Que o destino de determinadas pessoas seja o que for", proclamou Cheap, "mas que a honra de nosso país seja imortal."[4]

Enquanto avançavam, John Byron — que notou que "Cheap havia desafiado com obstinação todas as dificuldades" e que não se perturbava com as "apreensões que de forma tão justa alarmavam a todos" —[5] espiou por cima da borda do tombadilho. Sempre atento à natureza, ele notou que flutuavam na água pequenos fios verdes. Algas marinhas. E contou isso ansioso ao artilheiro Bulkeley: "Não podemos estar longe da terra".[6]

John Bulkeley achava que o percurso deles era uma loucura. De acordo com o mestre Clark, o navegador, eles permaneciam em segurança a oeste da costa patagônica chilena, mas ele já havia estimado errado antes. E se eles se mantivessem em direção ao nordeste, talvez se enredassem em uma costa de sotavento desconhecida, e não conseguiriam virar a tempo de evitar o naufrágio. O carpinteiro Cummins observou que, dada a "condição em que o navio se encontrava, ele não estava adequado para entrar em contato com a terra", em especial com "todos os nossos homens doentes".[7] Bulkeley perguntou ao tenente Baynes, oficial superior de plantão, por que eles não alteravam o curso e viravam para oeste, de volta ao mar.

O tenente foi evasivo. Quando Bulkeley o pressionou de novo, Baynes respondeu que havia falado com Cheap e que o capitão pretendia chegar ao ponto de encontro a tempo. "Gostaria que você falasse com ele, você pode persuadi-lo", disse Baynes com displicência.[8] Bulkeley não precisou marcar uma reunião com Cheap. O capitão, sem dúvida ouvindo os resmungos do artilheiro, logo o chamou e perguntou: "A que distância você avalia que está da terra?".

"A cerca de sessenta léguas", respondeu Bulkeley, ou seja, aproximadamente 320 quilômetros. Mas as correntes e ondulações os levavam com rapidez para o leste, em direção ao litoral, observou ele, e acrescentou: "Senhor, o navio está um destroço perfeito. Nosso mastro de mezena se foi [...], e todo o nosso pessoal está doente".

Pela primeira vez, Cheap divulgou as ordens secretas de Anson, e ele insistiu que não iria se desviar delas e ameaçar a missão. Ele acreditava que um capitão deve cumprir com seus deveres: "Devo fazer isso e estou determinado".

Bulkeley achou que a decisão era "um grande infortúnio".[9] Mas cedeu às ordens de seu superior, deixando o capitão sozinho com sua bengala.

Em 13 de maio, às oito da manhã, Byron estava de guarda quando várias roldanas dos traquetes quebraram. Enquanto o carpinteiro Cummins corria para inspecioná-las, as nuvens de tempestade que cobriam o horizonte se separaram um pouco, e à distância ele viu algo sombrio e disforme. Seria terra? Ele falou com o tenente Baynes, que semicerrou os olhos, mas não viu nada. Talvez Baynes estivesse sofrendo da cegueira induzida pela falta de vitamina A. Ou talvez fossem os olhos de Cummins que estavam enganados. Afinal, Baynes calculara que o navio ainda estava a mais de 240 quilômetros da costa. Ele disse a Cummins que era "impossível" que ele tivesse visto terra e não relatou o fato ao capitão.[10] Quando Cummins contou a Byron o que pensou ter visto, o céu estava outra vez submerso na escuridão, e Byron não conseguiu ver nenhuma terra. Ele se perguntou se deveria informar o capitão, mas Baynes era o segundo em comando, e Byron era um mero aspirante. Não é meu lugar, ele pensou.

* * *

Naquele mesmo dia, às duas da tarde, com apenas três marinheiros de guarda, Bulkeley teve que subir para ajudar a baixar uma das vergas no mastro de proa. Enquanto o navio corcoveava como um animal selvagem, ele subiu pelo cordame. O vendaval açoitava seu corpo e a chuva ardia em seus olhos. Ele foi subindo — subindo, subindo, subindo — até chegar à verga, que balançou com o navio a ponto de quase mergulhá-lo na água, antes de erguê-lo de volta ao céu. Ele se segurou desesperadamente, olhando para o mundo que tinha diante de si. E foi então que, como ele recordou, "vi a terra com muita clareza".[11] Havia enormes colinas escarpadas, e o *Wager* avançava na direção delas, impelido pelos ventos de oeste. Bulkeley desceu apressado pelo mastro e atravessou o convés escorregadio para avisar o capitão.

Cheap entrou de imediato em ação. "Balancem a verga do traquete para cima e ajustem o traquete!",[12] ele gritou para as figuras meio humanas que estavam por perto. Depois ordenou que os homens executassem um *jibe* —[13] virar o navio colocando a proa para longe do vento. O timoneiro (havia apenas um disponível) girou a roda dupla. A proa começou a fazer um arco na direção do vento, mas então o vendaval pegou as velas por trás com força total e o casco surfou nas ondas enormes. Cheap viu com preocupação que o navio se dirigia cada vez mais rápido em direção às rochas. Ordenou que o timoneiro continuasse girando o leme e que os outros homens cuidassem do cordame. E pouco antes que uma colisão fosse inevitável, a proa girou ainda mais — 180 graus —, e as velas foram lançadas com violência para o lado oposto do navio, completando a manobra de *jibe*.

O *Wager* navegava agora paralelo ao litoral, numa trajetória rumo ao sul. No entanto, devido à direção oeste dos ventos, Cheap não conseguiu seguir para mais longe no mar, e o *Wager* estava sendo arrastado para a costa por ondas e correntes. A paisagem da Patagônia se revelou, irregular e confusa, com ilhotas rochosas e geleiras reluzentes, florestas selvagens que subiam pelas encostas das montanhas e falésias que mergulhavam direto no oceano. Cheap e seus homens ficaram presos em uma baía conhecida como golfo de Penas ou, como alguns preferem, o golfo da Dor.

Cheap achava que eles poderiam se desvencilhar, mas a vela do mastro de ré se soltou de repente das vergas. Vendo seus homens que lutavam desesperadamente para consertar o cordame no castelo de proa, ele decidiu ir ajudar, para mostrar a eles que ainda havia uma saída. De maneira apressada e corajosa, ele correu em direção à proa — como se um touro atacasse o vendaval. E foi então, desequilibrado por uma onda, que deu um passo em falso (um pequeno passo em falso) e começou a cair num abismo. Ele havia caído por uma escotilha aberta, despencando cerca de dois metros antes de bater no convés de carvalho abaixo. Bateu com tanta força que o osso do ombro esquerdo quebrou e saiu pela axila. Os homens o carregaram para a cabine do cirurgião. "Fiquei muito atordoado e ferido com a violência da queda", observou Cheap.[14] Ele queria se levantar para salvar o navio e seus homens, mas a dor era insuportável, e foi o primeiro momento em muito tempo que ele se deitou para descansar. O cirurgião Walter Elliot deu ao capitão ópio e, pela primeira vez, Cheap ficou em paz, navegando no éter de seus sonhos.

Às 4h30 do dia 14 de maio, Byron, que estava no convés, sentiu o *Wager* estremecer na escuridão. O aspirante Campbell, parecendo de repente a criança que era, perguntou: "O que foi isso?". Byron analisou a tempestade: estava agora tão densa — "terrivelmente indescritível" —[15] que não era possível distinguir nem mesmo a proa do navio. Ele se perguntou se o *Wager* havia sido apanhado de surpresa por uma onda enorme, mas o golpe viera de baixo do casco. Percebeu então que se tratava de uma rocha submersa.

O carpinteiro Cummins, que fora acordado em sua cabine, chegou à mesma conclusão. Ele correu para inspecionar o dano com seu ajudante James Mitchell — que, pelo menos dessa vez, não estava mal-humorado. Enquanto Cummins esperava perto de uma escotilha, Mitchell desceu correndo por uma escada até o porão, iluminando as tábuas com sua lanterna. Nenhuma irrupção de água, ele gritou. As pranchas estavam intactas!

Mas à medida que as ondas batiam contra o navio, a embarcação avançava e batia em mais rochas. O leme quebrou, e uma âncora de mais de duas toneladas atravessou o casco, provocando um buraco no *Wager*. O navio começou a oscilar, virando cada vez mais, e o pânico tomou conta. Alguns dos enfermos que não apareciam para o plantão havia dois meses cambaleavam para o convés com a pele enegrecida e os olhos injetados, subindo de um leito de morte para outro. "Nesta situação terrível", observou Byron, o *Wager* "permaneceu por algum tempo, e cada alma a bordo olhava para o minuto presente como o último."[16]

Outra onda imensa varreu o navio, e ele seguiu em frente, tropeçando em um campo minado de rochas, sem leme para guiá-lo e com o mar entrando pelo buraco. O ajudante de carpinteiro Mitchell gritou: "Quase dois metros de água no porão!".[17] Um oficial relatou que o navio estava agora "cheio de água até as escotilhas".[18]

Byron vislumbrou — e, talvez de forma mais assustadora, ouviu — as ondas que quebravam ao redor, estrondosas e esmagando tudo em suas mandíbulas. Elas estavam por todo o navio. Onde estava a aventura romântica agora?

Muitos dos homens se prepararam para morrer. Alguns se ajoelhavam e rezavam na espuma. O tenente Baynes se retirou com uma garrafa de bebida. Outros, observou Byron, "perderam todo o juízo, como troncos inanimados, e eram jogados de um lado para o outro pelos solavancos e balanços do navio, sem fazer nenhum esforço para ajudarem a si mesmos". E acrescentou: "Tão terrível foi a cena das ondas de espuma ao nosso redor que um dos homens mais corajosos que tínhamos não pôde deixar de expressar sua consternação, dizendo que era uma visão chocante demais para suportar".[19] O homem tentou se jogar por cima da amurada, mas foi contido. Outro marinheiro espreitava o convés agitando seu cutelo e gritava que era o rei da Inglaterra.

Um marujo veterano chamado John Jones tentou encorajar os homens. "Meus amigos", gritou ele, "não desanimemos: vocês nunca viram um navio entre as ondas antes? Vamos tentar empurrá-lo para atravessá-las. Venham, deem uma ajuda; aqui está uma vela e aqui está um suporte; agarrem-se. Não duvido, mas podemos [...] salvar nossas vidas."[20] Sua coragem inspirou vários oficiais e tripulantes, inclusive Byron. Alguns agarraram cabos para içar as velas; outros bombearam e esvaziaram a água de maneira frenética. Bulkeley tentou manobrar o navio manipulando as velas, puxando-as para um lado e depois para o outro. Até o timoneiro, apesar de seu leme inoperável, permaneceu em seu posto, insistindo que seria impróprio abandonar o *Wager* enquanto ele flutuasse. E, surpreendentemente, aquele navio tão difamado continuou. Com uma hemorragia de água, navegou pelo golfo de Penas — sem mastro, sem leme, sem capitão no tombadilho. Os homens em silêncio o animaram. Seu destino era o deles, e ele lutou com todas as suas forças, com orgulho, desafiante e nobre.

Por fim, se chocou contra um aglomerado de rochas e começou a se despedaçar. Os dois mastros que restavam começaram a cair e foram derrubados pelos homens antes que pudessem puxar o navio por completo. O gurupés rachou, janelas estouraram, cavilhas saltaram, pranchas quebraram, cabines desmoronaram, conveses desabaram. A água inundou as partes inferiores do navio, serpenteando de câmara em câmara, preenchendo cantos e recantos. Os ratos dispararam para cima. Os homens que estavam doentes demais para deixar suas redes morreram afogados antes que alguém pudesse resgatá-los. Como escreveu Lord Byron no poema "Don Juan", sobre um navio afundando, isso "compôs uma cena que os homens não esquecem tão cedo", pois eles sempre se lembram do que "quebra suas esperanças, ou corações, ou cabeças, ou pescoços".[21]

O *Wager*, tendo sobrevivido até então de maneira improvável, ofereceu um último presente a seus tripulantes. "De modo providencial, ficamos presos entre duas grandes rochas", observou John Byron.[22] Pressionado pelos dois lados, o navio não afundou por completo — pelo menos não ainda. E quando Byron subiu a um ponto alto nas ruínas da embarcação, o céu clareou o suficiente para ele ver além das ondas. Lá, envolta em névoa, havia uma ilha.

PARTE III

NÁUFRAGOS

8. Naufrágio

A água do mar alcançou a cabine do cirurgião, onde o capitão David Cheap jazia imóvel. Confinado ali desde que havia se ferido, ele não viu a colisão, mas reconheceu o barulho da embarcação raspando em algo, o som que todo comandante teme — um casco rangendo nas rochas. E percebeu que o *Wager*, o navio de seus sonhos vorazes, estava perdido. Se sobrevivesse, Cheap enfrentaria uma corte marcial para determinar se havia encalhado por "obstinação, negligência ou outras falhas".[1] Seria considerado culpado — para o tribunal, para Anson, para si mesmo — de destruir o primeiro navio de guerra sob seu comando, encerrando assim sua carreira naval? Por que o tenente não o alertara antes sobre o perigo? Por que o cirurgião o havia nocauteado com ópio — "sem seu conhecimento", insistiria Cheap, "dizendo-me que era apenas para prevenir a febre"?[2]

Enquanto o exército inesgotável de ondas continuava a atacar, ele sentiu que o que restava do casco do *Wager* batia nas rochas. Bulkeley relembrou: "Esperávamos a cada momento que o navio se partisse", e tremores violentos "chocavam todo mundo a bordo".[3] Durante uma operação de três horas, o osso do ombro de Cheap foi recolocado no lugar, mas ele ainda sentia muita dor.

Logo Byron e Campbell, encharcados, se aproximaram da porta da cabine do cirurgião, como fantasmas. Os aspirantes informaram Cheap sobre o que havia acontecido e lhe contaram sobre a ilha. À distância de um tiro de mosquete, parecia um pântano estéril, varrido por tempestades, com matas e montanhas que se erguiam na névoa sombria. A ilha não oferecia nenhum "sinal de cultura", segundo Byron.[4] Mas oferecia uma fuga: "Agora não pensávamos em nada além de salvar nossas vidas".[5]

Cheap pediu que preparassem de imediato as quatro embarcações amarradas no convés: o escaler de onze metros, o cúter de 7,5 metros, a barcaça de sete metros e a iole de 5,5 metros.[6] "Vão e salvem todos os enfermos", disse ele.[7]

Byron e Campbell imploraram a Cheap para que entrasse num barco com eles. Mas ele estava decidido a cumprir o código do mar: durante um naufrágio, o capitão deve ser o último a deixar o navio, mesmo que isso signifique afundar com ele. "Não se importem comigo", insistiu ele.[8] O marinheiro John Jones também tentou persuadir o capitão a partir. Cheap respondeu, de acordo com Jones, que "se a vida das pessoas fosse salva, ele não se importava com a sua".[9]

Byron ficou impressionado com a bravura de Cheap: "Ele deu ordens naquela situação com a mesma frieza de sempre".[10] Contudo, havia certa tensão naquilo, como se ele acreditasse que apenas com a morte poderia recuperar sua honra.

A água continuava a subir, borbulhando. Ouviam-se homens e garotos escalando o convés em meio àquele som terrível da madeira raspando nas pedras.

John Bulkeley tentou ajudar a abaixar os barcos, mas não havia mais mastros para içá-los, e a tripulação outrora organizada havia se transformado num caos. A maioria dos homens não sabia nadar e por isso precisava fazer um cálculo sombrio: pular em meio às ondas e tentar chegar à costa ou ficar enquanto o navio se desintegrava?

O escaler — o maior, mais pesado e mais importante dos barcos de transporte — estava rachado e coberto por escombros. Mas os homens perceberam que a barcaça mais leve poderia ser arrastada pelo convés. Vamos! Vamos! Agarrem-na e levantem-na! Era agora ou nunca. Bulkeley, junto com vários marinheiros fortes, ergueu a barcaça sobre a amurada e, usando cabos, baixou-a ao mar.[11] Os homens começaram a tentar subir a bordo, se acotovelando, e vários pularam para dentro da barcaça, quase a fazendo virar. Bulkeley observou os homens enquanto remavam através de ondas perigosas e névoa e contornando as rochas, até chegarem a uma praia em um canto da ilha. Era o primeiro terreno sólido que tocavam em dois meses e meio, e eles desabaram. No *Wager*, Bulkeley esperou que alguns voltassem com a barcaça. Nenhum o fez. Chovia forte, e o vento soprava agora do norte, agitando ainda mais o mar já revolto. O convés tremeu, incitando Bulkeley e os outros de um modo que só a perspectiva da morte pode fazer, e eles enfim conseguiram lançar a iole e o cúter na água. Os mais doentes foram transportados primeiro. O comissário de bordo Thomas Harvey, de 25 anos, responsável pelas provisões do navio, assegurou-se de que a tripulação pegasse todos os suprimentos que pudessem. Isso incluía alguns quilos de farinha escondidos num saco sujo de tabaco; armas e munições; utensílios para cozinhar e para comer; uma bússola, mapas e crônicas dos primeiros navegantes exploradores; uma caixa de remédios; e uma Bíblia.

Depois de várias horas, a maior parte da tripulação foi evacuada, mas o ajudante de carpinteiro Mitchell, que sempre teve uma energia assassina, recusou-se a partir, assim como uma dúzia ou mais de seus companheiros. A eles se juntou o contramestre King, o oficial que deveria impor disciplina. Essa facção começou a abrir barris de bebida e a se embriagar, preferindo, ao que parecia, morrer numa última farra. "Tínhamos vários no navio tão indiferentes ao perigo, tão estúpidos e insensíveis à sua miséria que caíram no mais violento ultraje e na desordem", recordou Bulkeley.[12]

Antes de abandonar o *Wager*, o artilheiro tentou recuperar alguns dos registros do navio. Os diários de bordo deveriam ser preservados no caso de um naufrágio para que o Almirantado pudesse depois determinar a potencial culpa não apenas do capitão, mas também do tenente, do mestre e de outros oficiais. Bulkeley ficou chocado ao descobrir que muitos dos registros do *Wager* haviam desaparecido ou sido destruídos, e não por acidente. "Temos boas razões para crer que alguém havia sido contratado para destruí-los", relembrou ele.[13] Fosse um piloto ou talvez até mesmo um oficial mais graduado, alguém queria evitar que suas ações fossem examinadas.

John Byron esperava poder pegar algumas roupas antes de abandonar o navio. Ele desceu, rastejando pelos detritos enquanto a água subia ao seu redor. Restos de seu antigo lar — cadeiras, mesas, velas, cartas, lembranças — passavam flutuando, assim como os corpos dos mortos. Enquanto ele descia, o casco curvou e a água entrou com mais força. "Fui forçado a subir ao tombadilho de novo, sem salvar nada, exceto o que levava no corpo", observou ele.[14]

Apesar do perigo, ele se sentiu compelido a voltar para buscar o capitão Cheap e, junto com alguns oficiais, cruzou a água até chegar à cabine do cirurgião. Byron e os outros imploraram para que Cheap os acompanhasse.

Ele perguntou se todos os outros homens haviam sido levados. Sim, explicaram, exceto por um pequeno grupo indisciplinado que pretendia ficar. Cheap indicou que esperaria. Mas, por fim, depois de jurarem que tinham feito tudo o que podiam para remover aqueles lunáticos — e não havia mais nada que pudesse ser feito —, Cheap relutantemente se levantou da cama. Usando uma bengala, ele teve dificuldade para andar. Byron e alguns homens o sustentavam, enquanto outros carregavam seu baú, que, entre os poucos pertences, continha a carta de Anson nomeando-o capitão do *Wager*. "Nós o ajudamos a entrar no barco e o carregamos até a praia", relembrou Campbell.[15]

Os náufragos se amontoaram na praia sob a chuva fria e cortante.[16] Cheap calculou que da tripulação original do *Wager*, que tinha cerca de 250 homens e garotos, 145 haviam sobrevivido. Eles constituíam um bando abatido, doente e pouco vestido, que parecia ter naufragado havia séculos. Entre eles estavam Byron, agora com dezessete anos, e Bulkeley; o covarde tenente Baynes; o presunçoso aspirante Campbell; os companheiros de mesa de Byron, Cozens, que não conseguia ficar longe de uma garrafa, e Isaac Morris; o habilidoso carpinteiro Cummins; o comissário Harvey; o jovem e forte cirurgião Elliot, a quem Cheap, apesar de sua explosão de raiva por causa do ópio, considerava um amigo; e o marinheiro veterano Jones. Estavam lá também o mestre Clark e seu filho; o cozinheiro octogenário e um menino de doze anos; o negro livre John Duck; e o fiel mordomo de Cheap, Peter Plastow. Muitos dos fuzileiros navais haviam morrido, mas seu capitão Robert Pemberton estava vivo, assim como seu tenente Thomas

Hamilton, que era um dos aliados mais próximos de Cheap. Alguns inválidos também jaziam na ilha.

Cheap não sabia onde eles estavam ou o que os espreitava ali. Seria muito difícil algum navio europeu passar perto o suficiente para avistá-los. Eles estavam isolados, perdidos. "É natural pensar que para homens prestes a perecer por naufrágio, chegar à terra era a maior realização de seus desejos", escreveu Byron, e acrescentou: "Era uma grande e misericordiosa salvação da destruição imediata; mas então tínhamos que lutar contra a umidade, o frio e a fome, e não havia remédio visível contra qualquer um desses males".[17] Cheap acreditava que a única maneira de eles verem a Inglaterra de novo seria preservando a coesão do navio. Ele já estava lidando com o fato de que um grupo de bêbados permanecia na parte não submersa dos destroços... e será que os homens na praia o olhavam de forma diferente? Eles o culpavam por estarem ilhados?

Logo anoiteceria e estava ficando cada vez mais frio. A estreita faixa de praia não oferecia proteção contra os fortes ventos e a chuva. Embora estivessem "fracos, entorpecidos e quase impotentes",[18] Byron e seus companheiros se esforçaram para procurar abrigo. Eles se arrastaram pela relva emaranhada e pantanosa e depois subiram colinas íngremes repletas de árvores tortas por causa dos vendavais, tão encurvadas e abatidas quanto os próprios náufragos.[19]

Depois de caminhar uma curta distância, Byron notou uma estrutura em forma de cúpula escondida na floresta. Com cerca de três metros de largura e 1,8 metro de altura, estava coberta de arbustos e tinha uma abertura na frente. Era uma espécie de habitação, que Byron descreveu como uma tenda indígena. Ele olhou ao redor. Não havia sinal de quem vivia ali, mas deviam estar por perto, na ilha ou no continente. Dentro do abrigo havia algumas lanças e outras armas, e os homens temeram ser emboscados quando escurecesse. "Não saber a força e a disposição deles preocupou a nossa imaginação e nos manteve em contínua ansiedade", observou Byron.[20]

Vários homens se espremeram no abrigo para se proteger da tempestade e abriram espaço para o capitão Cheap, que precisou de ajuda para entrar. No seu estado, ele teria "certamente perdido a vida sem aquele abrigo", escreveu Campbell.[21]

Não havia espaço para Byron, e junto com a maior parte dos homens ele se deitou na lama. As estrelas, que outrora os haviam guiado pelo oceano, foram apagadas pelas nuvens, e Byron foi lançado na escuridão total enquanto ouvia a rebentação das ondas, galhos estalando e os gemidos dos doentes.

Choveu a noite toda. Pela manhã ainda chovia, e ele não havia dormido. Embora estivessem encharcados e meio congelados, ele e o resto dos náufragos se forçaram a ficar de pé — exceto um dos inválidos e dois outros homens doentes que dormiam ao lado de Byron. Nada os acordou, e o rapaz percebeu que estavam mortos.

Perto da costa, Cheap se apoiou na bengala. A névoa pairava sobre o mar, encerrando-o junto com seus homens num inferno cinza. Através da luz vaporosa, ele podia distinguir os restos do *Wager* ainda presos entre as rochas — uma lembrança grotesca do que havia acontecido com eles. Era óbvio que King, Mitchell e os outros renegados que se recusaram a abandonar o navio logo morreriam afogados. Determinado a resgatá-los, Cheap despachou o jovem Campbell e um pequeno grupo para buscá-los na iole.

Campbell partiu e, ao subir no *Wager*, ficou surpreso com a bagunça. Mitchell e sua gangue, auxiliados pelo contramestre King, haviam confiscado o que restava do navio, pirateando os destroços como os sobreviventes de um apocalipse. "Alguns cantavam salmos", observou Campbell, "outros brigavam, praguejavam ou estavam bêbados no convés."[22] Alguns dos embriagados caíram nas poças de água e se afogaram, e seus cadáveres estavam espalhados entre os quem farreavam, ao lado de barris vazios de bebida e destroços da embarcação.

Campbell avistou um barril de pólvora e foi resgatá-lo. Mas dois dos marinheiros, amargurados com os maus-tratos que ele lhes infligira durante a viagem, foram até ele, gritando: "Dane-se!".[23] Um terceiro avançou em sua direção com uma baioneta de lâmina cintilante. Campbell fugiu com seu grupo, deixando os renegados com seu prêmio amaldiçoado.

Naquela noite, quando estava no abrigo, Cheap foi acordado por uma explosão, que ecoou através dos ventos estridentes. De repente, uma bola metálica zuniu bem em cima do abrigo, colidindo com as árvores em volta e abrindo crateras na terra. Depois veio outra — uma explosão de luz que se irradiou através da escuridão. Cheap percebeu que os homens do navio, temendo que ele afundasse por completo, disparavam tiros de canhão do tombadilho — um sinal de que *agora* estavam prontos para desembarcar.

Os retardatários foram recuperados com sucesso. Enquanto seguiam para a ilha, Cheap se concentrou na aparência deles. Por cima das calças cobertas de alcatrão e das camisas xadrez, eles usavam roupas feitas com a melhor seda e rendas, que haviam surrupiado dos baús abandonados dos oficiais.

Como King era o contramestre, Cheap o considerou o mais responsável e, enquanto os outros náufragos observavam, o capitão deu um passo na direção dele. King, em seu traje real, agia como um senhor supremo. O braço esquerdo de Cheap pendia de modo desajeitado, mas com o direito ele ergueu a bengala e golpeou King com tanta fúria que o contramestre corpulento caiu no chão. Cheap o chamou de canalha. Depois forçou King e o resto do bando, inclusive Mitchell, a tirar as roupas dos oficiais até que parecessem, como disse Bulkeley, "com um bando de criminosos a ser transportado".[24] Cheap deixara claro que ainda era o capitão.

9. A besta

Byron estava com fome. Nos poucos dias desde que foram lançados na ilha, ele e seus companheiros não encontraram quase nada para comer. "A maioria de nós jejuou" por 48 horas, escreveu ele,[1] e alguns até mais do que isso. Eles ainda não haviam localizado um único animal em terra para caçar — nem mesmo um rato. E o mais surpreendente era que, talvez devido às ondas enormes, as águas perto da costa pareciam não ter peixes. "O próprio mar é quase tão estéril quanto a terra", escreveu Byron.[2] Por fim, alguém derrubou uma gaivota, e o capitão Cheap ordenou que ela fosse dividida entre o grupo.

Os homens juntaram galhos e esfregaram pedaços de pederneira e metal de uma caixa de pólvora, na tentativa de acender uma fogueira com a madeira úmida, até que uma chama brotou e lançou fumaça ao vento. O velho cozinheiro Thomas Maclean depenou a ave e a ferveu numa panela grande, polvilhando um pouco de farinha para fazer uma sopa espessa. As porções fumegantes foram repartidas, como oferendas sagradas, pelas poucas tigelas de madeira que eles haviam recuperado.

Byron saboreou sua parte. Porém, momentos depois, ele e seus companheiros foram "tomados pela mais dolorosa náusea em nossos estômagos" e "violentos vômitos", como disse Byron.[3] A farinha estava contaminada. Os homens estavam agora ainda mais esgotados do que antes e descobriram que o clima era marcado por tempestades quase incessantes. Um capitão britânico que passou pela ilha quase um século depois notou as violentas rajadas de vento que vinham de nuvens que nunca se dissipavam, tomando o céu, e disse que se tratava de um lugar onde "a alma do homem morre".[4]

Por mais famintos que estivessem, Byron e seus companheiros tinham medo de se aventurar e ir para longe, com os temores aumentados por seus preconceitos arraigados. "Estávamos convencidos de que os selvagens estavam afastados, mas não muito longe, esperando o grupo se separar, então não fizemos [...] grandes excursões", observou Byron.[5]

A maioria dos náufragos permaneceu perto da costa, que era isolada por pastagens encharcadas e por colinas íngremes cobertas por uma vegetação densa e retorcida. Havia a sudoeste uma pequena montanha, e ao norte e a leste havia picos mais assustadores, inclusive um que devia ter cerca de seiscentos metros de altura, com um topo plano e vapores que subiam dele como se fosse um vulcão.

Os homens vasculharam a praia em busca de mexilhões e caracóis. O lixo do naufrágio começou a chegar à costa: pedaços dos conveses, o toco do mastro principal, uma bomba de corrente, uma carreta de canhão e um sino. Byron vasculhou o lixo, procurando por algo útil. Vários cadáveres haviam sido expelidos dos destroços, e ele recuou diante desses "espetáculos hediondos".[6] Mas, entre eles, descobriu algo que de repente parecia mais valioso do que o próprio galeão: um barril de madeira cheio de carne salgada.

* * *

Em 17 de maio, três dias após o naufrágio, o artilheiro John Bulkeley saboreou alguns pedaços de carne. Em seu diário, ele observou que logo seria Pentecostes — o sétimo domingo depois da Páscoa, quando os cristãos comemoram o momento em que o Espírito Santo apareceu durante uma festa da colheita. Como dizem as Escrituras, naquele dia, "todo aquele que invocar o nome do Senhor será salvo".

Como a maioria dos náufragos, Bulkeley não tinha abrigo — ele comia, dormia e se agachava ao relento. "Choveu tanto que quase nos custou a vida", escreveu ele.[7] Byron, enquanto isso, temia que seria "impossível para nós subsistirmos" por muito mais tempo sem um teto.[8] A temperatura girava em torno de zero, e os ventos fortes do oceano e a umidade constante tornavam o frio do tipo que penetra sob a roupa, deixando os lábios azuis e fazendo os dentes baterem. Era o tipo de frio que mata.

Bulkeley teve uma ideia. Convocou Cummins e vários dos marinheiros mais robustos para ajudá-lo a arrastar o cúter até a praia e virá-lo, deixando a quilha para cima; o objetivo, escreveu Bulkeley, era "criar algo parecido com uma casa".[9]

Ele e seus amigos se amontoaram no refúgio seco. Ao avistar Byron vagando sem rumo, Bulkeley o chamou. Como o artilheiro havia reunido os homens e os ajudado, eles ficaram gratos. Ele tinha feito uma fogueira — aquela centelha de civilização —, e eles se reuniram em volta das chamas, tentando se aquecer. Em seu diário, Byron escreveu que tirou as roupas molhadas, as torceu e procurou por piolhos, depois vestiu tudo de novo.

Os homens ponderaram a situação em que estavam. Embora Cheap tivesse punido os renegados, eles continuavam sendo uma fonte de turbulência, em especial Mitchell. E de toda a tripulação Bulkeley ouviu crescentes "murmúrios e descontentamentos" em relação ao capitão.[10] Culpavam-no pelo sofrimento e se perguntavam o que ele estava fazendo para que fossem resgatados.

Sem o comodoro Anson para guiá-los, escreveu Bulkeley, "as coisas começaram a ganhar uma nova *cara*".[11] Havia uma "desordem geral e confusão entre as pessoas, que agora não eram mais implicitamente obedientes". Na Marinha britânica, marinheiros voluntários e convocados à força deixavam de ser pagos quando seu navio não servia mais e, como dois dos náufragos argumentavam, a perda do *Wager* significava que a maioria havia deixado de receber: estavam sofrendo por nada. Não tinham, então, o direito de ser "seus próprios senhores, e não mais se sujeitar ao comando"?[12]

Em seu diário, Bulkeley registrou algumas das reclamações em relação a Cheap. Se ao menos o capitão tivesse conferenciado com seus oficiais no mar, escreveu ele, "provavelmente poderíamos ter escapado de nossa situação infeliz atual".[13] Contudo, Bulkeley teve o cuidado de não ficar abertamente do lado dos agitadores, observando que "sempre atuou obedecendo o comando".[14] Muitos dos descontentes ainda gravitavam em torno dele. Ele havia provado suas habilidades na viagem (não havia implorado ao capitão que voltasse?), e agora parecia ser o mais forte dali. Bulkeley até lhes proporcionara abrigo. Em seu diário, anotou um verso do poeta John Dryden:

Presença de espírito e coragem na aflição
São mais do que exércitos para obter sucesso.[15]

Bulkeley sabia que ninguém sobreviveria por muito mais tempo sem fontes adicionais de alimento. Ele tentou identificar onde estariam mapeando as estrelas e fazendo cálculos. Estimou que estavam presos na costa chilena da Patagônia, cerca de 47 graus ao sul e 81,40 graus a oeste. Mas não tinha ideia de como era a ilha. O resto era tão hostil à vida humana? Como as montanhas obscureciam o que havia a leste, alguns dos náufragos se perguntaram se poderiam estar no continente. Isso era improvável. Mas o fato de se questionarem mostrava que estavam tão famintos por informação quanto por comida. Eles precisavam das duas coisas para Bulkeley conseguir encontrar um caminho que o levasse de volta para sua esposa e cinco filhos.

A tempestade diminuiu por um momento, e Bulkeley vislumbrou o sol. Carregando seu mosquete, ele partiu com um grupo para explorar. Byron foi com outro grupo armado, insistindo que eles não tinham escolha a não ser descobrir se havia comida além da costa.

O terreno era pantanoso, e seus pés afundavam ao avançar pelas pastagens e encostas arborizadas. Arrastaram-se por troncos apodrecidos que haviam sido desenraizados pelos ventos, e as árvores, vivas e mortas, estavam tão densamente agrupadas que era como marchar por cercas vivas. Raízes e trepadeiras se enroscavam nos membros dos homens, e espinhos rasgavam sua pele.

Byron, forçando passagem com as mãos nuas, logo ficou exausto, embora ainda se maravilhasse com a vegetação incomum. "A madeira aqui", escreveu ele, "é principalmente do tipo aromático: o pau-ferro, uma madeira de um tom vermelho muito profundo, e outra, de um amarelo extremamente claro."[16] Ele não viu muitas aves no interior. Havia algumas galinholas e beija-flores, alguns *rayaditos* chilenos e o que ele descreveu como uma "espécie grande de pisco-de-peito-ruivo", que era uma cotovia de cauda longa.[17] Ele lamentou que, além das aves marinhas e dos abutres, aqueles pareciam ser "os únicos habitantes com penas".[18] (O capitão britânico que pesquisou a ilha quase um século depois escreveu: "Como se para completar a melancolia e a total desolação do lugar, até os pássaros pareciam evitar as redondezas".)[19]

Certa vez, quando estava separado de seus companheiros, Byron avistou um abutre sentado no topo de uma colina, com sua cabeça careca e obscena. Byron se esgueirou até ele, tentando não fazer barulho — farfalhar nas folhas ou pisar em silveiras. Mirava com o mosquete quando ouviu de repente um rosnado alto perto dali. E, mais uma vez, um som totalmente desconhecido. Ele saiu em disparada. "A floresta estava tão sombria que eu não conseguia ver nada", observou ele, "mas, enquanto me retirava, o barulho me seguiu de perto."[20] Agarrado ao mosquete, ele tropeçou nos galhos até alcançar o resto do grupo. Alguns homens disseram que não só ouviram o rosnado, como também vislumbraram uma "besta muito grande".[21] Talvez fosse apenas uma invenção de suas imaginações — suas mentes, assim como seus corpos, se desfaziam de fome. Ou talvez, como Byron e muitos marinheiros acreditavam agora, uma fera estivesse lá fora, assombrando-os.

Depois de um tempo, os náufragos desistiram de tentar cruzar a ilha — era impenetrável demais. A única comida que haviam conseguido foram duas galinholas, que mataram, e um pouco de aipo selvagem. "Quanto à comida, esta ilha não produz nada", concluiu Bulkeley.[22] Byron achava que, em relação ao meio ambiente dali, era "difícil encontrar paralelo em qualquer parte do globo, pois não fornece frutas, grãos, nem mesmo raízes para o sustento do homem".[23]

Byron e alguns companheiros escalaram a pequena montanha de onde se avistava o acampamento, esperando pelo menos ter uma noção melhor de onde estavam. A montanha era tão íngreme que tiveram de fazer degraus nela. Quando Byron alcançou o cume, respirando o ar rarefeito, a vista era de tirar o fôlego. Não havia dúvida de que estavam numa ilha. Estendia-se por cerca de três quilômetros de sudoeste a nordeste e quase seis quilômetros de sudeste a noroeste, ponto onde o acampamento havia sido montado.

Em todas as direções que Byron olhava, a selva se estendia em mais selva: remota, intransponível e assustadoramente bonita. Ao sul, ele viu outra ilha aparentemente desolada e, a leste, ao longe, pôde distinguir uma série de picos cobertos de gelo — os Andes, no continente. Ao examinar a ilha onde o *Wager* havia encalhado, ele notou que era golpeada de todos os lados por um mar selvagem e espumante — "uma cena", como disse ele, "de ondas tão lúgubres que desencorajariam os mais ousados a tentar fugir em barcos pequenos".[24] Parecia não haver escapatória.

10. Nossa nova cidade

O capitão David Cheap saiu da tenda com uma pistola. Os homens continuaram a olhá-lo em dúvida, como se tivessem descoberto algum segredo dele. Depois de menos de uma semana na ilha, ele corria o risco de perder a confiança dos náufragos à medida que percebessem a extensão da enrascada em que estavam. Os três barcos não só eram incapazes de resistir a uma longa jornada, como eram pequenos demais para carregar a maioria dos sobreviventes. E, mesmo que encontrassem ferramentas e materiais para construir uma embarcação maior, levariam meses para concluir a tarefa. Eles ficariam presos ali por um tempo, e o inverno se aproximava. Já eram visíveis os sinais de deterioração física e psicológica.

Cheap sabia que a união era fundamental para a sobrevivência deles, intuindo um princípio que a ciência demonstraria mais tarde. Em 1945, em um dos estudos modernos mais abrangentes sobre a privação humana, conhecido como o Experimento de Inanição de Minnesota,[1] os cientistas avaliaram os efeitos da fome num grupo de indivíduos. Durante seis meses, 36 voluntários do sexo masculino — todos eram pacifistas solteiros e saudáveis que demonstraram capacidade de se dar bem com outras pessoas — tiveram sua ingestão de calorias cortada pela metade. Os homens ficaram sem força e energia — cada um perdeu cerca de um quarto de seu peso corporal — e irritados, deprimidos e incapazes de se concentrar. Muitos dos voluntários esperavam que a abnegação os levasse, como monges, a uma espiritualidade mais profunda, mas, em vez disso, começaram a conspirar, roubar comida e brigar. "Quantas pessoas eu machuquei com minha indiferença, minha rabugice, minha perversão arrogante por comida?", escreveu um deles.[2] Outro gritou: "Vou me matar"; depois se virou para um dos cientistas e disse: "Vou matar *você*".[3] Essa pessoa também teve fantasias de canibalismo e precisou ser retirada do experimento. Um relatório que resumiu os resultados do estudo observou que os voluntários ficaram chocados ao ver "como sua camada moral e social parecia fina".[4]

Os náufragos do *Wager*, já esgotados da viagem, recebiam muito menos calorias que os voluntários do experimento e sofriam muito mais: nada em seu ambiente era controlado.[5] O capitão Cheap, doente e mancando, tinha de lidar com seus próprios tormentos. No entanto, ele dominava a situação. Odiava consultar outros oficiais, e não havia tempo a perder. Começou a forjar um plano para construir um posto avançado naquele deserto e plantar a semente do Império Britânico ali. Para impedi-los de cair num estado hobbesiano de "guerra de todos contra todos",[6] acreditava que os náufragos precisavam de regras e estruturas rígidas — e de seu comandante.

Ele convocou a todos e repassou os Artigos de Guerra, lembrando-os de que as regras ainda eram válidas em terra, em especial aquelas que proíbem quaisquer "assembleias amotinadas [...], práticas, planos" — sob "pena de morte".[7] Todos os homens precisavam se unir, cumprindo com firmeza e coragem as tarefas designadas; ainda faziam parte daquela máquina humana que se movia com precisão de acordo com a vontade do capitão. Diante das ameaças potenciais na ilha e da falta de comida, Cheap decidiu que seus homens deveriam salvar os destroços do *Wager* — algumas partes do tombadilho e do castelo de proa ainda estavam acima da água. "Meu primeiro cuidado foi conseguir uma boa quantidade de armas, munição e algumas provisões", escreveu ele em um relatório.[8]

O capitão começou a montar uma equipe de escavação. Para essa perigosa missão, escolheu o artilheiro John Bulkeley, embora o considerasse um marinheiro contestador, um advogado do mar que estava sempre pronto para insistir que sabia mais do que seus superiores. Desde o naufrágio, Bulkeley parecia se comportar com arrogância e independência, construíra sua própria cabana e discursava para os outros homens. Mas, ao contrário do tenente Baynes, Bulkeley era um trabalhador vigoroso — um sobrevivente —, e os outros membros da equipe de escavação teriam um desempenho melhor com ele no comando. Cheap também mandou o aspirante John Byron, que o servira fielmente durante a viagem e o ajudara a escapar do navio.

Enquanto Cheap observava, Bulkeley, Byron e a pequena equipe de recrutas partiram num barco; o bem-estar de todo o grupo estava agora nas mãos deles. Enquanto remavam ao lado dos restos do *Wager*, as ondas os açoitavam. Assim que o barco foi preso ao navio de guerra, eles deslizaram para os destroços, rastejando pelo convés desabado e por vigas rachadas, que continuaram a quebrar mesmo com os homens empoleirados em cima delas.

À medida que os exploradores avançavam devagar pelas ruínas submersas, eles viram, na água, cadáveres de seus compatriotas flutuando entre os conveses; um passo em falso e se juntariam a eles. "As dificuldades que tivemos de enfrentar nessas visitas aos destroços não podem ser descritas com facilidade", escreveu Byron.[9]

Eles encontraram alguns barris, os laçaram e os transferiram para o barco. "Encontrei vários barris de vinho e conhaque", observou Bulkeley com entusiasmo.[10] A certa altura, ele chegou ao depósito do capitão e arrombou a porta: "Peguei vários barris de rum e vinho e os levei para a terra".[11]

Cheap logo despachou mais grupos para ajudar na escavação. "Por ordem do capitão, trabalhávamos todos os dias nos destroços, exceto quando o tempo não permitia", escreveu Campbell.[12] Os três barcos foram utilizados. Cheap sabia que os náufragos precisavam salvar o máximo de coisas possível antes que os destroços submergissem por completo.

Eles tentaram ir mais fundo no casco, nas câmaras inundadas. A água que escorria se acumulava em volta deles enquanto buscavam sob camadas de detritos, como vermes comendo um casco. Muitas vezes, horas de trabalho rendiam pouca coisa de valor. Por fim, invadiram parte do porão, extraindo dez barris de farinha, um de ervilha, vários tonéis de carne de vaca e de porco, um recipiente de farinha de aveia e mais tonéis de aguardente e vinho. Eles também recuperaram lonas, ferramentas de carpintaria e pregos — coisas que, observou Campbell, "em nossa situação eram de utilidade infinita".[13] E mais: vários baús com velas, fardos de tecido, meias, sapatos e relógios.

Enquanto isso, o casco se desfazia — ele "explodiu", como disse Bulkeley.[14] E como ficava cada vez mais perigoso escalar os destroços — havia pouco mais do que algumas tábuas apodrecidas na superfície —, os homens criaram uma nova estratégia: prenderam ganchos em longas varas de madeira e, alcançando a apostura, tentaram pescar às cegas mais suprimentos.

Em terra, Cheap havia erguido uma barraca perto de sua tenda, em que armazenava todas as provisões. Como fizera com o *Wager*, ele contava com a estrita hierarquia de oficiais e subofi-ciais para fazer cumprir seus decretos. Mas, em meio à constante ameaça de rebeldia, ele confiava em especial num círculo próxi-mo de aliados — uma estrutura dentro da estrutura —, que in-cluía o tenente da marinha Hamilton, o cirurgião Elliot e o co-missário Harvey.

Cheap também guardou todas as armas e munições na bar-raca de suprimentos: ninguém tinha acesso a ela sem sua permis-são. O capitão carregava sempre consigo uma pistola e autorizou Hamilton, Elliot e Harvey a fazer o mesmo. Com as armas relu-zindo, recebiam os barcos quando desembarcavam, certificando--se de que tudo fosse devidamente transferido para a barraca e re-gistrado nas contas do comissário. Não haveria roubo — outro mandamento dos Artigos de Guerra.

Cheap descobriu que, às vezes, Bulkeley se irritava com todas as regras e regulamentos. Nas noites de lua cheia, o artilheiro que-ria continuar a revirar os destroços com seus amigos, mas Cheap o proibia, pelo risco de roubo. Bulkeley se queixou de Cheap e seu círculo íntimo: "Eles eram tão cautelosos para que nada fosse des-viado que não permitiam que os barcos saíssem e trabalhassem à noite. [...] Com isso, perdemos várias oportunidades de pegar provisões e outras coisas úteis, das quais teremos em breve grande necessidade".[15]

Apesar dessas tensões, depois de uma semana na ilha, havia no geral um novo objetivo. Para conservar a comida, Cheap dis-tribuiu porções com parcimônia — com o que Byron chamou de "a economia mais frugal".[16] Nos dias de sorte em que Cheap podia oferecer carne aos náufragos, uma fatia que em geral serviria uma pessoa era dividida entre três. Mesmo assim, isso era mais susten-to do que os homens haviam desfrutado desde que chegaram à ilha. "Nossos estômagos estão ficando finos e refinados", escreveu

Bulkeley.[17] De tempos em tempos, Cheap conseguia animar ainda mais o grupo com doses de vinho ou conhaque.

Embora Mitchell e seus companheiros permanecessem indóceis, a rebeldia aberta havia se acalmado; até o contramestre King começou a manter distância deles. Cheap, cujas inseguranças podiam levar a erupções repentinas, também parecia mais calmo. E ele e seus homens logo receberam uma bênção inexplicável: o escorbuto começou a ser curado, sem que eles soubessem, pelo aipo selvagem da ilha.

Campbell escreveu que, durante todo esse tempo, Cheap havia "ficado bastante preocupado com a segurança dos homens",[18] e acrescentou: "Se não fosse pelo capitão, muitos teriam perecido".[19]

Para Byron, os náufragos eram todos como Robinson Crusoé, ganhando a vida de modo engenhoso. Um dia, descobriram uma nova fonte de alimento: uma forma longa e estreita de alga marinha, que rasparam das rochas. Quando fervida em água por cerca de duas horas, produzia o que Bulkeley descreveu como "um alimento bom e saudável".[20] Outras vezes, Byron e seus companheiros misturavam as algas com farinha e as fritavam com o sebo das velas; eles chamavam a mistura crocante de "bolinhos de salada". Campbell observou: "Tive a honra de jantar" com Cheap uma noite, e completou: "Comemos um bolinho de salada feito por ele, o melhor que já comi na ilha".[21] (Campbell ainda estava surpreso ao ver o comandante reduzido a esse cardápio: "Até o capitão foi forçado a se contentar com essa coisa pobre!".)[22]

Embora estivessem desesperados para caçar corvos-marinhos-de-cara-negra, pardelas-pretas e outras aves aquáticas que se empoleiravam de forma tentadora nas rochas marinhas, os náufragos não tinham como alcançá-las, porque os barcos estavam ocupados fazendo buscas nos destroços. Até mesmo os homens que sabiam nadar eram dissuadidos pelas ondas e pela temperatura da água, que naquela época do ano costumava estar abaixo de dez graus. Se mergulhassem, logo sofreriam de hipotermia e, devido a seus corpos magros, poderiam morrer em uma hora. Alguns náufragos, recusando-se a desistir de caçar pássaros, juntaram tudo que puderam encontrar e montaram pequenas jangadas improvisadas. Segundo Bulkeley, eram "barcos a vara, barricas, barcos de couro e similares".[23]

Um marinheiro de trinta anos chamado Richard Phipps improvisou uma jangada com um barril grande que abriu, depois pegou parte da casca de madeira e a amarrou com uma corda a um par de toras. Apesar de nadar mal, ele partiu com bravura, como disse Byron, "em busca de aventuras nessa extraordinária e original embarcação".[24] Ele levava uma espingarda, com a permissão de Cheap, e sempre que avistava uma ave, se firmava o melhor que podia em meio às ondas, prendia a respiração e atirava. Depois de algum sucesso, ele começou a se aventurar ao longo da costa, mapeando novas áreas.

Uma noite, ele não voltou. E como também não voltou no dia seguinte, Byron e o resto dos náufragos lamentaram a perda de mais um companheiro.

No dia seguinte, outro marinheiro destemido partiu em sua própria jangada para caçar. Ao se aproximar de uma ilhota rochosa, avistou um grande animal. Ele se aproximou, com a arma engatilhada. Era Phipps! Sua embarcação fora virada por uma onda, e ele conseguira escalar a rocha, onde ficou encalhado, tremendo e com fome — o náufrago dos náufragos.

Quando Phipps foi levado de volta ao acampamento, começou a construir uma embarcação nova e mais robusta. Dessa vez, pegou uma pele de boi, que tinha sido usada no *Wager* para peneirar pólvora, e a enrolou em vários paus envergados, formando uma canoa. E lá se foi ele de novo.

Byron e dois amigos fizeram sua própria embarcação precária — uma jangada de fundo chato, que impulsionavam com uma vara. Quando não estavam buscando nos destroços, desbravavam o território. Byron fez um estudo das aves marinhas que viu, incluindo o pato-vapor,[25] que tinha asas curtas e grandes pés palmados e fazia um som de ronco quando limpava as penas à noite. Ele considerava esse pato um equivalente aviário de um cavalo de corrida, devido à "velocidade com que se movia pela superfície da água, num movimento que era meio de voo, meio de corrida".[26]

Uma vez, quando estavam numa longa viagem na jangada, Byron e seus dois amigos foram apanhados por uma tempestade. Eles se refugiaram numa rocha saliente; no entanto, enquanto puxavam a embarcação para fora da água, eles a soltaram. Byron não sabia nadar bem e viu sua tábua de salvação se afastar. Mas um dos outros homens mergulhou na água e a recuperou; ainda havia atos de cavalheirismo.

Os náufragos nunca capturavam muitas aves nessas jornadas, mas se deliciavam com as poucas que conseguiam, e Byron ficou maravilhado com o fato de sua orgulhosa Marinha estar patrulhando a zona costeira.

John Bulkeley estava numa missão. Com o carpinteiro Cummins e vários outros amigos de constituição forte, ele começou a coletar galhos; em um ponto plano do acampamento, os homens os usaram para montar uma estrutura esquelética extensa. Depois, juntaram folhas e juncos da floresta para cobrir o exterior com palha, isolando ainda mais as paredes com pedaços de um tecido feito com pelo de camelo retirado dos destroços. Usando tiras de velas de lona como cortinas, eles dividiram o espaço em catorze quartos — ou "cabines", como Bulkeley os chamou. E *voilà*! — haviam construído uma moradia, muito maior do que a do capitão. "Eis uma casa rica e, em algumas partes do mundo, ela seria uma bela propriedade", escreveu Bulkeley. "Considerando onde estamos, não podemos desejar uma habitação melhor."[27]

No interior, tábuas de madeira serviam de mesas e barris eram usados como cadeiras. Bulkeley tinha um quarto privativo para dormir, além de um lugar perto do fogo para ler seu querido livro, *The Christian's Pattern: or, A Treatise of the Imitation of Jesus Christ*, que ele resgatara do navio. "A Providência fez disso o meio de me consolar", observou.[28] Agora ele também tinha um refúgio seco onde poderia escrever com regularidade em seu diário — um ritual que mantinha sua mente alerta e preservava parte de seu antigo eu do mundo devastador. Além disso, havia descoberto o diário de bordo do mestre Clark, que fora rasgado em pedaços — mais um sinal de que alguém estava decidido a eliminar as provas de quaisquer erros humanos que pudessem ter contribuído para o naufrágio. Bulkeley prometeu ser extremamente "cuidadoso ao escrever a transação de cada dia", a fim de garantir um "relato fiel dos fatos".[29]

Enquanto isso, outros náufragos construíam suas próprias "habitações irregulares", como Byron as chamou.[30] Havia tendas e cabanas cobertas de palha, embora nenhuma fosse tão grande quanto a de Bulkeley.

Talvez por adesão a antigas hierarquias sociais e de classe, ou talvez simplesmente por um desejo de ordem familiar, os homens se segregaram na ilha da mesma forma que haviam feito no navio. Cheap tinha agora um abrigo exclusivo, onde comia com seus aliados mais próximos e era atendido por seu mordomo Plastow. Bulkeley, por sua vez, compartilhava sua casa grande parte do tempo com Cummins e outros suboficiais.

Byron vivia em um abrigo com seus colegas aspirantes, amontoado com Cozens, Campbell e Isaac Morris, como se estivessem de volta ao alojamento do convés inferior do *Wager*. O capitão dos fuzileiros navais, Robert Pemberton, ocupava uma habitação ao lado das barracas das outras forças do Exército. E os marinheiros, entre eles John Jones e John Duck, ficavam em seus próprios abrigos comunais. O ajudante de carpinteiro Mitchell e seu bando de malfeitores também se mantiveram unidos.

A área não parecia mais um acampamento. Formava, observou Byron, "uma espécie de aldeia",[31] com uma rua passando por ela. Bulkeley escreveu com orgulho: "Observando nossa nova cidade, descobrimos que nela há nada menos que dezoito casas".

Havia outros sinais de transformação. Em uma das barracas, o grupo montou um hospital improvisado, onde os enfermos podiam ser cuidados pelo cirurgião e por seu assistente. Para coletar água potável, captavam chuva em barris vazios. Alguns dos sobreviventes cortaram tiras de tecido recuperadas do *Wager* e as costuraram em suas roupas folgadas. Fogueiras ficavam sempre acesas, não só para aquecer e cozinhar, mas também para a mínima possibilidade de que a fumaça pudesse ser detectada por um navio passando por ali. E o sino do *Wager* que chegara à praia tocava da mesma forma que no navio, para sinalizar uma refeição ou uma reunião.

À noite, alguns homens se sentavam ao redor de uma fogueira e ouviam os velhos marujos contarem suas histórias do mundo de outrora. John Jones confessou que, quando implorou à tripulação para salvar o *Wager* antes que naufragasse, nunca pensou que alguém realmente sobreviveria. Talvez eles fossem a prova de um milagre.

Outros liam os poucos livros que haviam recuperado. O capitão Cheap tinha uma cópia surrada do relato de Sir John Narborough sobre sua expedição britânica à Patagônia entre 1669 e 1671, e Byron a pegou emprestada, em busca de uma aventura ainda repleta de esperança e emoção.

Os náufragos deram nomes aos lugares ao redor, apropriando-

-se deles. Batizaram o corpo d'água em frente à praia de baía de Cheap. O cume com vista para a aldeia — aquele que Byron havia escalado — foi apelidado de monte da Desgraça, e a maior montanha mais tarde ficou conhecida como monte Anson. E batizaram sua nova casa com o nome da antiga: ilha Wager.

Depois de apenas algumas semanas, já quase não havia mariscos na praia, e os destroços ofereciam cada vez menos provisões. A fome começou a corroer outra vez os homens, até que seus diários se tornaram uma ladainha interminável sobre isso: "Caçar o dia todo em busca de comida [...] tarefa noturna de perambular atrás da comida [...] bastante exausto por falta de comida [...] há muito tempo não como um pedaço de pão ou qualquer dieta saudável [...] os apelos da fome".[32]

Byron percebeu que, ao contrário do náufrago solitário Alexander Selkirk, que havia inspirado *Robinson Crusoé*, ele agora tinha que lidar com as criaturas mais imprevisíveis e instáveis de toda a natureza: seres humanos desesperados. "O mau humor e o descontentamento, devido às dificuldades em que trabalhávamos para obter subsistência e à pouca perspectiva de alterar nossa situação, estavam agora irrompendo rapidamente", escreveu Byron.[33]

Mitchell e sua gangue vagavam pela ilha com suas longas barbas e os olhos fundos, exigindo mais bebida e ameaçando quem se opunha a eles. Até Cozens, o amigo de Byron, estava de alguma forma se entupindo de vinho e vivia bêbado.

Numa noite, alguém invadiu a barraca de suprimentos ao lado da moradia do capitão Cheap. "A barraca foi aberta, e roubaram uma grande quantidade de farinha", escreveu Bulkeley.[34] O roubo ameaçava a sobrevivência do grupo. Byron chamou isso de "o crime mais hediondo".[35]

Outro dia, enquanto Mitchell e um colega marinheiro estavam vasculhando o *Wager*, Byron e um grupo saíram para se juntar a eles. Quando chegaram, notaram que o marinheiro que estava com Mitchell estava deitado no convés semissubmerso. Seu corpo estava imóvel, sem expressão. Ele estava morto, e havia marcas estranhas em seu pescoço. Embora não pudesse provar, Byron suspeitava que Mitchell o havia estrangulado para que pudesse ficar com todos os despojos que os dois haviam resgatado do naufrágio.

11. Nômades do mar

A neve começou a cair, rodopiando com o vento e se acumulando no monte Desgraça e na costa. Tudo embranquecia, como se estivesse sendo apagado. John Bulkeley escreveu em seu diário: "Está congelante e extremamente frio".[1]

O inverno chegara rápido, mas não era isso o que mais preocupava os sobreviventes. Antes da nevasca, enquanto Bulkeley vasculhava os destroços com Byron e Campbell, três canoas esguias apareceram na névoa. Ao contrário das jangadas raquíticas dos náufragos, eram robustas e fortes, feitas de cascas de árvores sobrepostas, entrelaçadas com tendões de baleia e curvadas de forma elegante para cima na proa e na popa. A bordo estavam vários homens de peito nu e longos cabelos negros, portando lanças e estilingues. Chovia e vinha um vento forte do norte, e Byron, que estava congelando, ficou impressionado com a nudez deles. "Suas roupas nada mais eram do que um pedaço de pele de algum animal na cintura e algo tecido de penas sobre os ombros", escreveu ele.[2]

De algum modo, havia um fogo aceso dentro de cada canoa,

e os remadores pareciam não se incomodar com o frio enquanto manobravam com habilidade através das ondas. Estavam acompanhados por vários cães — com aparência de cães caçadores, segundo Byron —,[3] que vigiavam o mar como sentinelas ferozes.

Byron e seus companheiros olharam para os homens que consideraram "selvagens". Os homens olharam de volta para os invasores brancos, magros e peludos. "Ficou evidente pela grande surpresa e pelo comportamento deles, bem como por não possuírem nada que pudesse ter vindo de pessoas brancas, que nunca tinham visto algo semelhante", escreveu Byron.[4]

Era um grupo de kawésqar,[5] nome que significa "pessoas que usam peles". Junto com vários outros grupos indígenas, os kawésqar[6] haviam se estabelecido na Patagônia e na Terra do Fogo milhares de anos antes. (Indícios arqueológicos mostram que os primeiros seres humanos chegaram à região há cerca de 12 mil anos, no final da era do gelo.) Os kawésqar formavam uma população de alguns milhares de pessoas, e seu território se estendia por centenas de quilômetros ao longo da costa sul do Chile, do golfo de Penas até o estreito de Magalhães. Costumavam viajar em pequenos grupos familiares. Tendo em vista o terreno intransponível, passavam grande parte do tempo em canoas e sobreviviam quase exclusivamente de recursos marinhos. Foram chamados de nômades do mar.

Ao longo dos séculos, adaptaram-se ao ambiente hostil. Conheciam quase todas as reentrâncias do litoral e carregavam consigo mapas mentais de canais labirínticos, enseadas e fiordes. Conheciam abrigos protegidos de tempestades, riachos cristalinos da montanha dos quais era possível beber, recifes cheios de ouriços-do-mar, caracóis e mexilhões-azuis comestíveis, enseadas onde os peixes se reuniam em cardumes e os melhores lugares, dependendo da estação e das condições meteorológicas, para a caça de focas, lontras, leões-marinhos, cormorões e patos-vapor que não voam. Os kawésqar eram capazes de identificar, por conta da movimentação de urubus ou pelo cheiro fétido, a localização de uma baleia encalhada ou ferida, que proporcionava recompensas sem fim: carne para comer, gordura para extrair óleo e costelas e tendões para construir canoas.

Era raro que permanecessem em um lugar por mais de alguns dias, pois tomavam cuidado para não esgotar os recursos alimentares de uma área. E eram navegadores habilidosos, em especial as mulheres, que costumavam conduzir e remar as canoas. Uma embarcação comprida tinha apenas cerca de um metro de largura, mas tinha espaço para transportar uma família e seus queridos cães, que serviam de guardas-noturnos, companheiros de caça e animais de estimação que também podiam aquecer os donos. Por serem rasas, as canoas eram capazes de contornar recifes e penetrar em canais rochosos; como lastro, seus pisos de madeira eram muitas vezes cobertos com uma argila que parecia pedra. Ao se manterem perto da costa e lerem o céu atentos a rajadas de vento repentinas, os kawésqar viajavam pelos Furiosos Cinquenta e mares em que navios enormes naufragavam, como o *Wager*. (Os yaganes, um povo marítimo cujo território ficava mais ao sul, enfrentavam até as tempestades do cabo Horn em suas canoas.)

Embora não tivessem metais, os kawésqar e outros povos canoeiros fabricavam uma série de utensílios a partir de materiais naturais. Ossos de baleia eram afiados e transformados em cinzéis e pontas farpadas para arpões e lanças; as mandíbulas dos golfinhos se tornavam bons pentes. A pele e os tendões vigorosos de focas e baleias forneciam cordas para arcos, estilingues e redes de pesca. Bexigas de focas serviam de bolsas. Plantas eram trançadas para fazer cestos. Cascas de árvores viravam recipientes e eram usadas como tochas. Conchas serviam para fabricar de tudo, desde pás até facas afiadas o suficiente para cortar ossos. E as peles de focas e leões-marinhos forneciam tangas e capas para os ombros.

Exploradores europeus, perplexos diante de gente capaz de sobreviver naquela região — e tentando justificar seus ataques brutais a grupos indígenas —, rotulavam os kawésqar e outros canoeiros de "canibais", mas não há provas confiáveis disso.[7] Esses habitantes inventaram muitas maneiras de se sustentar do mar. As mulheres, que faziam a maior parte da pesca, amarravam lapas a tendões viscosos, jogavam-nas na água e esperavam para fisgar um peixe e agarrá-lo com uma das mãos. Os homens, responsáveis pela caça, atraíam leões-marinhos cantando baixinho ou batendo na água, depois os arpoavam quando se levantavam para investigar. Os caçadores montavam armadilhas para os gansos que perambulavam pelas pastagens ao entardecer e usavam estilingues para abater cormorões. À noite, os kawésqar acenavam com tochas para os pássaros em nidificação para cegá-los antes de abatê-los a pauladas.

Além disso, enfrentavam o clima sem usar roupas volumosas. Para se aquecer, lubrificavam a pele com gordura de foca isolante. E naquela terra do fogo mantinham sempre uma chama acesa, usando-a não apenas para se aquecer, mas também para assar carne, fazer utensílios e enviar sinais de fumaça. A lenha vinha da murta, que queimava mesmo quando úmida; penas de passarinhos filhotes e ninhos de insetos forneciam mechas altamente inflamáveis. Se o fogo se extinguia, era reacendido ao bater uma pedra lascada com o mineral pirita, que contém gases sulfúricos. Nas canoas, as fogueiras eram montadas sobre areia ou barro, e muitas vezes as crianças eram responsáveis por alimentá-las.

Os kawésqar estavam tão bem adaptados ao frio que, séculos depois, a Nasa, na esperança de descobrir maneiras de os astronautas sobreviverem num planeta congelado, enviou cientistas à região para aprender seus métodos. Um antropólogo contou que os habitantes se sustentavam mudando de acampamento:

> O lar pode ser uma praia de seixos, um agradável trecho de areia, rochas e ilhotas conhecidas, alguns durante os meses de inverno, outros durante os longos dias de verão. O lar era também a canoa [...] com a sua lareira, água potável, um ou dois cães, utensílios domésticos e de caça, quase tudo o que é essencial. [...] Qualquer alimento ou material de que precisassem estava na água ou ao longo da costa.[8]

Byron, Bulkeley e Campbell acenaram com seus chapéus para os remadores, chamando-os para mais perto. A expedição de Anson havia recebido uma condescendente declaração de intenções do rei da Inglaterra para apresentar a qualquer nação indígena que fosse encontrada durante a viagem, oferecendo-se para resgatá-los de suas condições supostamente depravadas e ajudá-los a estabelecer um governo que os tornasse um "povo feliz".[9] No entanto, os náufragos perceberam que as mesmas pessoas que os ingleses consideravam "selvagens" poderiam ser a chave para sua salvação.

Os kawésqar hesitaram em se aproximar. Eles talvez tivessem tido pouco contato com os europeus, mas sem dúvida sabiam da brutal conquista que a Espanha havia praticado com outros grupos indígenas ao norte — e haviam ouvido histórias sobre a letalidade do povo pálido dos navios. Magalhães e seu bando de conquistadores, os primeiros europeus a chegar à Patagônia, haviam atraído com presentes dois jovens habitantes de uma das comunidades indígenas — os chamados gigantes — para seu navio e depois os acorrentaram. "Quando viram o parafuso nas correntes sendo golpeado com um martelo para rebitá-lo e impedir que fosse aberto, esses gigantes ficaram com medo", escreveu o cronista de Magalhães.[10] Os espanhóis se gabavam de ter convertido um deles ao cristianismo e o rebatizado como Paulo, como se fossem de alguma forma redentores. No entanto, os dois reféns logo morreram de doença. Mais tarde, no século XIX, vários kawésqar foram sequestrados por um comerciante alemão e exibidos num zoológico de Paris como "selvagens em estado natural", atraindo meio milhão de espectadores.[11]

Byron e seus companheiros tentaram convencer os kawésqar de que não pretendiam fazer mal, exibindo o que Byron chamou de "sinais de amizade".[12] Enquanto a chuva perfurava o mar, os remadores se aproximavam, com os cães rosnando e o vento zumbindo. Ambas as partes tentaram se comunicar, mas nenhuma entendeu a outra.[13] "Eles não pronunciaram nenhuma palavra de qualquer idioma que já tivéssemos ouvido", relembrou Byron.[14]

Os três ingleses seguraram fardos de tecido que haviam sido recuperados dos destroços e os ofereceram como presentes. Os kawésqar os pegaram e foram persuadidos a desembarcar. Eles arrastaram suas canoas até a praia e seguiram Byron e Campbell através da pequena aldeia de abrigos bizarros, observando e sendo observados. Em seguida, foram levados ao capitão Cheap, que estava evidentemente em sua moradia.

Cheap cumprimentou os estranhos com cerimônia. Eles representavam sua melhor, e talvez única, esperança de encontrar comida para seus homens e, sem dúvida, teriam informações cruciais sobre a localização de assentamentos espanhóis hostis e sobre as rotas marítimas mais seguras para escapar da ilha. Cheap presenteou cada um dos homens com um chapéu de marinheiro e um casaco vermelho de soldado. Embora mostrassem pouco interesse em usar tais coisas, retirando-as sempre que alguém as colocava em seus corpos, eles valorizavam a cor vermelha. (Os kawésqar costumavam pintar a pele com pigmento vermelho feito de terra queimada.) O capitão Cheap também lhes deu um espelho. "Eles ficaram estranhamente afetados com a novidade", escreveu Byron. "O observador não podia conceber que era seu próprio rosto representado ali, mas pensava ser o de alguém atrás do objeto e, assim, deu a volta no espelho para descobrir."[15] Campbell notou que os kawésqar eram "extremamente corteses em seu comportamento"[16] e que o capitão Cheap "os tratou com grande civilidade".[17]

Depois de um tempo, os kawésqar partiram em suas canoas, com a fumaça azul das fogueiras marcando sua passagem pelo mar antes de desaparecerem. Cheap não sabia se os veria de novo. Mas, dois dias depois, eles voltaram, dessa vez trazendo uma quantidade surpreendente de comida, inclusive três ovelhas.

Haviam obviamente feito um grande esforço para se apossar dos animais. É provável que os kawésqar, que não eram conhecidos por consumir carne de carneiro, os tenham obtido negociando com outro grupo indígena que estava em contato com os espanhóis, a várias centenas de quilômetros ao norte. Além disso, trouxeram para os náufragos o que Bulkeley descreveu como "os maiores e melhores mexilhões que já vi ou provei".[18] Os ingleses, famintos, ficaram muito gratos. Campbell escreveu que aquela gente servia de "bom exemplo para muitos cristãos bem-educados!".[19]

Os kawésqar partiram mais uma vez, mas logo voltaram com suas esposas e filhos, além de outras famílias. Eram cerca de cinquenta pessoas no total, pois o naufrágio era uma daquelas atrações, como uma baleia encalhada, que reunia diversos grupos. Pareciam "muito reconciliados com nossa companhia", escreveu Byron, e "descobrimos que a intenção deles era se estabelecer entre nós".[20] Com fascínio, ele os observou começar a construir moradias, que chamavam *at*, coletando galhos altos e cravando-os no solo em forma oval. "Eles dobram as extremidades desses galhos", escreveu Byron, "de modo a se encontrarem em um centro no topo, onde os amarram com uma espécie de cipó, que cortam com os dentes. Essa estrutura, ou esqueleto de uma cabana, é protegida das intempéries com uma cobertura de galhos e casca de árvore."[21] Os kawésqar haviam trazido essas cascas com eles nas canoas e as tinham arrancado de suas habitações anteriores.[22] Cada abrigo costumava ter duas entradas baixas, protegidas por cortinas de folhas de samambaia. Dentro, no meio do chão, havia um espaço para uma lareira, e o chão úmido ao redor estava coberto de samambaias e galhos para se sentar e dormir. Toda essa construção, observou Byron, foi feita com grande rapidez — era mais uma forma de os indígenas se protegerem das intempéries.

Quando um dos ingleses doentes morreu, os kawésqar se reuniram com os náufragos em torno do corpo. "Os índios estão muito atentos ao morto, sentando-se continuamente perto do [...] cadáver e o cobrindo com cuidado", escreveu Bulkeley. "A cada momento olham para o rosto do falecido com muita gravidade." Enquanto o corpo era baixado à terra, os ingleses murmuravam orações, e os kawésqar se levantavam de maneira solene. "Vendo as pessoas sem chapéu durante o serviço", escreveu Bulkeley, "eles foram muito atenciosos e observadores, e continuaram assim até o fim do enterro."[23]

Cientes de quão indefesos os ingleses estavam, os kawésqar se aventuravam com frequência no mar e depois retornavam magicamente com comida para eles. Byron viu uma mulher partir com um companheiro em uma canoa e, uma vez no mar, segurar uma cesta entre os dentes e pular na água gelada. "Mergulhando até o fundo", escreveu Byron, ela "continuou debaixo d'água por um tempo incrível."[24] Quando saiu, sua cesta estava cheia de ouriços-do-mar — um estranho marisco, escreveu Byron, "do qual vários espinhos se projetam em todas as direções"; cada ouriço tinha quatro ou cinco gemas "semelhantes às divisões internas de uma laranja, que são de qualidade muito nutritiva e sabor excelente".[25] Depois que a mulher depositou os ouriços no barco, ela prendeu a respiração e desceu para pegar mais.

Bulkeley observou que algumas mulheres indígenas mergulhavam mais fundo do que dez metros. "Sua agilidade no mergulho e sua permanência sob a água por tanto tempo como costumam fazer serão consideradas impossíveis por quem não o testemunhou", escreveu ele.[26] Byron pensou que "parece que a Providência dotou este povo de uma espécie de natureza anfíbia".[27]

Os kawésqar também conseguiram localizar peixes numa lagoa e os apanharam em redes com a ajuda de seus cães, que Byron descreveu como "muito sagazes e treinados com facilidade".[28] Bulkeley escreveu: "Acredito que esse método de pescar não seja conhecido em qualquer outro lugar e foi muito surpreendente".[29]

Os kawésqar haviam proporcionado a Cheap uma tábua de salvação. Mas, depois de apenas alguns dias, o ajudante de carpinteiro Mitchell e outros marinheiros começaram a ficar fora de si de novo. Desafiando as ordens de Cheap, estavam roubando bebidas, farreando e escondendo armas dos destroços, em vez de depositá-las na tenda de armazenamento. Byron notou que esses homens — "agora sujeitos a pouco ou nenhum controle" — tentaram "seduzir" as mulheres kawésqar, o que "ofendeu muito os indígenas".[30]

Espalhou-se pelo acampamento a notícia de que Mitchell e seus saqueadores estavam conspirando para roubar as canoas dos kawésqar e fugir da ilha. Cheap despachou Byron e outros aliados para frustrar a trama, guardando as canoas. Mas os kawésqar testemunharam as tensões traiçoeiras crescendo entre os náufragos — aqueles homens que permitiam que seus cabelos crescessem em seus rostos, que não tinham ideia de como caçar ou pescar, que usavam roupas restritivas que impediam o calor do fogo de aquecer sua pele e que pareciam estar à beira do caos.

Certa manhã, quando Cheap acordou, descobriu que todos os kawésqar haviam sumido. Eles arrancaram a casca de seus abrigos e fugiram em suas canoas, levando consigo os segredos de sua civilização. "Se os tivéssemos hospedado como deveríamos", lamentou Byron, "eles teriam sido de grande ajuda para nós."[31] Tendo em vista que o comportamento dos náufragos motivara essa partida abrupta, acrescentou, eles não esperavam ver os kawésqar outra vez.

12. O senhor do monte Desgraça

Byron encontrou um cão na floresta. Os kawésqar o haviam deixado para trás, talvez na pressa de ir embora. O cachorro veio até Byron e o seguiu de volta ao acampamento, e à noite se deitou ao lado dele e o aqueceu. Durante o dia, acompanhava Byron aonde quer que fosse. "Esse animal ficou tão afeiçoado e fiel a mim que não permitia que ninguém se aproximasse [...] sem morder", escreveu ele.[1]

Byron ficou aliviado por ter um companheiro de verdade. Desde a partida dos kawésqar, o posto avançado voltou ao caos. As provisões estavam diminuindo, e o capitão Cheap enfrentava um dilema insuportável: se continuasse a distribuir as mesmas rações diárias, evitaria irritar os homens no curto prazo, mas a comida acabaria mais cedo — e todos morreriam de fome. Então ele optou por cortar as refeições já bastante escassas, provocando os marinheiros em seu "ponto mais sensível". Bulkeley anotou em seu diário que eles mudaram para uma "cota menor de farinha, meio quilo para três homens por dia".[2] Dias depois, essa quantidade foi reduzida ainda mais.

Bulkeley, na esperança de encontrar algum alimento, foi com um grupo à lagoa onde os kawésqar haviam pescado. Mas os náufragos não descobriram nada por conta própria. "Nossa vida está muito difícil agora", escreveu Bulkeley. "Os mariscos são muito escassos e difíceis de obter."[3]

Naquele mês de junho, com o inverno chegando, havia menos horas de luz do dia, e a temperatura estava sempre abaixo de zero. A chuva com frequência se transformava em neve ou granizo, o qual, escreveu Bulkeley, "bate com tamanha violência contra o rosto de um homem que ele mal consegue resistir".[4] Apesar do estoicismo do artilheiro, ele reclamou que sem dúvida ninguém "nunca enfrentou um clima como o que nós encaramos",[5] observando que as condições "são tão severas que um homem hesitará por algum tempo ao pensar se deve ficar na tenda e morrer de fome ou sair em busca de comida".[6]

Um dia, Byron estava em seu abrigo, tentando se aquecer, quando o cachorro, aconchegado ao lado dele, começou a rosnar. Byron olhou para cima e viu um grupo de marinheiros na porta, de olhos arregalados. Eles precisavam do cachorro dele, disseram.

"Para quê?", perguntou Byron.

Eles disseram que se não o comessem, morreriam de fome.

Byron implorou que não levassem o animal. Mas eles o arrastaram, ganindo, para fora do abrigo.

Logo Byron deixou de ouvir o latido do cachorro. Os homens o mataram — Byron não registrou se com um tiro ou com as mãos, como se fosse incapaz de pensar no assassinato. O animal foi assado enquanto os homens vorazes se reuniam em volta das chamas, esperando sua parte. Byron permaneceu sozinho, agoniado. Mas, por fim, foi até lá e observou os homens à luz do fogo enfumaçado devorando a carne e as vísceras. Nessas circunstâncias, escreveu Bulkeley, "nós achamos que nenhum carneiro inglês seria melhor que ele".[7]

Byron acabou pegando a sua porção. Mais tarde, encontrou algumas patas que haviam sido descartadas e pedaços de pele, que também comeu. "Os apelos urgentes da fome levaram nossos homens ao desespero", confessou.[8]

O poeta Lord Byron, baseando-se na descrição do avô, escreveu em *Don Juan*:

O que eles poderiam fazer? A fúria da fome se tornou
[selvagem:
Então o spaniel de Juan, apesar de sua súplica,
Foi morto e repartido para alimentar a todos.[9]

Depois de menos de um mês na ilha, John Bulkeley observou a tripulação se dividir em grupos inimigos. Primeiro, Mitchell e seu bando de nove criminosos abandonaram o grupo principal e estabeleceram uma base alternativa, a alguns quilômetros de distância, procurando suas próprias fontes de comida. Ficaram conhecidos como os separatistas, e talvez tenha sido melhor para todos os outros que tivessem deixado o acampamento. Mas eles estavam armados e, como disse Campbell, "vagueavam à vontade".[10] Temia-se que eles, enquanto circulavam pela floresta, decidissem invadir o acampamento principal e fugissem com os barcos de transporte ou as provisões.

Um dos marinheiros do acampamento desapareceu enquanto procurava comida no monte Desgraça, e uma equipe de busca descobriu seu corpo enfiado nos arbustos. A vítima, escreveu Byron, havia sido "esfaqueada em vários lugares e mutilada de forma chocante";[11] estava claro que seus poucos suprimentos haviam sido levados. Byron suspeitava que Mitchell havia cometido "nada menos que dois assassinatos desde a perda de nosso navio".[12] A descoberta do corpo — e a de que alguns tripulantes estavam dispostos a matar para sobreviver — chocou o grupo de busca. Os marinheiros sempre fizeram questão de enterrar seus companheiros mortos; como escreveu Byron, acreditava-se que "os espíritos dos mortos não descansavam até que seus corpos fossem enterrados e que não paravam de assombrar e incomodar aqueles que negligenciavam esse dever para com os que partiam".[13] Mas, dessa vez, os homens recuaram às pressas, deixando o cadáver meio congelado no chão.

As rupturas também cresciam entre os homens no assentamento. Muitos deles — inclusive o contramestre John King — se tornaram descaradamente francos em seu desdém pelo capitão Cheap. Para eles, o capitão era teimoso, orgulhoso e os conduzira àquele inferno e agora era incapaz de tirá-los de lá. Por que ele deveria ser o único a determinar quais tarefas deveriam ser executadas e quanta comida receberiam? O que lhe dava o direito de governar com poder absoluto quando não havia navio, nem Almirantado, nem governo algum? O aspirante a marinheiro Campbell, que permanecia leal a Cheap, lamentou que muitos homens estivessem "sempre reclamando do capitão e ameaçando os suboficiais que o apoiavam".[14]

Cheap esperava poder contar com o capitão dos fuzileiros Robert Pemberton e seus soldados para ajudar a suprimir qualquer agitação na tripulação. Mas Pemberton havia rompido com Cheap para formar, junto com seus soldados armados, sua própria facção, embora continuasse a residir no posto avançado. Como esses fuzileiros navais eram tecnicamente parte do Exército e agora estavam de volta à terra, Pemberton afirmou sua autoridade exclusiva sobre eles. Em sua cabana, havia construído uma cadeira de madeira e nela se sentava de forma majestosa, cercado por seus soldados. Acima de seu abrigo, ele hasteava uma bandeira esfarrapada, demarcando seu território.

Campbell anotou que a tripulação do *Wager* estava afundando num "estado de anarquia",[15] com vários chefes concorrentes.

Havia tanta animosidade, tanta fúria interna, que era "absolutamente incerto qual poderia ser a consequência".[16]

Byron, procurando evitar o que chamou de conspiração, mudou-se sozinho para a periferia da aldeia. "Como não gosto de nenhum grupo, construí uma pequena cabana grande o suficiente para mim", escreveu ele.[17]

O naufrágio destruíra as velhas hierarquias: todos os homens tinham agora o mesmo destino desafortunado. Bulkeley observou que essas condições — frio, fome, desordem — poderiam "de fato deixar um homem cansado da vida".[18] Mas em meio a esse nivelamento e a essa miséria, uma democracia do sofrimento, Bulkeley parecia prosperar. Ele manteve seu belo abrigo e desbastou a vegetação ao redor. Enquanto muitos da tripulação pareciam apenas esperar a morte, a paz eterna, ele continuava a forragear com vigor: caçava pássaros, raspava algas marinhas das rochas, extraía todos os suprimentos que podia dos destroços. Qualquer comida que conseguisse tinha de ser colocada na tenda de armazenamento comum, mas ele conseguia recolher para si outros materiais valiosos: tábuas, ferramentas, sapatos, tiras de tecido. O dinheiro não valia nada na ilha, mas, como um comerciante de cidade pequena, ele podia trocar essas coisas por outras ou distribuir favores. Ele também montou um estoque secreto de armas e munições.

Todas as manhãs, Bulkeley saía de forma cautelosa de sua propriedade. Ele acreditava que deveria ser cuidadoso, como dizia o livro *The Christian's Pattern*, "para não ser enganado pelo diabo, que nunca dorme, mas anda procurando alguém que possa devorar".[19]

Ele notou que mais e mais gente "do povo", como ele se referia aos náufragos, iam a sua casa, e em particular a ele, John Bulkeley, para descobrir o que o grupo deveria fazer a seguir. Um dia, Pemberton chamou Bulkeley e seu amigo Cummins de lado para conversar na sua moradia. Depois de ter certeza de que ninguém poderia ouvir, Pemberton confidenciou que considerava o tenente Baynes, o segundo em comando, um *nada*. Além do mais, via o capitão Cheap "sob a mesma luz".[20] Sua lealdade parecia estar agora com Bulkeley, aquele líder instintivo.

Naquele momento, o capitão Cheap estava mais preocupado com os ladrões. Como ratos traiçoeiros, eles entravam na tenda de forma sorrateira à noite e fugiam com preciosas porções de comida. Com a tripulação à beira da fome em massa, os roubos — o que Bulkeley chamou de "práticas vis" —[21] enfureciam o resto dos náufragos. Companheiros de bordo e de mesa começaram a olhar uns para os outros com crescente desconfiança: quem entre eles estava roubando a última comida que lhes restava?

O único tipo de comandante que os marinheiros desprezavam tanto quanto um tirano era aquele que não conseguia manter a ordem e que falhava em cumprir uma promessa tácita — que em troca da lealdade dos homens, ele protegeria o bem-estar deles. Muitos dos náufragos agora desprezavam Cheap por não proteger seus suprimentos e pegar os culpados. Alguns clamavam para que a comida fosse transferida para o abrigo de Bulkeley, insistindo que ele poderia cuidar melhor dela.

Bulkeley não havia feito tal exigência, mas abordou Cheap para "consultar" sobre os roubos.[22] Ele falava como se representasse todos os homens.

Cheap acreditava que, se não sufocasse a desordem, ela destruiria o posto avançado. E assim emitiu uma proclamação: todos os seus oficiais e fuzileiros navais deveriam se revezar para fazer a guarda da barraca de armazenamento. Cheap exigiu que Bulkeley fizesse uma das vigílias noturnas e ficasse sozinho no frio úmido por horas, num lembrete de sua posição inferior. "Foram dadas ordens estritas", escreveu Bulkeley, para manter um "olho atento".[23] Byron também costumava servir de vigia. Depois de estar "cansado de caçar o dia todo em busca de comida", observou ele, era difícil "defender essa barraca da invasão noturna".[24]

Uma noite, enquanto estava de serviço, Byron ouviu algo se mexer. Ele ainda temia que uma criatura monstruosa vagasse pela ilha depois do escurecer. Ele anotou em seu relato que, certa vez, um marinheiro afirmou que, enquanto dormia, havia sido "perturbado pelo sopro de algum animal em seu rosto e, ao abrir os olhos, ficou muito surpreso ao ver, pelo brilho do fogo, um grande animal ao seu lado".[25] O marinheiro contou a história de como escapou por pouco com "o rosto tomado de horror". Mais tarde, o excitável Byron pensou ter visto uma estranha pegada no solo arenoso: era "profunda e plana, de um pé grande e redondo, bem provido de garras".[26]

Byron agora vasculhava a escuridão. Não havia nada para ser visto, mas ele ouviu o som, insistente e selvagem. Vinha de dentro da tenda. Byron sacou sua arma e entrou. Diante dele, estavam os olhos brilhantes de um de seus companheiros. O homem havia deslizado por baixo da barraca e estava roubando comida. Byron apontou a pistola para o peito do homem, depois prendeu as mãos do ladrão a um poste com uma corda e foi alertar o capitão.

Cheap colocou o homem em confinamento, na esperança de impedir novos incidentes. Não muito tempo depois, o comissário armado Thomas Harvey saiu para caminhar quando avistou uma figura rastejando pelos arbustos perto da barraca de suprimentos. "Quem vai lá?" Era um fuzileiro naval chamado Rowland Crusset. Harvey o agarrou e o revistou. Ele carregava, registrou Bulkeley, "mais de um dia de farinha para noventa almas, com um pedaço de carne sob o casaco",[27] e havia escondido mais três pedaços de carne nos arbustos.

Outro fuzileiro naval, Thomas Smith, que era companheiro

de mesa de Crusset, vigiava a barraca na ocasião e foi preso como cúmplice.

As notícias das prisões circularam pelo assentamento, provocando os habitantes apáticos a entrar num frenesi vigilante. Cheap disse a Bulkeley e a vários outros oficiais: "Eu penso mesmo que, por roubarem a barraca de suprimentos — o que, em nossa situação atual, está matando todo o grupo de fome —, os prisioneiros merecem a morte".[28] Ninguém discordou. "Essa não era apenas a opinião do capitão, mas também o sentimento de todos os presentes", anotou Bulkeley.[29]

Mas, no fim das contas, Cheap decidiu que os homens acusados deveriam ser "governados pelas regras da Marinha e permanecer ou cair por elas".[30] Com base nesses regulamentos, resolveu que seriam levados a uma corte marcial: se havia crime na ilha Wager, haveria um julgamento.

Mesmo no meio da vastidão erma, longe da Inglaterra e dos olhos curiosos do Almirantado, Cheap e muitos dos náufragos se agarravam aos códigos navais britânicos. Eles organizaram às pressas um julgamento público[31] com vários oficiais nomeados como juízes.[32] De acordo com os regulamentos navais, eles deveriam ser imparciais, embora nesse caso ninguém poderia não ter sido afetado pelos supostos crimes. Os juízes, em suas roupas esfarrapadas, prestaram juramento, e os réus foram apresentados. Enquanto o vento soprava contra seus corpos, as acusações foram recitadas em voz alta. Foram chamadas testemunhas, que juraram dizer "a verdade, toda a verdade e nada além da verdade". A única defesa dos homens acusados parecia ser que eles teriam feito qualquer coisa, não importa quão cruel ou maliciosa, para evitar a fome. Nenhum processo durou muito tempo: todos os três réus foram considerados culpados.

Ao revisar os Artigos de Guerra, determinou-se que o "crime não tocou a vida"[33] e, portanto, não merecia a pena de morte.

Em vez disso, cada homem culpado foi condenado a receber seiscentas chicotadas — uma quantidade tão extrema que teria de ser administrada em parcelas de duzentas chicotadas ao longo de três dias. Caso contrário, seria letal. Um marinheiro, que certa vez estivera prestes a ser açoitado com severidade, comentou: "Tenho certeza de que não posso passar pela tortura; preferiria ter sido sentenciado a ser fuzilado ou enforcado na verga".[34]

No entanto, muitos dos náufragos acharam que seiscentas chicotadas não eram o bastante. Queriam o castigo definitivo: a morte. Bulkeley então se manifestou e propôs o que chamou de "uma maneira próxima à morte", que "incutiria terror em todos no futuro".[35] Ele sugeriu que, após serem açoitados, os culpados deveriam ser banidos para uma ilhota rochosa ao largo da costa, que continha pelo menos alguns mexilhões, caracóis e água doce, e ser deixados lá até que a tripulação tivesse meios de voltar para a Inglaterra.

O capitão Cheap aceitou a ideia. Sem dúvida, depois de uma punição tão severa, ninguém mais ousaria desafiar suas ordens e colocar as próprias necessidades acima das da tripulação.

Ele deu a ordem para "todos os homens testemunharem a punição", e os náufragos se reuniram sob uma tempestade de granizo para ver um dos prisioneiros, Crusset, ser levado para fora por sentinelas. Eles haviam viajado metade do mundo com o fuzileiro naval condenado, tinham compartilhado vigias, lutado contra furacões e sobrevivido a um naufrágio juntos. Agora, observavam os pulsos do companheiro serem amarrados a uma árvore. A tripulação dividida por rivalidades estava naquele instante unida por um ódio comum.

Tiraram a camisa de Crusset e expuseram suas costas; pedras de gelo o atingiram primeiro. Depois, um dos homens pegou o chicote e com toda a força começou a açoitar o prisioneiro. O chicote cortou sua pele. Alguém que testemunhou um açoitamento observou que, após duas dúzias de chicotadas, "as costas dilaceradas parecem desumanas; assemelham-se a carne assada queimada, quase preta, diante de um fogo abrasador; contudo, ainda assim os açoites continuam".[36]

O encarregado do açoite chicoteou Crusset até ficar exausto demais para continuar. Então, um novo carrasco assumiu a tarefa. "Quando um pobre coitado está sendo punido, seus gritos agonizantes perfuram a alma", lembrou outra pessoa que assistiu a um açoitamento.[37]

Crusset recebeu cinquenta chicotadas, depois outras cinquenta, e mais outras. Depois de receber as duzentas chibatadas do dia, foi desamarrado e levado embora. No dia seguinte, o açoitamento recomeçou. Os outros culpados foram açoitados da mesma forma. Alguns dos fuzileiros navais ficaram tão horrorizados com a visão de seus camaradas angustiados que, pelo menos em um caso, hesitaram em levar a cabo a terceira parcela. Depois, os prisioneiros foram levados num barco de transporte e depositados na ilhota, onde ficaram semiconscientes e sangrando.

Cheap acreditava ter sufocado qualquer nova insubordinação entre os homens. "Eu me esforcei para trazê-los à razão e ao senso de seu dever", ressaltou ele num relatório.[38] Mas não demorou a descobrir que quatro garrafas de conhaque e quatro sacos de farinha haviam desaparecido; a privação era uma ameaça maior do que qualquer punição que Cheap pudesse infligir.

Uma multidão de náufragos invadiu alguns abrigos em busca da comida que faltava. Ao vasculharem as tendas de vários fuzileiros navais, virando-as do avesso, descobriram as garrafas e os sacos roubados. Nove fuzileiros foram acusados do crime, mas cinco conseguiram escapar, juntando-se ao bando de separatistas. Os outros quatro foram julgados, condenados, açoitados e exilados.

Os roubos continuaram; os espancamentos aumentaram. Depois que outra pessoa foi repetidamente chicoteada, Cheap ordenou que Byron e vários homens levassem o ladrão até a ilhota. O homem parecia à beira da morte. Byron relembrou: "Nós, por compaixão e contrariando a ordem, erguemos uma pequena cabana para ele, acendemos uma fogueira e depois deixamos o pobre coitado se virar sozinho".[39] Alguns dias depois, Byron foi com alguns companheiros levar pedaços de comida para o homem, mas o encontraram "morto e rígido".[40]

13. Extremidades

O capitão Cheap viu uma longa trilha branca, que parecia farinha polvilhada, serpenteando em direção a seu abrigo. Ele a examinou mais de perto. Era pólvora. Fora derramada ali por acidente ou fazia parte de alguma conspiração? O aspirante Byron disse que ouviu de alguém que Mitchell e seu bando de separatistas haviam entrado no campo para "perpetuar seu perverso desígneo de explodir o comandante, quando foram dissuadidos disso com dificuldade por alguém que ainda tinha entranhas e consciência".[1]

Era difícil para Cheap saber em que acreditar. Os fatos também podem perecer numa sociedade em guerra. Houve rumores e contrarrumores, alguns talvez divulgados com a intenção de aumentar a confusão, para enfraquecê-lo ainda mais. Ele não sabia mais em quem poderia confiar. Mesmo entre os oficiais, ele detectou sinais de deslealdade. O chefe dos fuzileiros navais, Pemberton, havia perdido, nas palavras de Cheap, "todo o senso de honra ou o interesse de seu país".[2] O indeciso tenente Baynes parecia mudar de aliança com a brisa mais recente, e o contramestre

King incitou tantas brigas que seus próprios companheiros o expulsaram do abrigo. E havia John Bulkeley, a aparente maçã podre. Cheap o havia sondado a respeito de sua lealdade, e Bulkeley lhe garantira que ele e "o povo" —[3] lá estava a palavra de novo — "nunca se envolveriam em nenhum motim". Mas o artilheiro sempre fazia reuniões em seu hotel improvisado e formava alianças, construindo seu pequeno império, como se fosse o monarca da ilha.

Enquanto ouvia o tumulto dos ventos uivantes, trovões estrondosos, o martelar do granizo e o rugir das ondas, Cheap andava de um lado para o outro com sua bengala. Quando Anson lhe dera o comando, havia sido mais do que uma promoção: tinha trazido um pouco do respeito e da honra que Cheap havia muito tempo cobiçava. E isso significava que ele tinha a chance de brilhar como líder dos homens. Tudo isso agora estava sendo minado junto com o posto avançado. E ele estava sendo atormentado pela fome e aparentemente por seus próprios pensamentos, bastante obcecado, como ele disse, "pelos repetidos problemas e aborrecimentos que encontrei".[4] Byron observou que Cheap era "cioso até o último grau" de seu poder como capitão — poder que ele via "diminuindo a cada dia e pronto para ser pisoteado".[5]

Em 7 de junho, quase um mês depois de o *Wager* naufragar, ele deu uma ordem simples ao aspirante Henry Cozens para rolar um barril de ervilhas resgatado dos destroços até a praia e colocá-lo na barraca de suprimentos. Cozens, parecendo instável por causa da bebida, insistiu que o barril era pesado demais e começou a se afastar. Um aspirante se recusando a obedecer ao seu capitão!

Cheap gritou que Cozens estava bêbado.

"Com o que devo me embriagar, senão com água?", retrucou Cozens.[6]

"Seu canalha! Consiga mais gente e role o barril."

Cozens, com um gesto hesitante, fez que chamaria outros

para ajudar, mas ninguém apareceu, e Cheap bateu nele com a bengala. Então o capitão ordenou que Cozens fosse apreendido e aprisionado numa barraca, sendo guardado por uma sentinela. "Hoje, o sr. Henry Cozens, aspirante, foi confinado pelo capitão", registrou Bulkeley em seu diário. "A culpa alegada contra ele foi embriaguez."[7]

Naquela noite, Cheap foi ver como estava seu prisioneiro. Cozens lançou uma torrente de maldições contra ele, e os insultos ecoaram pelo acampamento. Cozens gritou que Cheap era ainda pior do que George Shelvocke, um infame bucaneiro britânico que, duas décadas antes, havia naufragado o navio *Speedwell* numa das ilhas Juan Fernández. Depois de retornar à Inglaterra, Shelvocke foi acusado de afundar de forma intencional o navio para fraudar seus investidores. "Embora fosse trapaceiro, Shelvocke não era tolo", disse Cozens a Cheap. "E, por Deus, você é ambos."[8] Furioso, Cheap ergueu a bengala para espancar o aspirante — faria isso até a submissão —, mas foi contido pelo sentinela, que insistiu que o capitão não deveria "bater num de seus prisioneiros". Cheap se recuperou logo e, num ato surpreendente, libertou Cozens do confinamento.

Mas alguns homens deram ao aspirante mais bebida, e ele começou a causar outro tumulto, dessa vez brigando com Thomas Harvey, o comissário de bordo que era um aliado próximo do capitão. Quando sóbrio, Cozens era sempre agradável, e Byron acreditava que alguns dos conspiradores haviam dado bebida a ele para transformá-lo em um agente destrutivo.

Alguns dias depois, caiu uma chuva especialmente forte, em que a água pingava das folhas e escorria pela encosta do monte Desgraça. Cozens estava na fila esperando sua parte da refeição, que o comissário Harvey distribuía na barraca de suprimentos, quando ouviu um boato: Cheap decidira cortar sua porção de vinho. Em um instante, Cozens correu em direção a Harvey para exigir sua parte. O comissário, ainda fervendo devido à discussão anterior entre eles, sacou uma pistola de pederneira que tinha um cano de aproximadamente trinta centímetros. Cozens continuou avançando. Harvey engatilhou a arma e mirou, enquanto chamava o aspirante de cachorro e o acusava de querer promover um motim. Um marinheiro ao lado de Harvey intercedeu e empurrou a arma para cima no momento em que ele puxou o gatilho. A bala passou voando por cima de Cozens.

Ao ouvir o tiro e os gritos sobre um motim, Cheap saiu correndo de sua habitação. Seus olhos estavam em chamas, com a pistola já na mão. Apertando os olhos na chuva, ele procurou por Cozens, pois tinha certeza de que ele havia disparado a bala, e gritou: "Onde está aquele vilão?".

Não houve resposta, mas ele viu Cozens no meio do grupo, que crescia cada vez mais. Cheap se aproximou e, sem perguntas nem cerimônia, colocou a ponta fria do cano da arma na bochecha esquerda de Cozens. Então, como descreveria mais tarde, ele "prosseguiu para ações extremas".[9]

14. Afetos do povo

Ao ouvir o som da explosão, John Byron saiu correndo de sua cabana e viu Cozens no chão, "revolvendo no próprio sangue".[1] O capitão Cheap dera um tiro na cabeça dele.

Muitos homens recuaram, com medo da raiva de Cheap, mas Byron se aproximou e se ajoelhou ao lado do companheiro de mesa enquanto a chuva o banhava. Cozens ainda respirava. Ele abriu a boca para dizer alguma coisa, mas nenhuma palavra saiu. Então ele "me pegou pela mão", relembrou Byron, "balançando a cabeça, como se quisesse se despedir de nós".[2]

O pessoal estava ficando inquieto. Bulkeley observou que as "notórias palavras desrespeitosas de Cozens ao capitão poderiam provavelmente fazê-lo suspeitar que seu objetivo era um motim",[3] mas estava claro que Cozens não tinha arma. Byron pensou que, por mais erradas que fossem as ações do companheiro, a reação de Cheap era imperdoável.

As testemunhas continuaram a se mexer enquanto Cozens jazia ali, quase sem vida. "A vítima infeliz [...] parecia absorver toda a atenção deles", relembrou Byron. "Os olhos de todos estavam fixos nele; e marcas visíveis da mais profunda preocupação apareceram no semblante dos espectadores."[4]

Em meio ao clamor crescente, Cheap ordenou que os homens se reunissem. Bulkeley se perguntou se ele e seus homens deveriam pegar armas. "Mas, pensando bem, achei melhor ir desarmado", relembrou ele.[5]

A constituição outrora sólida de Cheap havia sido corroída pela fome. No entanto, ao encarar a fila de homens, ele se manteve firme, segurando sua pistola. Estava rodeado por seus aliados, entre eles o cirurgião Elliot e o tenente dos fuzileiros Hamilton. Depois que Bulkeley indicou que seus homens estavam desarmados, Cheap largou a arma na lama e disse: "Vejo que sim, e só mandei chamar para avisar a todos que ainda sou o comandante de vocês, então que todos voltem para suas barracas".[6]

Houve um momento de incerteza enquanto o mar quebrava na costa. Bulkeley e seus homens sabiam que, se se recusassem a obedecer, estariam dando o primeiro passo para destituir o capitão nomeado e derrubar as regras da Marinha — as regras pelas quais haviam vivido. O tiro precipitado de Cheap em Cozens, observou Byron, quase provocou "sedição e revolta abertas".[7] Mas enfim Bulkeley recuou, e o resto dos náufragos fez o mesmo. Byron, que foi para sua cabana sozinho, observou que o ressentimento da tripulação parecia "abafado por enquanto".[8]

Por fim, o capitão Cheap ordenou que Cozens fosse levado para a barraca dos enfermos.

Bulkeley visitou Cozens lá. Ele estava sendo tratado por um jovem chamado Robert, ajudante do cirurgião. Robert inspecionou a ferida, que sangrava. O primeiro manual de medicina para cirurgiões marítimos alertava que lesões causadas por arma de fogo "são sempre compostas, nunca simples, e são as mais difíceis de curar".[9] Robert tentou rastrear o caminho da bala. Ela havia entrado pela bochecha esquerda de Cozens e quebrado sua mandíbula superior, mas não havia ferida de saída. A bala ainda estava alojada na cabeça de Cozens, cerca de sete centímetros abaixo de seu olho direito. Robert usou bandagens para tentar estancar o sangramento, mas para que o aspirante tivesse chance de sobreviver, a bala precisaria ser removida em uma cirurgia.

A operação foi marcada para o dia seguinte. Mas quando chegou a hora, o cirurgião-chefe Elliot não apareceu. Alguns atribuíram sua ausência a uma briga anterior entre ele e Cozens. O carpinteiro Cummins disse que tinha ouvido falar que Elliot pretendia vir, mas o capitão Cheap interveio. O aspirante Campbell disse que não sabia se o capitão havia feito tal coisa, sugerindo que talvez o conflito estivesse sendo alimentado pela desinformação, assim como o boato sobre o corte da ração de vinho de Cozens tinha sido falso. Apesar de Campbell insistir que Cheap estava sendo difamado, a alegação de que o capitão havia impedido o cirurgião de tratar o aspirante se espalhou pela tripulação. "Isso foi considerado um ato de desumanidade do capitão", escreveu Bulkeley em seu diário, "e contribuiu muito para que ele perdesse o afeto do povo."[10] Bulkeley acrescentou que teria sido mais honroso Cheap ter matado Cozens com uma segunda bala em vez de lhe negar alívio.

Por fim, Robert tentou operar por conta própria. O manual de medicina informava que o primeiro dever de um cirurgião era para com Deus, "que não vê como os homens veem" e que "endireitará nossos caminhos".[11] Robert abriu o baú médico, que continha instrumentos de metal como bisturi, fórceps, serra para cortar ossos e um ferro cauterizador. Nenhum deles foi esterilizado, e a cirurgia, sem anestesia, tinha a mesma probabilidade de matar Cozens que de salvá-lo. De algum modo, Cozens sobreviveu ao procedimento. Uma lasca da bala se partira, mas Robert conseguiu alcançar a peça principal e extraí-la.

Cozens estava consciente, mas ainda corria o risco de morrer devido à perda de sangue, e havia também o risco de gangrena. Ele queria ser transferido para a casa de Bulkeley para estar entre amigos. Quando Bulkeley pediu permissão a Cheap para fazê-lo, o capitão se recusou, insistindo que Cozens queria promover um motim, o que os ameaçava. "Se ele viver", disse Cheap, "vou carregá-lo até o comodoro como prisioneiro e enforcá-lo."[12]

Em 17 de junho, uma semana após o tiro, Robert realizou uma segunda operação, num esforço para remover o fragmento restante da bala e uma parte da mandíbula estilhaçada de Cozens. O ajudante de cirurgião completou o procedimento, mas o rapaz parecia que não ia resistir. Nesses casos, o manual aconselhava os cirurgiões a não se desesperar — "porque Deus é misericordioso".[13] Cozens pediu a Robert um último favor: entregar para Bulkeley um pequeno pacote com a bala extraída e um pedaço de osso. Ele queria que as provas fossem preservadas. Robert concordou, e Bulkeley guardou o pacote desconcertante em seu abrigo.

Em 24 de junho, Bulkeley escreveu em seu diário: "Partiu desta vida o sr. Henry Cozens, aspirante, depois de definhar por catorze dias".[14] Cozens pode ter perecido na ilha, mas, como Byron escreveu, ele permaneceu "muito amado",[15] e a maioria dos náufragos foi "extremamente afetada por essa catástrofe".[16]

Com frio, imundos, esfarrapados, eles se arrastaram e cavaram um buraco na lama; ao redor estavam os túmulos não marcados de homens e garotos que, como disse o diário de Bulkeley, faleceram de "diversas maneiras desde que o navio bateu pela primeira vez".[17] O corpo enrijecido de Cozens foi retirado da barraca dos doentes e colocado no chão. Não houve leilão de seus bens para arrecadar fundos para sua família na Inglaterra: ele não possuía quase nada, e os homens não tinham dinheiro. Mas os fiéis tiveram o cuidado de espalhar terra sobre o corpo para que os urubus não o bicassem. "Nós o enterramos da maneira mais decente que o tempo, o lugar e as circunstâncias permitiram", lembrou Bulkeley.[18]

Eles estavam presos na ilha havia 41 dias.

15. A arca

Os homens tiveram um vislumbre repentino de salvação. O carpinteiro Cummins teve uma ideia inovadora: se conseguissem resgatar o escaler que submergira com o naufrágio, poderiam transformá-lo numa arca capaz de carregá-los para fora da ilha. Nos dias imediatamente após a morte de Cozens, o capitão Cheap se isolou em sua cabana, meditando, refletindo, se desesperando. Será que o Almirantado consideraria seu tiro justificável ou ele seria enforcado por assassinato? Bulkeley observou que o capitão estava ficando cada vez mais agitado, perdendo não apenas "o amor dos homens",[1] mas também "qualquer compostura mental".[2]

Ele passou a seguir de maneira frenética o plano de Cummins. O primeiro passo era liberar o escaler, que estava preso nos escombros. A única maneira de soltá-lo era fazer um buraco na lateral do *Wager*. A tarefa era árdua e perigosa, mas os homens a cumpriram, e o barco logo foi içado para a praia. Rachado, tomado pela água e pequeno demais até para apenas uma fração do grupo, a embarcação não parecia capaz de transportar os náufragos nem mesmo ao redor da ilha. No entanto, ali estava a semente de um sonho.

Cummins supervisionou a engenharia e remodelação do barco. Para caber mais pessoas nele, o casco de dez metros teria de ser estendido por pelo menos dois metros. Muitas das tábuas existentes haviam apodrecido e teriam de ser substituídas. E o barco precisaria ser transformado numa embarcação de dois mastros para poder atravessar os mares terríveis.

Cummins estimou que a construção levaria vários meses, e isso presumindo que pudessem reunir material suficiente, sem mencionar que precisariam ficar vivos por todo esse tempo. Todos teriam que ajudar. Cummins também precisava de outro artesão habilidoso, mas seus dois companheiros de carpintaria, James Mitchell e William Oram, estavam entre os separatistas. Embora o louco Mitchell não fosse uma opção, Cheap decidiu enviar um pequeno grupo em missão secreta para tentar persuadir Oram a desertar dos desertores. Não havia como prever como Mitchell reagiria se soubesse da proposta, e Cheap conseguiu recrutar apenas dois homens para a perigosa missão. Um deles era Bulkeley.

Quando partiram para atravessar a ilha, avançando com seus pesados mosquetes pelas montanhas e através de matagais dilacerantes, Bulkeley e seu companheiro tomaram cuidado para não ser detectados. "Nesse negócio, fui obrigado a agir muito em segredo", escreveu Bulkeley.[3]

Quando chegaram ao acampamento dos separatistas, a alguns quilômetros de distância, esperaram até que Oram parecesse estar sozinho, então se aproximaram dele. Bulkeley murmurou que o capitão Cheap tinha uma proposta para ele. Oram, que tinha 28 anos, enfrentava uma sentença de morte quase certa: pereceria de fome com os outros separatistas ou seria executado por motim. Mas, se ele retornasse ao assentamento principal e ajudasse a modificar o escaler, receberia o perdão total do capitão e poderia ver sua terra natal de novo. Oram concordou.

Em meados de julho, dois meses depois do naufrágio e três semanas após a morte de Cozens, Cheap viu Bulkeley, Byron e o resto da tripulação trabalhando de forma ativa — e ansiosa — na arca. Byron observou que nada parecia "tão necessário para o avanço de nossa libertação deste lugar desolado".[4]

Primeiro, o escaler teve de ser apoiado em grossos blocos de madeira para que o casco ficasse acima do solo. Em seguida, Cummins serrou o barco ao meio. Então, o verdadeiro truque começou: de algum modo conseguir juntar essas peças de novo em uma forma totalmente nova, mais longa, mais larga e mais forte.

Sob chuva e granizo, vendavais e relâmpagos, Cummins — a quem Bulkeley descreveu como incansável — aprimorou o projeto[5] com seu punhado de ferramentas, que incluíam uma serra, um martelo e uma enxó, uma peça semelhante a um machado. Ele mandou os homens vasculharem a floresta em busca de madeira durável que tivesse uma curvatura natural. Depois de definir a forma geral do barco, começou a colocar os pedaços de madeira numa estrutura semelhante a um cavername acima da quilha. Um tipo diferente de madeira — longa, grossa e reta — era necessário para as pranchas, que precisavam ser cortadas em medidas precisas e depois fixadas em ângulos retos à estrutura curva. Havia poucos pregos de metal, e alguns náufragos vasculharam os destroços do naufrágio em busca de mais. Quando estes acabaram, o carpinteiro e seu ajudante cortaram parafusos de madeira. Os homens também juntaram outros materiais essenciais: lona para as velas, cabos para o cordame, cera de vela para calafetar.

Os homens trabalhavam duro, mesmo quando muitos estavam enfrentando os efeitos debilitantes da desnutrição: os corpos magros até os ossos, os olhos esbugalhados, os cabelos caindo como palha. Bulkeley disse sobre os náufragos: "Eles estão com muita dor e mal conseguem enxergar para andar".[6] No entanto, eram compelidos por aquele misterioso narcótico: a esperança.

Um dia, Cheap ouviu um grito de pânico ecoar pelo assentamento. Uma onda rebelde subiu na praia, passou pela linha da maré e arrancou a estrutura esquelética do barco. Os homens correram e conseguiram erguer a estrutura mais longe na costa, antes que o mar a engolisse. O trabalho continuou.

Enquanto isso, o plano de Cheap assumia novas dimensões ocultas. Examinando gráficos, ele começou a acreditar que havia uma maneira de não apenas preservar suas vidas, mas também de cumprir sua missão militar original. Ele calculou que o assentamento espanhol mais próximo ficava na ilha de Chiloé, na costa chilena e a cerca de 550 quilômetros ao norte de sua localização atual. Cheap tinha certeza de que a tripulação poderia navegar até lá com a arca e os três barcos de transporte menores — a iole, o cúter e a barcaça. Assim que chegassem a Chiloé — e, para ele, essa era a parte magnífica — poderiam montar um ataque ousado a um navio mercante espanhol desavisado; e, depois de tomar esse navio e seus estoques de comida, navegar até o ponto de encontro e procurar o comodoro Anson e os membros sobreviventes da esquadra. Em seguida, continuariam a busca pelo galeão.

Os riscos eram assustadores, e Cheap, ciente de que teria de persuadir os homens a colaborar com seu plano, não compartilhou de imediato esses detalhes com eles. Mas, como disse mais tarde, "não precisamos temer tomar recompensas e temos a chance de ver o comodoro".[7] Ele acreditava que ainda havia uma possibilidade de glória — e redenção.

Em 30 de julho, Bulkeley parou na cabana solitária de Byron, na periferia da aldeia. Lá o encontrou esquelético e sujo, mergulhado em suas histórias do mar; estava lendo de novo a crônica de

Sir John Narborough. Bulkeley pediu o livro emprestado, embora apenas por razões pragmáticas. Narborough havia explorado a região da Patagônia, e Bulkeley achava que o relato — essencialmente um registro detalhado — poderia conter pistas importantes sobre como navegar com a arca para longe da ilha Wager em segurança.

Byron emprestou o livro a Bulkeley após obter permissão do capitão Cheap, já que o exemplar pertencia a ele. Então Bulkeley o levou de volta aos seus aposentos e começou a estudar o texto com a mesma intensidade com que lia *The Christian's Pattern*. Narborough havia descrito sua jornada pelo estreito de Magalhães, a passagem de 550 quilômetros entre o final do continente sul-americano e a Terra do Fogo que oferecia uma rota alternativa entre o Pacífico e o Atlântico, evitando a passagem de Drake ao redor do cabo Horn. "Se em algum momento você desejar entrar no estreito de Magalhães" pelo lado do Pacífico, escreveu Narborough, "será mais seguro, na minha opinião, aproximar-se da terra na latitude de 52 graus."[8] Essa abertura ficava a cerca de 640 quilômetros ao sul da ilha Wager, e Bulkeley teve uma ideia. Ele pensou que, se tivessem o novo escaler e três pequenos barcos de transporte, os náufragos poderiam cruzar o estreito e entrar no Atlântico, depois seguir para o norte, em direção ao Brasil; como o governo brasileiro era neutro na guerra, sem dúvida lhes proporcionaria um porto seguro e facilitaria o retorno para a Inglaterra.

A ilha Wager estava a quase 4800 quilômetros do Brasil. Bulkeley admitiu que muitos considerariam isso um "esforço maluco".[9] O estreito era sinuoso e afunilado em alguns lugares, e muitas vezes se fragmentava num labirinto desconcertante de ramificações sem saída. As águas estavam cheias de bancos de areia e rochas, e havia nevoeiros densos. "Um homem pode errar o canal certo e navegar entre as ilhas e rochas quebradas, a ponto de colocar seu navio em perigo", alertava Narborough.[10] Embora o estreito fosse mais protegido do que a passagem de Drake, era conhecido por rajadas de vento imprevisíveis e glaciais, que deixavam os navios amontoados nas margens. Por isso o comodoro Anson, navegando com uma frota de navios de guerra grandes e desajeitados utilizando navegação estimada, preferira arriscar a violência dos mares abertos ao redor do cabo Horn.

No entanto, observou Bulkeley, "situações desesperadas exigem soluções desesperadas",[11] e ele acreditava que essa rota para o Brasil era a única opção viável que eles tinham. A passagem de Drake, 640 quilômetros mais ao sul, estava muito distante, e seus mares eram muito letais para barcos pequenos. Quanto aos obstáculos no estreito, Narborough registrara um percurso seguro. Além disso, relatou ter encontrado fontes de sustento para evitar a fome. Ele escreveu que, junto com mexilhões e lapas, "há patos, gansos brancos e malhados, gaivotas cinzentas e pardas, mergulhões marinhos e pinguins".[12]

Para Bulkeley, essa rota parecia ser ainda mais sedutora. Eles estariam traçando seu próprio destino, emancipando-se de uma missão naval que havia sido mal planejada pelo governo e pelos oficiais militares em seu país — uma missão que estava condenada desde o início. Os náufragos escolheriam agora sobreviver em vez de se aventurar em direção ao norte através do Pacífico, onde uma armada espanhola provavelmente os pulverizaria ou capturaria. "Seguir pelo estreito de Magalhães para a costa do Brasil seria a única maneira de evitar que nos lançássemos nas mãos de um inimigo cruel, bárbaro e insultante", concluiu Bulkeley. "Nosso escaler, quando terminado, só será adequado para a preservação da vida. Como não podemos agir de modo ofensivo, devemos cuidar de nossa segurança e liberdade."[13]

Bulkeley pediu ao mestre Clark e aos outros navegadores que revisassem a rota que ele havia esboçado com base nas informações de Narborough. Eles também concordaram que o plano era a melhor chance que eles tinham de sobrevivência. Bulkeley compartilhou sua visão com os outros homens, que se depararam com uma escolha fundamental. Eles estavam cansados da guerra — de morte e destruição — e ansiavam por voltar para casa, mas isso significava que estariam abandonando sua missão e possivelmente o resto da esquadra. E, para piorar as coisas, o capitão Cheap acabara de anunciar que esperava que eles cumprissem seu dever patriótico e seguissem na direção oposta. Ele tinha jurado que encontrariam o comodoro e que nunca recuariam.

Byron observou o posto avançado, unido por pouco tempo para construir a arca, agora dividido em duas forças rivais. De um lado estavam Cheap e seu pequeno, mas leal, grupo de auxiliares. Do outro, estavam Bulkeley e sua legião de partidários. Até então, Byron mantivera uma postura neutra, mas isso estava se tornando insustentável. Embora a disputa se concentrasse no simples tema de qual caminho seguir, ela levantava questões profundas sobre liderança, lealdade, traição, coragem e patriotismo. Byron, um aristocrata que aspirava a subir na hierarquia naval para um dia comandar seu próprio navio, lutou com essas questões quando foi forçado a escolher entre seu comandante e o artilheiro carismático. Conhecendo os riscos de sua decisão, foi um tanto cauteloso em seus escritos. Mas fica claro que se sentia obrigado a apoiar Cheap e que via Bulkeley, que parecia apreciar seu novo status, como alguém que estava minando o capitão e alimentando suas profundas inseguranças e paranoias. Além disso, Cheap, ao traçar seu plano, havia evocado o tipo de heroísmo e de sacrifício — aquela vida mitopoética do mar — exaltados nos romances que Byron tanto amava.

Por outro lado, Bulkeley parecia muito mais controlado e adequado para comandar os homens naquelas circunstâncias aterradoras. Persistente, engenhoso e astuto, ele emergira como líder por méritos próprios. Em contraste, a expectativa de Cheap de que os homens o seguiriam com firmeza se baseava apenas na cadeia de comando. E no desespero de manter a própria autoridade, ele se tornou ainda mais fanático. Como Bulkeley observou sobre o capitão: "A perda do navio foi a perda dele; ele sabia governar enquanto era o comandante a bordo, mas quando as coisas se tornaram confusas e desordenadas, ele pensou em estabelecer seu comando em terra por meio da coragem e ao suprimir o menor insulto à sua autoridade".[14]

Em 3 de agosto, Byron soube que Bulkeley estava se reunindo com a maioria dos homens para discutir os próximos passos. Ele deveria ir ou permanecer fiel ao seu comandante?

No dia seguinte, Cheap viu Bulkeley se aproximar com um séquito. Quando estava a poucos metros dele, o artilheiro fez uma pausa e ergueu um pedaço de papel. Disse que era uma petição e começou a ler em voz alta, como se estivesse no plenário do Parlamento:

> Nós, cujos nomes são mencionados abaixo, pensamos mediante consideração madura [...] que o caminho mais adequado, certo e seguro para a preservação do corpo das pessoas neste local é prosseguir através do estreito de Magalhães para a Inglaterra. Datado em uma ilha deserta na costa da Patagônia.[15]

Embora redigida com cuidado, a declaração tinha uma intenção inconfundível. Para uma reunião realizada no dia anterior, Bulkeley convidara os homens que queriam assinar a petição. Um por um, eles o fizeram, inclusive Pemberton, o chefe dos fuzileiros navais; o mestre Clark, que continuava a proteger o filho; o velho cozinheiro Maclean, ainda agarrado à vida; e o marinheiro John Duck. Até o feroz executor das ordens de Cheap, o aspirante a marinheiro Campbell, acrescentou sua assinatura. Byron também havia rabiscado seu nome.

Então Bulkeley entregou o papel manchado a Cheap, que viu a longa lista de assinaturas desorganizadas no final. Tantos homens apoiaram a petição que seria difícil para Cheap mandar qualquer um — inclusive o principal instigador, Bulkeley — para a punição.

Cheap podia contar nos dedos de uma mão quantos de seus homens não o desafiaram: o comissário Harvey, o cirurgião Elliot, o tenente Hamilton e o mordomo Peter Plastow. E havia um outro nome, talvez o mais significativo, que estava ausente do documento: o do tenente Baynes. Cheap ainda tinha a seu lado o segundo oficial da Marinha de maior patente na ilha. A cadeia de comando superior permanecia alinhada.

Ele precisava pensar em seu próximo movimento. Segurando o documento, dispensou o artilheiro e seu séquito, dizendo que responderia depois de examiná-lo.

Dois dias depois, Bulkeley e Cummins foram convocados por Cheap. Quando entraram no abrigo do capitão, viram que não estava sozinho. Ele fizera questão de ter o tenente Baynes sentado ao lado.

Depois que Bulkeley e Cummins se instalaram, Cheap disse a eles: "Este papel me deixou muito inquieto, tanto que não fechei os olhos até as oito horas da manhã pensando nele; mas acho que vocês não consideraram a coisa do modo correto".[16] Estava convencido de que os dois estavam seduzindo os homens com falsas esperanças de que haveria uma passagem fácil para casa, quando, na verdade, o caminho para o Brasil era 4 mil quilômetros mais longo que o de Chiloé. Se seguissem por ali, disse ele, "pensem na distância a ser percorrida [...], com o vento sempre contra nós e onde não há água".

Bulkeley e Cummins enfatizaram que seriam capazes de carregar água para um mês no escaler e poderiam usar as pequenas embarcações de transporte para remar até a praia e coletar provisões. "Não encontraríamos nenhum inimigo lá, exceto os indígenas em suas canoas", disse Bulkeley.

Cheap não arredou pé. Se fossem para Chiloé, disse ele, poderiam apreender um navio mercante carregado de provisões.

Cummins perguntou como eles poderiam capturar um navio sem canhões.

"Para que servem nossos mosquetes", respondeu Cheap, "senão para abordar um navio inimigo?"

Cummins alertou que o escaler nunca sobreviveria a tiros de canhão. E, mesmo que de alguma forma não afundassem, eles não tinham quase nenhuma chance de se encontrar com Anson: "O comodoro pode ter encontrado o mesmo destino que nós, ou talvez pior".

À medida que a aspereza crescia, Cummins disse ao capitão: "Senhor, é por *sua* causa que estamos aqui". E lá estava — aquela acusação que havia muito tempo fermentava. Cummins não desistiu e ressaltou que o capitão não tinha nada que ter seguido para terra com o *Wager* naquela situação e com todos os homens doentes.

"Você não conhece minhas ordens", disse Cheap. "Nunca uma tão rigorosa foi dada a um comandante antes." Ele repetiu que não teve escolha a não ser ir ao ponto de encontro: "Era minha obrigação".

Bulkeley respondeu que um capitão, independente das ordens, deve sempre usar seu poder de decisão.

De forma surpreendente, Cheap deixou esse comentário passar e voltou à questão em pauta. Num tom quase diplomático, anunciou que poderia aceitar a proposta deles de passar pelo estreito de Magalhães, mas precisava de mais tempo para tomar uma decisão.

Bulkeley, sem saber se Cheap estava enrolando, disse: "O povo está inquieto. Portanto, quanto mais cedo o senhor resolver, melhor".

Ao longo da discussão, Baynes permaneceu praticamente em silêncio, em deferência a Cheap. O capitão sinalizou então que a reunião estava encerrada e perguntou a Bulkeley e Cummins: "Vocês têm mais alguma objeção a fazer?".

"Sim, senhor, mais uma", respondeu Bulkeley. Ele queria a garantia do capitão de que, se partissem juntos no escaler, ele não faria nada — ancorar, alterar o curso, lançar um ataque — sem consultar seus oficiais.

Percebendo que isso na verdade desmantelaria sua autoridade de capitão, Cheap não conseguiu mais se conter. Gritou que ainda era o comandante deles.

"Vamos apoiá-lo com nossas vidas enquanto você estiver com razão para governar", disse Bulkeley, e então saiu com Cummins.

Todos ao redor de John Byron pareciam estar reunindo armas. Como era responsável pela barraca de suprimentos, o capitão Cheap tinha acesso ao maior arsenal e transformou sua morada num bunker armado. Com as armas, ele mantinha um par de espadas cintilantes. O tenente fuzileiro Hamilton, empunhando uma faca, muitas vezes o ajudava a vigiar. Cheap, percebendo que ainda estava perigosamente em desvantagem, despachou o comissário para oferecer conhaque aos separatistas como um incentivo para formar uma aliança, mas os saqueadores continuaram sendo um bando livre.

Bulkeley soube dessa tentativa e a denunciou como "suborno".[17] Enquanto isso, estava ocupado em guardar mais mosquetes, pistolas e chumbo dos destroços, transformando sua própria casa também em arsenal. À noite, Byron podia ver os companheiros de Bulkeley se esgueirando para minerar os destroços — barris de pólvora ainda poderiam ser recuperados, assim como armas enferrujadas. O aspirante Campbell, que permaneceu simpático a Cheap, observou que Bulkeley e seus homens agora eram "todos capazes de desafiar seus oficiais".[18]

A comunicação entre as duas facções havia se deteriorado a ponto de Bulkeley jurar nunca mais chegar perto de Cheap, e embora os líderes estivessem a poucos metros um do outro, eles com frequência enviavam emissários de um lado para o outro, como diplomatas de nações em guerra. Um dia, Cheap fez com que o tenente Baynes transmitisse uma proposta inesperada a Bulkeley: no próximo sábado, por que não usar os amplos aposentos de Bulkeley como um local de adoração divina, para que todos os homens pudessem orar juntos? Parecia uma oferta de paz, uma demonstração de respeito à piedade de Bulkeley e um lembrete de que todos eram feitos do mesmo barro. Mas o artilheiro farejou um estratagema e recusou a oferta. "Acreditamos que a religião tem a menor participação nessa proposta", observou Bulkeley em seu diário. "Se nossa tenda se tornar uma casa de oração [...], podemos, talvez, no meio de nossa devoção, ser surpreendidos e nossas armas retiradas de nós para frustrar nossos desígnios."[19]

Para Byron, as duas facções pareciam estar tramando e conspirando, realizavam reuniões clandestinas, envolviam-se em segredos. Para aumentar ainda mais as tensões, as forças de Bulkeley começaram a realizar exercícios militares. Pemberton alinhou seus fuzileiros navais esqueléticos em formação de batalha, enquanto marinheiros enlameados praticavam para carregar seus mosquetes e atirar em alvos na névoa. Saraivadas ecoaram por toda a ilha. Byron não experimentara nenhum combate durante a Guerra da Orelha de Jenkins; agora, percebia que poderia testemunhar isso entre seus próprios companheiros.

Em 25 de agosto, Byron sentiu um estrondo terrível. Foi tão forte que seu corpo tremia e tudo ao redor parecia se espatifar e desmoronar: as paredes das cabanas, os galhos das árvores, o chão abaixo dele. Era um terremoto — apenas um terremoto.

16. Meus amotinados

Em 27 de agosto, dois dias depois do que John Bulkeley chamou de "abalos e tremores de terra violentos",[1] ele se encontrou em segredo com seus principais confidentes. Embora já tivessem se passado três semanas desde que recebera a petição, Cheap ainda não havia dado uma resposta final. Bulkeley concluiu que o capitão não tinha nenhuma intenção de concordar com o plano, porque ele nunca revogaria suas ordens originais.

No encontro, Bulkeley tocou naquele assunto proibido: motim. Um motim completo era diferente de outras revoltas. Ele ocorria dentro das próprias forças estabelecidas pelo Estado para impor a ordem — as Forças Armadas —, e é por isso que representava uma ameaça tão grande para as autoridades governantes e era tantas vezes reprimido de maneira brutal. Era também por isso que os motins ocupavam a imaginação do público. O que levava os executores da ordem a cair na desordem? Seriam eles grandes bandidos? Ou havia algo de podre no cerne do próprio sistema, alguma coisa que impregnava a rebelião de uma causa nobre?

Aos dezesseis anos, John Byron era um aspirante a marinheiro no *Wager*.

Pintura do século XVIII de uma patrulha de recrutamento britânica.

David Cheap, primeiro-tenente do *Centurion*, sonhava em ser capitão.

Pintura do século XVIII do estaleiro Deptford, de onde o *Wager* partiu.

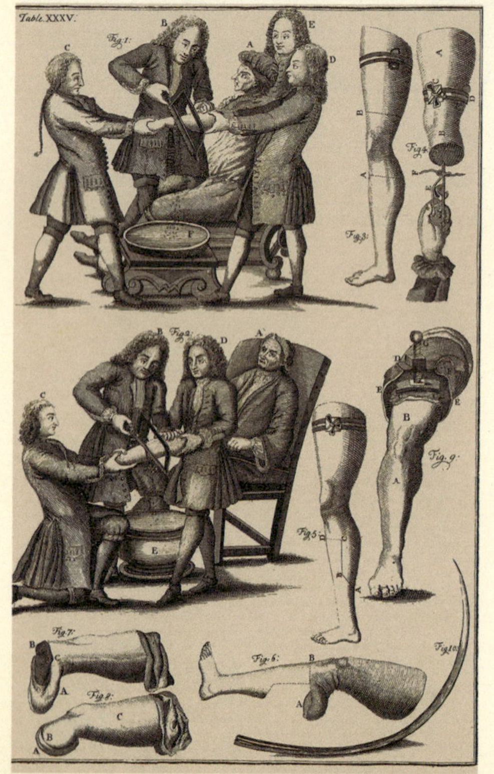

A vida em um navio de guerra: (*acima*) a maquinaria letal em um convés de bateria; (*à esq.*) um diagrama médico de 1742 sobre como amputar membros.

(*À dir.*) Um enterro no mar.

(*Acima à esq.*) Um diário de bordo do *Centurion*, com anotações detalhando doenças horríveis e tempestades.

(*Acima*) Um albatroz no cabo Horn.

(*À esq.*) Um oficial do *Centurion* fez um esboço da esquadra chegando ao Brasil, em Santa Catarina, em dezembro de 1740. O *Wager* é o segundo navio da esquerda.

O *Wager* antes de naufragar, em pintura de Charles Brooking, *c.* 1744.

Ilha Wager.

Esta gravura de 1805 (*acima*) mostra os náufragos construindo seu acampamento na ilha Wager.

O monte Desgraça é visto pairando sobre os homens nesta ilustração (*à esq.*) do século XVIII.

Os náufragos praticamente não encontraram comida no terreno montanhoso da ilha Wager (*acima*). Eles foram forçados a consumir pedaços de algas marinhas (*à dir.*) e aipo (*abaixo*).

Um kawésqar caçando leões--marinhos, fotografado pelo antropólogo Martin Gusinde no início do século XX.

Os indígenas da região passavam grande parte do tempo em canoas e sobreviviam quase que exclusivamente de recursos marinhos.

Um acampamento costeiro kawésqar, fotografado pelo antropólogo Gusinde.

Uma violência assassina irrompeu entre os náufragos do *Wager*, conforme retratado nesta gravura de 1745.

Magellan Streight
The North Sea

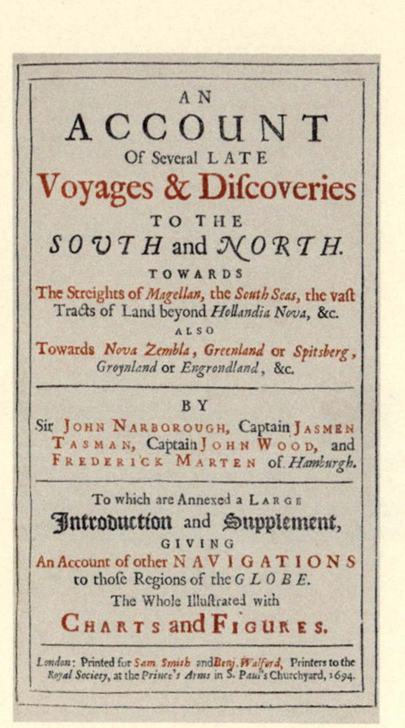

AN
ACCOUNT
Of Several LATE
Voyages & Difcoveries
TO THE
SOUTH and NORTH.
TOWARDS
The Streights of *Magellan*, the *South Seas*, the vaft
Tracts of Land beyond *Hollandia Nova*, &c.
ALSO
Towards *Nova Zembla*, *Greenland* or *Spitsberg*,
Groynland or *Engrondland*, &c.

BY
Sir JOHN NARBOROUGH, Captain JASMEN
TASMAN, Captain JOHN WOOD, and
FREDERICK MARTEN of *Hamburgh*.

To which are Annexed a LARGE
Introduction and Supplement,
GIVING
An Account of other NAVIGATIONS
to thofe Regions of the GLOBE.
The Whole Illuftrated with
CHARTS and FIGURES.

London: Printed for *Sam. Smith* and *Benj. Walford*, Printers to the
Royal Society, at the *Prince's Arms* in S. Paul's Churchyard, 1694.

(*Acima à esq.*) Uma pintura do século XVIII do *Centurion* em batalha, com suas velas e a bandeira britânica arrancadas por tiros de canhão.

(*Abaixo à esq.*) George Anson liderou a esquadra britânica da qual fazia parte o *Wager*.

(*Acima*) Um vestígio do *Wager* naufragado que foi descoberto em 2006.

(*Ao lado e abaixo*) Os náufragos tinham uma cópia do relato de John Narborough sobre sua expedição britânica à Patagônia e estudaram com cuidado o mapa do estreito de Magalhães.

Nesta pintura do século XVIII veem-se homens amontoados num pequeno barco de transporte, semelhante ao que os sobreviventes da ilha Wager usaram.

Para escapar, os náufragos do *Wager* tiveram de navegar pelos mares violentos da costa chilena da Patagônia.

Bulkeley disse aos outros que eles teriam justificativa para se rebelar. Ele acreditava que, como náufragos, "as regras da Marinha não são suficientes para nos orientar".[2] Nesse estado de natureza, não havia nenhum código escrito, nenhum texto preexistente, que pudesse orientá-los de forma plena. Para sobreviver, precisavam estabelecer suas próprias regras. Ele invocou conscientemente os direitos à "vida" e à "liberdade" que os súditos britânicos, em certos momentos da história, haviam proclamado ao tentar conter um monarca presunçoso. Mas Bulkeley, reconhecendo que fazia parte de um aparato naval, um instrumento do próprio Estado, apresentou um argumento mais radical. Ele sugeriu que a verdadeira fonte do caos na ilha, aquela que violava de verdade os valores da Marinha, era o próprio Cheap, como se ele fosse o verdadeiro amotinado.

No entanto, Bulkeley sabia que se fossem apanhados planejando uma rebelião contra o comandante e a estrutura de comando militar estabelecida, ele e os outros poderiam, como Cozens, ser fuzilados antes mesmo de deixar a ilha. Ainda que tivessem sucesso e voltassem para a Inglaterra, poderiam ser levados à corte marcial por um grupo de oficiais aliados de Cheap e condenados a subir a escada do cadafalso e descer pela corda do carrasco. Como disse certa vez um historiador: "Um motim é como uma doença horrível e maligna, e as chances de o paciente sofrer uma morte agonizante são tão grandes que o assunto nem pode ser mencionado em voz alta".[3]

Bulkeley tinha de agir com cuidado e astúcia, fazendo um registro escrito que justificasse cada ação do grupo. Sempre advogado e narrador do mar, ele já havia documentado em seu diário todos os acontecimentos que, a seu ver, mostravam que o capitão não estava apto para liderar. Precisava agora criar uma história inatacável — um conto marítimo atemporal — que pudesse resistir ao escrutínio público e ao desgaste de uma batalha legal.

O primeiro passo de Bulkeley foi tentar obter o apoio do tenente Baynes. Era essencial que Baynes, como o próximo na linha de comando, assumisse pelo menos no nome o título de capitão. Isso ajudaria a provar ao Almirantado que Bulkeley não pretendia destruir de forma arbitrária a ordem naval e tomar o poder para si mesmo. Baynes admitiu em particular a Bulkeley que achava que seguir pelo estreito era o caminho mais sábio, mas parecia ter medo das repercussões de romper com o capitão. O tenente compreendia talvez melhor do que ninguém o que poderia acontecer se escolhesse o lado perdedor em um conflito civil: seu avô Adam Baynes, um republicano radical e membro do Parlamento, havia se alinhado contra os monarquistas e, em 1666, depois que estes recuperaram poder, o jogaram na Torre de Londres sob suspeita de "práticas conspiratórias".[4]

Bulkeley vinha tentando constantemente atrair o tenente Baynes para o seu lado, e depois que conversaram mais uma vez, Baynes enfim concordou em remover Cheap, mas sob uma condição: eles redigiriam um documento formal expressando suas razões para embarcar para o Brasil e dariam a Cheap a oportunidade de assiná-lo — uma última chance de se curvar à vontade do povo. Se ele concordasse, teria permissão para permanecer como capitão, embora com poderes bastante reduzidos. Bulkeley observou: "Imaginávamos que se o capitão Cheap fosse restaurado ao comando absoluto que tinha antes da perda do *Wager*, ele procederia outra vez de acordo com os mesmos princípios, nunca consultaria seus oficiais sobre qualquer exigência, mas agiria de forma arbitrária, de acordo com seu humor e com a confiança de ter um conhecimento superior". E Bulkeley acrescentou: "Achamos que ele é um cavalheiro digno de ter um comando limitado, mas uma pessoa perigosa demais para que lhe seja confiado um comando absoluto".[5]

Se Cheap recusasse esses termos, eles o derrubariam. Eles

acreditavam que o tiro em Cozens fornecera uma base sólida para prender o capitão. Baynes disse que todos os oficiais envolvidos na insurreição poderiam apresentar esse documento para "se justificar na Inglaterra".[6]

Bulkeley redigiu num pedaço de papel o documento que declarava que a tripulação era atormentada por roubos e disputas destrutivas — "que provavelmente levarão à destruição de todo o corpo".[7] Portanto, o povo havia concordado "por unanimidade" em abandonar a expedição e retornar à Inglaterra, via estreito de Magalhães e Brasil.

No dia seguinte, Bulkeley e Baynes foram com um grupo enfrentar o capitão, armados de mosquetes e pistolas. Eles se aglomeraram no abrigo de Cheap, onde o capitão estava cercado por um punhado de homens, todos fortemente armados.

Bulkeley tirou o documento do bolso, desdobrou-o e começou a lê-lo em voz alta. Quando terminou, pediu ao capitão que o assinasse. Cheap se recusou e ficou furioso, dizendo-lhes que haviam insultado sua honra.

Bulkeley saiu com seu grupo e foi direto para a cabana de Pemberton, onde o capitão dos fuzileiros estava sentado em sua cadeira, cercado por seus soldados. Outros náufragos estavam reunidos na cabana, ansiosos para saber o que havia acontecido. Como contou mais tarde, Bulkeley lhes disse que o capitão, "da maneira mais desdenhosa, rejeitou tudo o que foi proposto para o bem público".[8] Pemberton declarou que apoiaria o povo com sua vida, e a multidão gritou: "Pela Inglaterra!".[9]

Cheap saiu de sua casa e perguntou que comoção era aquela. Bulkeley e os outros oficiais anunciaram que haviam concordado em removê-lo do poder e transferir o comando para o tenente Baynes.

Com uma voz estrondosa, Cheap disse: "Quem é que tomará

o comando de mim?". Ele encarou Baynes, enquanto o vento zunia entre eles, e disse: "Você?".

Baynes pareceu murchar — ou, como Bulkeley relatou, "o terror do aspecto do capitão intimidou o tenente a tal ponto que ele parecia um fantasma".

Baynes respondeu apenas: "Não, senhor".

O tenente havia abandonado o complô — e a história. Bulkeley e seus homens logo recuaram.

Nos dias seguintes, David Cheap ouviu seus inimigos se reagrupando do lado de fora de seu bunker. E alguns de seus aliados que tinham restado o estavam abandonando. O comissário Harvey reconheceu o novo centro de poder e abandonou Cheap. Depois, o capitão ouviu o boato de que seu mordomo Peter Plastow, a última pessoa que ele imaginava que poderia passar para o outro lado, havia decidido seguir para o estreito com o artilheiro. Cheap mandou chamar Plastow e perguntou, incrédulo, se era verdade.

"Sim, senhor", respondeu Plastow. "Vou arriscar, pois quero ir para a Inglaterra."[10]

Cheap o chamou de vilão — eram todos vilões! — e o mandou embora. Ele estava quase completamente isolado, um capitão sem tripulação. Ouviu os homens — a quem apelidou de "meus amotinados" —[11] se reunirem em formações militares e praticar tiro. No entanto, Cheap permanecia oficialmente no poder e sabia que se Bulkeley não quisesse ser enforcado na Inglaterra, não poderia agir sem Baynes.

Não demorou para que Cheap mandasse uma mensagem a Bulkeley pedindo para se encontrar com ele, desta vez sozinho. Embora tenha chegado ladeado por pistoleiros, Bulkeley entrou sozinho no abrigo de Cheap, carregando uma pistola. O capitão estava sentado em seu baú. Na coxa direita repousava sua própria pistola, engatilhada. Cheap olhou para Bulkeley, que engatilhou a arma, mas depois recuou devagar, um passo de cada vez, alegando mais tarde que não queria ser "obrigado, para minha própria preservação, a descarregar uma pistola num cavalheiro".[12]

Bulkeley saiu do abrigo, onde uma multidão crescia em tamanho e agitação. Então Cheap fez algo ainda mais surpreendente para afirmar sua autoridade: saiu de seu bunker sem a arma e enfrentou a multidão enfurecida. "Nisso o capitão mostrou toda a conduta e coragem imagináveis", admitiu Bulkeley. "Ele era um homem sozinho contra uma multidão insatisfeita e armada."[13] E, naquele momento, ninguém — nem Bulkeley, nem Pemberton, nem mesmo o violento contramestre King — ousou encostar um dedo no capitão.

A fome continuou a devastar a tripulação. John Byron nunca sabia quem seria o próximo a sucumbir. Certa vez, um companheiro desmaiou ao seu lado. "Sentei-me perto dele quando ele caiu", escreveu Byron, "e como eu tinha alguns moluscos secos (cerca de cinco ou seis) no bolso, de vez em quando colocava um em sua boca. Porém, logo depois que meu suprimento acabou, ele foi libertado pela morte."[14] Mais de cinquenta náufragos haviam perecido na ilha, e alguns dos companheiros de Byron estavam tão famintos que começaram a pensar num remédio terrível: comer os mortos. Um garoto delirante cortou um pedaço de um cadáver prestes a ser enterrado e teve que ser impedido de consumi-lo; embora a maioria dos homens não soubesse nem mesmo mencionar o canibalismo em seus registros escritos, Byron reconheceu que alguns começaram a cortar e comer seus companheiros mortos — o que o aspirante chamou de "grave extremismo".[15]

Se os náufragos sobreviventes não saíssem logo da ilha, outros sucumbiriam a essa blasfêmia.

Em 5 de outubro, após 144 dias na ilha, Byron contemplou o que parecia ser uma miragem induzida pela fome. Lá, sobre os blocos onde outrora tinham estado os fragmentos do escaler, repousava um casco glorioso. Com três metros de largura e mais de quinze metros de comprimento, com pranchas que iam da popa à proa, contava com um convés onde a tripulação podia vigiar, um porão para armazenamento, um leme para guiar e um gurupés. Byron e seus companheiros acrescentaram então os toques finais, como o revestimento do fundo de casco com cera e sebo para evitar vazamentos.

Contudo, como colocariam aquela embarcação no mar? Ela pesava toneladas, o que os impedia de a carregar ou a arrastar pela areia, em especial na condição debilitada deles. Era como se tivessem criado a arca apenas para se atormentar ainda mais. No entanto, eles encontraram uma solução: colocar uma trilha de toras e deixar o barco rolar sobre elas até que fosse lançado ao mar.[16] Com cabos recuperados, ergueram orgulhosamente os dois mastros de madeira para o céu. E lá estava o novo escaler, balançando nas ondas. Os homens o batizaram de *Speedwell*. (O nome tinha um significado especial: o bucaneiro britânico Shelvocke e seus homens, depois de serem abandonados, construíram um barco com a madeira de seu navio naufragado, o *Speedwell*, e voltaram para a Inglaterra.) Bulkeley proclamou que Deus lhes dera um barco para libertá-los.

Como os outros, Byron ansiava por voltar para casa. Tinha saudade da irmã Isabella, de quem era especialmente próximo. Até mesmo seu irmão mais velho, o Lord Maligno, não parecia mais tão ruim.

No entanto, embora tivesse apoiado a campanha de Bulkeley para voltar à Inglaterra, Byron não estava envolvido na conspiração para derrubar Cheap e parecia se apegar a uma última ilusão infantil: de que todos os sobreviventes poderiam sair da ilha juntos e em paz.

Em 9 de outubro, nas primeiras horas da manhã, Bulkeley e seus companheiros conspiradores começaram a reunir em silêncio um exército heterogêneo de náufragos — figuras seminuas e famintas com olhos vidrados e cabelos desgrenhados. Bulkeley distribuiu todas as suas ferramentas de guerra: mosquetes, baionetas, pistolas, munições, cartuchos, cutelos e cabos. Os homens carregaram e engatilharam as armas.

Na madrugada que avançava devagar, o grupo começou a cruzar as ruínas do posto avançado imperial. O monte Desgraça assomava acima deles; o mar, como os homens, inspirava e expirava. Quando chegaram ao abrigo de Cheap, pararam, escutaram e depois, um após o outro, o invadiram. Cheap estava enrolado no chão dormindo, magro e frágil, e viu então seus homens avançarem em sua direção. Antes que pudesse pegar a arma, eles o agarraram e, como disse um oficial, o maltrataram "de modo um tanto rude".[17] Numa operação sincronizada, Hamilton, que dormia numa cabana próxima, também foi preso.

Os náufragos haviam decidido que era muito "perigoso permitir que o capitão desfrutasse da liberdade", escreveu Bulkeley.[18] E dessa vez o tenente Baynes se juntara à rebelião.

Cheap parecia perplexo e, voltando-se para Bulkeley e os outros oficiais, disse: "Cavalheiros, os senhores sabem o que fizeram?".[19]

Bulkeley e seus homens explicaram que estavam lá para prendê-lo pela morte de Cozens.

"Ainda sou seu comandante", respondeu Cheap. "Vou lhes mostrar quais são as minhas instruções." Autorizado a mexer nas próprias coisas, ele recuperou a carta dada a ele pelo comodoro Anson, na qual era nomeado capitão do HMS *Wager*. Ele acenou com a folha de papel. "Olhem para isso. Olhem para isso!", falou a Bulkeley e aos outros oficiais. "Eu não poderia pensar que vocês me serviriam assim."

"Senhor, a culpa é sua", disse Bulkeley. "O senhor não se preocupou com o bem público [...], mas fez exatamente o contrário, ou então foi tão descuidado e indiferente a respeito disso que é como se não tivéssemos nenhum comandante."

Cheap se afastou dos oficiais e se dirigiu aos marinheiros. "Muito bem, senhores, vocês me pegaram cochilando [...]. Vocês são um bando de bravos, mas meus oficiais são canalhas." Os intrusos haviam amarrado suas mãos atrás das costas. "Meus rapazes, não os culpo", disse ele de novo. "É a vilania dos meus oficiais." Ele acrescentou que esses homens acabariam respondendo por seus atos. A implicação era inequívoca: eles seriam enforcados.

Ele então olhou para o tenente Baynes e perguntou: "Então, senhor, o que pretende fazer comigo?". Quando Baynes explicou que os oficiais planejavam confiná-lo numa das barracas, Cheap disse: "Eu seria grato aos cavalheiros se me deixassem ficar na minha". Seu pedido foi negado. "Muito bem, *capitão* Baynes!", disse ele com desdém.

Enquanto era levado para o lado de fora, no frio cortante, Cheap, que estava apenas meio vestido, mas usando seu chapéu, se esforçou para manter um ar digno. Ele disse ao grupo de espectadores: "Vocês devem me desculpar por não tirar o chapéu, minhas mãos estão atadas".

Bulkeley não pôde deixar de transmitir, em seu relato escrito, certa admiração pelo adversário. Ali, Cheap foi derrotado, amarrado, humilhado e, ainda assim, permanecia composto, firme e corajoso. Ele havia enfim, como um verdadeiro capitão, se controlado.

Um momento depois, o contramestre King foi devagar até Cheap, ergueu o punho e lhe deu um soco no rosto. "Você teve a sua chance, mas agora, maldito seja, eu tenho a minha!", disse King.

"Você é um canalha por fazer mal a um cavalheiro quando ele é um prisioneiro", disse Cheap, com o rosto manchado de sangue.

Ele e Hamilton foram colocados numa prisão improvisada, vigiados o tempo todo por uma falange de seis marinheiros e um oficial. Ninguém estava autorizado a entrar sem ser revistado. Bulkeley parecia não querer se arriscar de jeito nenhum — não queria que Cheap fugisse ou que qualquer outra pessoa invadisse a prisão.

Como comandante em exercício, Bulkeley sentiu o fardo de estar no comando. "Agora o considerávamos capitão", admitiu Campbell.[20] Bulkeley começou a fazer os preparativos finais para a viagem ao Brasil. Ordenou aos homens que enchessem barris de pólvora vazios com água da chuva para beber e que cortassem e temperassem as poucas porções restantes de carne. Depois mandou armazenar nos barcos seus parcos suprimentos, que incluíam alguns sacos de farinha. E colocou seus dois pertences preciosos — seu diário e o livro *The Christian's Pattern* — no porão do *Speedwell*, onde ficariam mais secos. Byron, ainda atordoado com o motim, temia que o estoque de comida do escaler durasse apenas alguns dias: "Nossa farinha seria aumentada com uma mistura de algas marinhas, e nossos outros suprimentos dependiam do sucesso de nossas armas".[21]

Bulkeley estava decidido a reprimir o clima de anarquia e, com seus aliados, elaborou um conjunto de regras e regulamentos para governar o grupo assim que partissem. Entre outras determinações, estavam:

- Quaisquer aves, peixes ou artigos de primeira necessidade obtidos durante a passagem devem ser divididos igualmente entre todos.

- Qualquer pessoa considerada culpada de roubo de comida deve, independentemente da posição, ser abandonada na praia mais próxima.
- Para evitar distúrbios, brigas e motins, qualquer homem que ameace a vida de outro ou inflija violência deve ser abandonado na praia mais próxima.

Bulkeley declarou que esses mandamentos eram para "o bem da comunidade",[22] e cada um que pretendesse embarcar na viagem era obrigado a assinar o documento, como um juramento de sangue.

Havia uma última questão premente: o que fazer com Cheap? Ao todo, da tripulação original do *Wager* de cerca de 250 homens e garotos, 91 ainda estavam vivos, entre eles os separatistas. Para espremer todos os passageiros nos quatro barcos, teriam de se apertar um ao lado do outro. Não havia espaço separado para um prisioneiro, e Cheap seria difícil de conter, ao mesmo tempo que representava uma ameaça constante à nova ordem.

De acordo com Bulkeley, o plano era, não obstante, transportar Cheap de volta para casa como prisioneiro, para que o capitão pudesse ser julgado por assassinato. Mas, no último momento, Cheap disse a Bulkeley que "preferia ser fuzilado a ser levado como prisioneiro".[23] Ele pediu para ficar na ilha com quem quisesse ficar com ele e com quaisquer suprimentos que pudessem ser cedidos. Bulkeley escreveu em seu relato que conversou com vários dos homens, que disseram: "Deixe-o ficar e que se dane!".[24]

Bulkeley e seus colegas oficiais mais próximos prepararam o documento mais importante até então. Era endereçado diretamente ao lorde almirante da Grã-Bretanha e declarava que, devido à dificuldade de transportar Cheap como prisioneiro "numa embarcação tão pequena e por uma passagem tão longa e tediosa", e porque ele poderia levar a cabo conspirações "em segredo, o que pode ser destrutivo para todo o grupo", eles concordaram em abandonar o capitão na ilha Wager. Isso era necessário, ressaltavam eles, "para evitar assassinato".[25]

Cheap tinha certeza de que seus inimigos pretendiam acabar com ele e que estavam usando o tiro em Cozens como pretexto. Eles sem dúvida sabiam que sua versão dos fatos poderia levá-los à forca.

Enquanto se preparavam para zarpar, Bulkeley e seus homens informaram a Cheap que dariam a ele a iole de seis metros. Não era apenas a menor das quatro embarcações; ela também rachara havia pouco tempo ao bater nas rochas. Seu casco, observou Cheap, estava "todo em pedaços".[26] Os homens também lhe forneceram, nas palavras dele, apenas "uma quantidade muito pequena de farinha extraordinariamente ruim e alguns pedaços de carne salgada".[27] E lhe ofereceram uma bússola, um par de armas ruins, um telescópio e uma Bíblia.

O tenente Hamilton e o cirurgião Elliot decidiram ficar com Cheap, mas Byron, Campbell e as demais pessoas do posto avançado não quiseram ficar. Os separatistas também planejavam permanecer na ilha — em parte porque não havia espaço nos barcos e em parte porque se acostumaram a viver separados. O grupo sofrera seu próprio atrito, e pouco antes Mitchell e dois de seus companheiros haviam desaparecido, partindo numa jangada frágil na esperança de chegar ao continente. Não se teve mais notícias deles; sem dúvida, tiveram um fim terrível. Apenas sete separatistas permaneceram, elevando o número total dos que ficaram na ilha — inclusive Cheap — para dez.[28]

Em 14 de outubro de 1741, cinco meses após o naufrágio e mais de um ano desde que haviam partido da Inglaterra, o grupo de Bulkeley começou a embarcar nos três barcos. Estavam ansiosos para escapar de sua prisão na vida selvagem e, talvez, para fugir daquilo em que haviam se transformado. No entanto, estavam também com medo de embarcar em outra viagem ao desconhecido.

Cheap, liberado de seu confinamento, caminhou até a beira da praia e observou um desfile de homens, vestidos com farrapos, se espremer nos três barcos. Avistou seus aspirantes, Byron, Campbell e Isaac Morris. Lá estava mestre Clark, certificando-se de que seu filho estava seguro. Lá estavam o comissário Harvey e o cozinheiro Maclean, o contramestre King e os marinheiros John Duck e John Jones. Ao todo, 59 corpos amontoados no escaler, doze no cúter e dez na barcaça. Bulkeley escreveu: "Estamos tão confinados por falta de espaço que, para a nossa situação atual, a pior prisão da Inglaterra é um palácio".[29]

Vários homens gritaram para Cheap com "a máxima insolência e desumanidade", como ele anotou.[30] Disseram-lhe que nunca mais veria nenhum inglês, a não ser os poucos vagabundos da ilha com os quais decerto morreria.

Bulkeley se aproximou dele, e Cheap olhou para o homem que havia usurpado seu posto. Ele sabia que cada um deles estava prestes a enfrentar outra provação agonizante e talvez reconhecesse uma pequena parte de si mesmo em Bulkeley: a ambição orgulhosa, a crueldade desesperada e o vestígio de bondade. Ele estendeu a mão e lhe desejou boa passagem. Bulkeley anotou em seu diário: "Esta foi a última vez que vi o infeliz capitão Cheap".[31]

Às onze da manhã, com Bulkeley no poleiro de comandante no *Speedwell*, os barcos partiram para a baía de Cheap, com as tripulações içando velas e remando para superar as ondas da arrebentação. Cheap havia pedido um favor a Bulkeley: se ele e seu grupo chegassem à Inglaterra, que contassem toda a história do que havia acontecido, incluindo o lado de Cheap. No entanto, conforme os barcos se afastavam, Cheap percebeu que a ilha provavelmente se tornaria o lugar onde ele e sua história se perderiam para sempre.

PARTE IV
LIBERTAÇÃO

17. A escolha de Byron

Enquanto os barcos saíam para o mar, John Byron olhou para Cheap parado na praia, desamparado na névoa espectral. Ele fora levado a acreditar que o capitão viria com eles na jornada, ao menos como prisioneiro. Mas eles tinham acabado de deixá-lo lá, sem um barco que funcionasse, sem dúvida para perecer. "Eu sempre estive no escuro quanto ao rumo que esse caso tomaria", escreveria Byron.[1]

Ele havia feito originalmente uma escolha que podia suportar: abandonar a missão e voltar para casa era uma decisão que poderia subverter sua carreira naval, mas salvaria sua vida. Fazer aquilo com o capitão Cheap era diferente. Desempenhar um papel no abandono completo de seu comandante, por mais imperfeito e tirânico que fosse, ameaçava a imagem romântica que Byron tinha de si mesmo e à qual se apegara, apesar dos horrores da viagem. Enquanto continuava a observar Cheap à distância, ele e alguns homens gritaram três vivas ao antigo capitão. Então Cheap sumiu, e a decisão de Byron pareceu irreversível.

Mesmo antes de os barcos se afastarem da ilha Wager, os homens foram atingidos por uma rajada de vento, como se já estivessem sendo punidos por seus pecados. Byron ouviu um som alto e angustiante: a vela improvisada na frente do navio havia se partido e batia de maneira incontrolável. O grupo foi forçado a procurar abrigo na lagoa de outra ilha a oeste da baía de Cheap, onde poderiam consertar a vela e esperar a tempestade passar. Não tinham viajado nem mesmo dois quilômetros.

No dia seguinte, Bulkeley pediu voluntários para levar a barcaça de volta à ilha Wager e recuperar uma barraca de lona descartada, caso viessem a precisar de mais tecido. Byron de repente viu uma oportunidade. Ele se ofereceu para ir com o grupo, assim como o aspirante Campbell, e naquela tarde eles partiram com outros oito homens, remando em meio às ondas fortes. Campbell compartilhava as dúvidas de Byron e, enquanto eram jogados de um lado para o outro e ficavam encharcados com os respingos de água, os dois jovens aspirantes começaram a conspirar. Byron acreditava que, se quisessem escapar da mancha de desonra e covardia, deveriam resgatar Cheap. Campbell concordou, murmurando que agora era a hora.

Na esperança de fugir com a barcaça, eles tentaram obter o apoio dos outros homens a bordo, vários dos quais eram antigos apoiadores de Cheap. Eles também haviam ficado chocados com o abandono do capitão. Temendo que fossem enforcados se voltassem para a Inglaterra, eles se juntaram à contraconspiração.

Enquanto remava com os outros, Byron ficava cada vez mais inquieto: e se Bulkeley e seus homens suspeitassem que eles não tinham intenção de voltar? Talvez não se importassem com as deserções — significaria menos corpos para transportar e bocas para alimentar —, mas ficariam furiosos com a perda da barcaça, que desejavam para aumentar o espaço e enviar grupos de caça à terra. Ao cair da noite, no escuro, Byron e seus companheiros avançaram ansiosos pelas ondas até avistarem fogueiras à distância: o posto avançado. Byron e seu grupo haviam voltado em segurança para a ilha Wager.

Cheap ficou surpreso com a chegada dos homens e, quando soube o que eles haviam resolvido fazer, pareceu revigorado. Deu as boas-vindas a Byron e Campbell em seu abrigo e, junto com o cirurgião Elliot e o tenente Hamilton, ficaram acordados até tarde, conversando de forma esperançosa sobre suas perspectivas agora que estavam livres dos homens por trás da rebelião. Havia vinte pessoas na ilha: treze no assentamento principal e outras sete no acampamento dos separatistas. Cheap e seu grupo tinham pelo menos um barco utilizável — a barcaça — e também poderiam tentar consertar a iole.

Porém, quando Byron acordou na manhã seguinte, deparou-se com a dura realidade. Ele não tinha nada para vestir a não ser um chapéu, calças rasgadas e os fios restantes de um colete. Seus sapatos haviam se desintegrado, deixando-o descalço. O mais angustiante é que não tinha reservas de comida — nem mesmo um bolinho de salada. E os outros homens que haviam voltado com ele também não tinham nada. Sua comida escassa estava armazenada no *Speedwell* com as mesmas pessoas que eles acabavam de trair.

Cheap compartilhou um pouco de sua carne, que estava podre e, de qualquer modo, não havia o suficiente para sustentá-los por muito tempo. Byron, que sempre fora guiado pelos caprichos dos superiores, tentou por fim formular um plano próprio. Ele decidiu que deveria voltar aos amotinados e reivindicar a porção de comida devida ao seu grupo. Seria arriscado, talvez até imprudente, mas que outra opção havia?

Quando Byron propôs a ideia, Cheap advertiu que seus inimigos buscariam vingança e ficariam com a barcaça, deixando-os mais uma vez ilhados.

Byron havia pensado nisso e disse que ele, Campbell e um

pequeno grupo poderiam deixar a barcaça a alguma distância da lagoa. Então, enquanto a maioria vigiava o barco, ele e Campbell completariam a jornada até o grupo de Bulkeley. Eles estariam vulneráveis à retaliação, mas a tentação da comida era forte demais. E com o incentivo de Cheap, Byron e seu pequeno grupo embarcaram naquela manhã.

Depois de remarem para a outra ilha, esconderam a barcaça numa área isolada. Byron e Campbell se despediram de seus companheiros e iniciaram sua árdua jornada. Eles se arrastaram por pântanos pegajosos e florestas nodosas até que, naquela noite, chegaram à beira da lagoa negra. Ouviram vozes na escuridão. A maioria dos 59 amotinados, inclusive seus líderes Bulkeley e Baynes, estava na praia procurando comida — aquela busca perpétua.

Bulkeley ficou perplexo com a aparição repentina dos dois aspirantes. Por que chegaram por terra e sem a barcaça?

Byron reuniu coragem e declarou que eles não abandonariam Cheap.

Bulkeley pareceu irritado com a deserção de Byron. Supôs que ele havia sido coagido por Campbell — ou isso, ou o aristocrata aspirante a marinheiro havia voltado às ordens incrustadas de classe e hierarquia. (Em um comentário velado em seu diário, Bulkeley escreveu que "o honorável sr. Byron" não conseguiu se acostumar a "permanecer com os homens".)[2]

Quando Byron e Campbell pediram a comida de seu grupo, Bulkeley e Baynes exigiram saber onde estava a barcaça. Campbell lhes disse que pretendiam ficar com o barco — afinal, ele deveria transportar dez náufragos, e dez deles estavam agora com Cheap. Um dos amotinados disparou "malditos sejam!"[3] e os advertiu que se não trouxessem de volta a barcaça, não ganhariam nada.

Byron fez um apelo diretamente ao resto dos homens, mas eles lhe disseram que se não trouxesse a barcaça no dia seguinte, armariam o cúter e iriam atrás dele.

Byron foi embora; depois, agoniado, voltou e perguntou mais uma vez. Foi inútil. Ele se questionou como as pessoas podiam ser tão cruéis.

Ao partir, perdeu o chapéu numa rajada de vento. O marinheiro John Duck se aproximou do antigo companheiro e generosamente lhe deu o próprio chapéu.

Byron foi conquistado por esse lampejo de bondade. "John!", exclamou. "Eu agradeço."[4] Mas, insistindo que não poderia deixar Duck sem chapéu, devolveu a peça.

Então Byron e Campbell se apressaram para voltar à barcaça e ao seu grupo, cruzando o mar enquanto olhava de tempos em tempo para trás, a fim de ver se estavam sendo perseguidos por um cúter com armas reluzentes.

18. Porto da Misericórdia de Deus

Quando os ventos se acalmaram, Bulkeley, o tenente Baynes e os outros partiram nos dois barcos restantes. Eles estavam a uma curta distância do posto avançado, mas Bulkeley ignorou os apelos para atacar e retomar a barcaça e conduziu seus homens em outra direção — para o sul, rumo ao estreito de Magalhães. Eles não iriam mais olhar para trás.

À medida que avançavam, ficou claro, mesmo para velhos lobos do mar como Bulkeley, que a jornada nos barcos de náufragos seria diferente de tudo que já haviam feito antes. O *Speedwell* não era muito maior do que o escaler original, que fora projetado para acomodar vinte remadores e transportar suprimentos em distâncias curtas. Agora, o barco estava abarrotado com barris de água para um mês e com armas e munição suficientes para evitar um ataque. Acima de tudo, estava repleto de homens, espremidos na proa, em volta dos mastros, junto ao leme, no porão abaixo do convés. Era como se o *Speedwell* tivesse sido construído com membros humanos.

Com 59 pessoas a bordo, não havia espaço para se deitar e

era quase impossível para a tripulação se mexer para içar uma vela ou puxar um cabo. Depois de cumprir várias horas de guarda, os homens no convés lutavam para trocar de lugar com os que estavam no porão, que era tão úmido e escuro quanto um caixão, mas oferecia certa proteção contra as intempéries. Para urinar ou defecar, tinham de se inclinar sobre a lateral do casco. Só o fedor das roupas molhadas dos homens, escreveu Bulkeley, "torna o ar que respiramos nauseabundo a tal ponto que alguém pensaria ser impossível para um homem viver ali".[1]

Pesado por conta da carga humana e dos suprimentos, o casco estava tão baixo no mar que sua popa mal chegava a dez centímetros acima da linha d'água. Até mesmo ondas pequenas passavam por cima das amuradas, encharcando os homens; em mares agitados, a tripulação no convés quase era lançada ao mar a cada balanço do barco.

As doze pessoas que estavam no cúter, entre elas o comissário Thomas Harvey, passavam por uma situação pior. O barco tinha apenas 7,5 metros de comprimento e era ainda menos resistente às ondas, que durante fortes tempestades faziam seu único mastro parecer menor. Os homens estavam sentados amontoados em tábuas duras e estreitas, saltando para cima e para baixo. Não havia área abaixo onde os membros da tripulação pudessem encontrar abrigo e, à noite, eles às vezes subiam no *Speedwell* para dormir, enquanto o cúter era rebocado atrás. Nessas ocasiões, o escaler ficava lotado, com 71 homens.

Essas embarcações não só tinham de atravessar alguns dos mares mais agitados da terra, como a maioria dos homens que tentavam realizar essa façanha já estava perto da morte. "A maior parte das pessoas a bordo dá tão pouca importância à vida que viver ou morrer parece ser indiferente", escreveu Bulkeley. "E é preciso suplicar muito para que um deles suba ao convés para ajudar na sua preservação."[2] Para Bulkeley, liderar o grupo nessas circunstâncias era extraordinariamente desafiador, e a incomum dinâmica de poder em jogo aumentava a dificuldade. Embora Bulkeley estivesse, em muitos aspectos, atuando como capitão, o tenente Baynes continuava a ser o comandante em termos oficiais.

Em 30 de outubro, duas semanas após o início da viagem, eles foram apanhados por outra tempestade. Enquanto os ventos varriam o Pacífico e as ondas quebravam sobre eles, Bulkeley entreviu, ao longo da costa montanhosa a leste, um fiapo de canal. Ele pensou que isso poderia levar a um porto seguro, mas era cercado por rochas, como aquelas que abriram um buraco no *Wager*. Bulkeley com frequência consultava Baynes, por causa do acordo deles, e o carpinteiro Cummins, por conta da confiança. Essas consultas também pareciam ser a maneira de Bulkeley enfatizar a diferença entre ele e o capitão que havia deposto.

Bulkeley enfrentava agora sua primeira grande decisão tática: permanecer em mar aberto ou tentar deslizar entre as rochas. "Não havia nada além da morte diante de nossos olhos caso ficássemos no mar, e a mesma perspectiva se acompanhássemos a terra", observou ele.[3] À medida que os navios se inclinavam cada vez mais, ele escolheu o canal: "A entrada é tão perigosa que nenhum mortal se arriscaria, a menos que seu caso fosse tão desesperador quanto o nosso".

Quando se aproximaram da canaleta, os homens ouviram o rugido ameaçador de ondas quebrando nos recifes. Um erro e eles afundariam. Os vigias vasculhavam as águas em busca de rochas submersas enquanto os tripulantes trabalhavam nas velas. Bulkeley, revigorando-se e gritando ordens, guiou-os pelo labirinto rochoso até chegar a um porto protegido por penhascos com cachoeiras cristalinas. O local era tão espaçoso, gabou-se Bulkeley, que toda a Marinha britânica poderia se reunir ali.

Ele teve pouco tempo para saborear o triunfo. Grupos foram transportados para terra no cúter para coletar água fresca e algum marisco, ou, como disse Bulkeley, "o que a Providência puser em nosso caminho".[4] Depois, partiram de novo, mergulhando de volta no mar revolto.

Em 3 de novembro, durante uma forte tempestade, Bulkeley sinalizou para a tripulação do cúter ficar perto. Logo depois, a vela mestra do cúter partiu e a embarcação desapareceu. Bulkeley e seu grupo viraram de um lado para o outro, procurando o barco cada vez que o *Speedwell* subia na crista das ondas. No entanto, não havia sinal do cúter, devia ter afundado com os doze homens dentro. Por fim, com o próprio *Speedwell* correndo risco, Bulkeley e Baynes desistiram e entraram numa enseada na costa.

Bulkeley experimentou a dor de perder homens que estavam de fato sob seu comando e, apesar das condições apertadas dentro da cabine do *Speedwell*, pegou seu diário e escreveu com cuidado seus nomes. Entre os perdidos estavam o comissário Harvey, o engenhoso construtor de jangadas Richard Phipps e William Oram, o ajudante de carpinteiro que Bulkeley persuadira a deixar os separatistas na esperança de chegar à Inglaterra.

Por causa da quilha profunda e do casco pesado do *Speedwell*, ele não podia ser levado para muito perto da costa rochosa e, sem o cúter, os homens não tinham como mandar gente à terra para encontrar comida. Apenas alguns deles sabiam nadar. "Estamos agora numa situação desgraçada", confessou Bulkeley.[5]

Em 5 de novembro, eles tentaram voltar para o mar, mas foram rechaçados pela tempestade. Presos mais uma vez no barco e consumidos pela fome, eles olhavam agonizantes para alguns mexilhões nas rochas. Sem saber o que fazer, o contramestre King pegou vários remos e barris vazios, amarrou-os com uma corda e depois colocou aquele estranho dispositivo na água. Ele flutuou.

Ele e dois outros homens se jogaram em cima da engenhoca e começaram a remar em direção à costa. Depois de percorrer apenas alguns metros, uma onda ergueu os barris no ar e arremessou os homens na água. Eles lutaram por suas vidas. Dois foram resgatados pela tripulação do *Speedwell*, mas King conseguiu se agarrar à jangada mutilada e chegar à costa. Naquela noite, ele voltou com o sustento que conseguiu e revelou que na praia havia visto um barril de comida vazio, que parecia ser do tipo usado pela Marinha britânica. Os náufragos ficaram sérios e se perguntaram se outro navio, talvez até mesmo o *Centurion*, a nau capitânia do comodoro Anson, teria afundado como o *Wager*.

Na manhã seguinte, quando retomaram a viagem, Bulkeley e seu grupo vislumbraram no oceano monótono uma mancha branca, que mergulhava em meio às ondas e depois subia de novo. Era a vela do cúter! O barco estava intacto e lá estavam os doze tripulantes — encharcados e atordoados, mas vivos. A reunião milagrosa, escreveu Bulkeley, deu a todos uma "nova vida".[6]

Depois de entrar numa enseada e usar o cúter para coletar mariscos, eles tentaram descansar um pouco. O cúter foi amarrado à popa do *Speedwell*, e sua tripulação, exceto por um marinheiro chamado James Stewart, se arrastou para dentro da embarcação maior para dormir.

Às duas da manhã, o cabo arrebentou, lançando o cúter no mar. Bulkeley e vários homens olharam para a escuridão varrida pela chuva: lá estava Stewart no barco, avançando em direção aos recifes. Os homens o chamaram, mas ele estava longe demais para ouvi-los por causa do vento, e logo o cúter se foi — dessa vez, sem dúvida, para sempre, estilhaçado nas rochas.

Os homens haviam perdido não apenas outro companheiro, mas também seu meio de desembarcar em busca de sustento. Além disso, setenta náufragos teriam de se espremer, dia e noite, no *Speedwell*. "Grande inquietação entre o povo, muitos deles desesperados por uma salvação", escreveu Bulkeley.[7]

No dia seguinte, onze homens, entre eles Phipps, pediram para ser abandonados naquela parte desolada do mundo, em vez de continuar no aparentemente condenado *Speedwell*. Bulkeley e Baynes, sempre atentos aos desdobramentos legais, redigiram um certificado para os lordes do Almirantado, declarando que os onze homens haviam tomado tal decisão por vontade própria e absolviam "todas as pessoas de serem chamadas a prestar contas por nos colocar em terra".[8] Bulkeley escreveu em seu diário que esses homens estavam partindo para "preservar a si mesmos e a nós".[9]

Bulkeley levou o barco o mais perto possível da costa e os onze saltaram. Ele os observou nadar até um pedaço de terra sem vida: era a última vez que seriam vistos. Então, ele e o grupo restante no *Speedwell* foram embora.

Em 10 de novembro, quase um mês depois de partir da ilha Wager e depois de viajar cerca de 640 quilômetros, Bulkeley observou uma série de pequenas ilhas áridas. Elas se pareciam exatamente com aquelas que Sir John Narborough havia dito que estavam na foz noroeste do estreito de Magalhães. Ao sul, no lado oposto da foz, havia outra ilha desolada, com montanhas escuras, rochosas e serrilhadas. Bulkeley imaginou que deveria ser a ilha Desolação, batizada assim por Narborough porque era "uma terra tão desolada de se ver".[10] Bulkeley, com base nessas observações e em seus cálculos da latitude do *Speedwell*, estava confiante de que haviam alcançado o estreito de Magalhães.

Depois de virar o *Speedwell* para sudeste, prestes a concretizar seu plano, ele foi tomado por um sentimento que raras vezes experimentou: medo absoluto. "Nunca em minha vida [...] vi um mar como o que corre aqui", observou ele.[11] Os ventos tinham a força de um tufão, e a água parecia guerrear consigo mesma. Bulkeley acreditou que estava diante da confluência do oceano Pacífico entrando no estreito e o oceano Atlântico saindo — o mesmo local em que o bucaneiro britânico Francis Drake foi pego no que o capelão a bordo de seu navio chamou de "tempestade intolerável".[12] (O capelão escreveu que Deus havia aparentemente "se colocado contra nós" e não "retiraria seu julgamento até que tivesse enterrado nossos corpos e navios nas profundezas sem fim do mar revolto".) As ondas começaram a engolir o *Speedwell* da popa à proa, do casco ao topo do mastro. Uma delas virou o barco mais de vinte graus, depois cinquenta, depois oitenta, até que ele adernou, ficando completamente de lado, com os mastros e as velas pressionados contra a água. Enquanto o barco rangia, se curvava e inundava, Bulkeley teve certeza de que nunca mais se levantaria. Depois de tudo o que passara, todos os seus sacrifícios e pecados, ele agora encarava a perspectiva de uma morte inútil — afogar-se sem voltar a ver sua família. No entanto, muito devagar, o *Speedwell* começou a se endireitar, e as velas emergiram enquanto a água escorria do convés e do porão.

Cada alívio momentâneo parecia intensificar o fervor messiânico de Bulkeley. Ele escreveu sobre a tempestade: "Oramos de maneira fervorosa por seu fim, pois nada mais poderia nos salvar de perecer".[13] No que ele descreveu como uma graça de luz, eles vislumbraram uma enseada e tentaram alcançá-la enfrentando um corredor de ondas. "Estávamos cercados de pedras e tão perto que um homem poderia jogar um biscoito nelas", observou. No entanto, eles deslizaram para dentro da enseada, que era tranquila como um lago. "Chamamos essa enseada de porto da Misericórdia de Deus e consideramos nossa preservação neste dia um milagre", escreveu Bulkeley. "Os mais abandonados entre nós não duvidam mais de um Ser Todo-Poderoso e prometeram reformar suas vidas."[14]

Porém, a cada dia extenuante, os homens ficavam mais desanimados e indisciplinados. Exigiam de maneira incessante mais comida, e Bulkeley e Baynes se viram na mesma posição que havia atordoado Cheap. "Se não formos extremamente previdentes em relação às nossas provisões, todos iremos morrer de fome", observou Bulkeley.[15] Os homens que outrora o seguiram com tanto entusiasmo e devoção pareciam agora, como ele disse, "maduros para o motim e a destruição". E acrescentou: "Não sabemos o que fazer para colocá-los sob qualquer comando; eles nos perturbaram a tal ponto que estamos cansados de nossas vidas".[16]

Junto com Baynes e Cummins, ele se esforçou para manter a ordem. Os artigos assinados que regiam o grupo sancionavam o abandono de qualquer um que causasse agitação. No entanto, Bulkeley fez um tipo muito diferente de ameaça: se o mau comportamento continuasse, ele, junto com Baynes e Cummins, exigiria ser colocado em terra, deixando os outros se virarem sozinhos no barco. A tripulação sabia que Bulkeley era indispensável — ninguém mais poderia traçar o curso da viagem de modo tão monomaníaco e lutar contra a natureza —, e sua ameaça teve um efeito moderador. "O povo prometeu ser governado e parece muito mais obediente", escreveu Bulkeley.[17] Para acalmar ainda mais os homens, ele liberou um pouco mais de farinha de seus estoques, observando que muitas pessoas comem o pó "cru assim que é servido".[18]

Não obstante, eles estavam morrendo. Entre as vítimas estava um garoto de dezesseis anos chamado George Bateman. "Essa pobre criatura morreu de fome, pereceu e morreu como um esqueleto", escreveu Bulkeley, e acrescentou: "Há vários outros na mesma situação miserável e que, sem um alívio rápido, devem sofrer o mesmo destino".[19]

Ele se esforçava para confortar os enfermos, mas o que eles mais queriam era alimento. Um garoto de doze anos implorou a um companheiro próximo por um pouco de farinha extra, dizendo que de outra forma não viveria para ver o Brasil, mas seu parceiro de viagem não ficou comovido. "Indivíduos que não passaram pelas dificuldades que encontramos", escreveu Bulkeley, "vão se perguntar como as pessoas podem ser tão desumanas ao ver seus semelhantes morrendo de fome diante de seus rostos e não lhes dar nenhum alívio. Mas a fome é destituída de toda compaixão." O sofrimento do garoto só terminou quando "o céu enviou a morte para seu alívio".[20]

Em 24 de novembro, o *Speedwell* entrou num labirinto misterioso de canais e lagoas. Baynes acusou Bulkeley de estar enganado sobre ter entrado no estreito. Eles haviam perdido duas semanas indo para o lado errado? Bulkeley respondeu que "se já existiu um lugar no mundo como o estreito de Magalhães, agora estamos nele".[21]

Mas diante da crescente dissidência, ele deu meia-volta com o barco e voltou por onde tinham vindo. Um fuzileiro começou a enlouquecer, rindo de maneira histérica, até cair em silêncio, morto. Outro homem morreu pouco depois, e depois outro. Seus corpos foram lançados ao mar.

O grupo sobrevivente levou quase duas semanas para refazer o percurso, apenas para perceber que estavam no estreito o tempo todo. Agora eles tinham que começar tudo de novo rumo ao leste.

Talvez Cheap estivesse certo — talvez devessem ter ido para o norte.

19. A assombração

Cheap não desistira do plano de se reunir ao comodoro Anson e à esquadra. Ele fez uma aliança com os últimos separatistas — o desespero também pode gerar união —, e a população, após uma morte, totalizava dezenove pessoas, entre elas Byron, Campbell, o tenente dos fuzileiros Hamilton e o cirurgião Elliot. Fazia dois meses que os outros haviam deixado a ilha, e Cheap e os homens que restavam estavam morando nos abrigos do posto avançado e procuravam algas e ocasionais aves marinhas para se alimentar.

Cheap, poupado do que Byron chamou de "pedidos desenfreados, ameaças e distúrbios de uma tripulação indisciplinada",[1] parecia renovado, engajado, vivo. "Ele se tornou muito dinâmico", observou Campbell, "ia a todos os lugares para conseguir lenha e água, fazia fogueiras e se mostrou um excelente cozinheiro."[2] Cheap e o resto dos homens, usando as habilidades que haviam adquirido ao reformar o escaler, conseguiram consertar a iole estilhaçada e reforçar a barcaça danificada. Enquanto isso, três barris de carne foram retirados do *Wager* afundado, e Cheap conseguiu conservar parte dela para a próxima viagem. "Comecei então a ter grandes esperanças", escreveu Cheap em seu relato.[3] Agora, tudo do que ele e os outros homens precisavam era que a tempestade diminuísse para que pudessem partir.

Em 15 de dezembro, Cheap acordou com um vislumbre de luz — era o sol que brilhava por entre as nuvens. Com Byron e alguns outros, subiu o monte Desgraça para ter uma visão mais clara do mar. Quando chegaram ao topo, ele pegou seu telescópio e examinou o horizonte. Ondas fortes podiam ser vistas à distância.

Mas os homens estavam impacientes para fugir da ilha. Muitos deles, assustados com sua infindável má sorte, estavam convencidos de que, como ninguém tinha enterrado o marinheiro que James Mitchell havia assassinado no monte Desgraça, seu espírito os perseguia. "Certa noite, ficamos alarmados com um grito estranho, que parecia ser de um homem se afogando", escreveu Byron.

> Muitos correram para fora das cabanas, indo em direção ao local de onde vinha o barulho, que não ficava longe da costa, e pudemos ver, mas não distintamente (pois só havia a luz do luar), algo que parecia um homem nadando com metade do corpo fora da água. O barulho que essa criatura fazia era tão diferente de qualquer animal que já tínhamos ouvido que impressionou bastante os homens; e, quando se sentiam aflitos, eles se lembravam com frequência da aparição.[4]

Os náufragos começaram a colocar seus poucos suprimentos na barcaça de sete metros e na iole de 5,5 metros. Ainda menores do que o cúter, essas embarcações eram abertas, com apenas tábuas cruzadas como assentos. Cada uma tinha um único mastro curto que possibilitava a navegação, mas vinha dos remos a maior parte da força. Cheap se enfiou na barcaça, junto com

Byron e outros oito. Em meio ao emaranhado de corpos, cabos, velas e barris de comida e água, cada um mal tinha trinta centímetros de espaço. Campbell, Hamilton e seis outros estavam igualmente espremidos na iole, com os cotovelos e os joelhos esbarrando nos da pessoa ao lado.

Cheap olhou para o posto avançado, seu lar nos últimos sete meses. Tudo o que restava eram alguns abrigos dispersos e castigados pelo vento, provas de que lá havia ocorrido uma luta de vida ou morte da qual os vestígios seriam varridos pelo clima.

Ele estava ansioso para partir; em suas palavras, o anseio enchia "todo o meu coração".[5] Ao seu sinal, Byron e o resto dos homens deixaram a ilha Wager, iniciando sua longa e assustadora jornada para o norte.

Eles teriam que navegar quase 160 quilômetros pelo golfo da Dor, depois avançar mais quatrocentos quilômetros ao longo da costa chilena no Pacífico, até a ilha de Chiloé.

Depois de apenas uma hora, as chuvas começaram a cair e os ventos, vindos do oeste, sopraram fortes e frios. Avalanches de ondas soterraram os barcos, e Cheap instruiu Byron e os outros a impedir o dilúvio formando uma parede humana, de costas para o mar. As águas continuaram vindo, inundando os cascos. Era impossível os homens tirarem a água rápido o suficiente com seus chapéus e mãos, e Cheap sabia que, se não aliviassem os barcos já sobrecarregados, afundariam pela segunda vez na ilha Wager. E assim os homens foram forçados a fazer o impensável: jogar ao mar quase todos os suprimentos, inclusive os preciosos barris de comida. Famintos, eles viram seus últimos alimentos serem engolidos pelo mar voraz.

Ao cair da noite, Cheap e o grupo chegaram a uma enseada. Eles desembarcaram e escalaram o terreno montanhoso, esperando descobrir um local coberto para dormir, mas acabaram indo parar num leito aberto de rochas, onde a chuva caía. Eles sonharam com seus abrigos na ilha Wager. "Aqui não temos outra casa senão o vasto mundo", escreveu Campbell. "Esfriou tanto que pela manhã vários de nós estavam quase mortos."[6]

Cheap sabia que tinham de continuar em movimento e apressou todos a voltar para os barcos. Eles remavam hora após hora, dia após dia, parando por vezes para descolar algas marinhas das rochas submersas e se alimentar do que chamavam de "emaranhado marinho". Quando os ventos mudaram para o sul, navegaram a favor do vento, com as lonas costuradas estendidas e os cascos cavalgando as ondas.

Nove dias depois de deixar a ilha Wager, eles haviam avançado quase 160 quilômetros para o norte. Agora, podiam ver a ponta de um cabo com três penhascos enormes se projetando no mar. Estavam quase no final do golfo; com certeza, haviam resistido à pior parte da jornada.

Pararam em terra para dormir e, ao acordar na manhã seguinte, perceberam que era 25 de dezembro. Celebraram, então, o Natal com um banquete de alga marinha e copos de água fresca do riacho — "o vinho de Adão", como eles o chamavam, porque era tudo o que Deus havia dado a Adão para beber. Cheap brindou à saúde do rei Jorge II, antes de arrumarem as coisas para partir.

Alguns dias depois, se aproximaram do cabo, o ponto mais crítico da rota. Os mares que convergiam ali fervilhavam com correntes avassaladoras e ondas colossais de picos espumantes, que Campbell chamou de o branco dos brancos. Cheap ordenou que os homens baixassem as velas antes de virar e começassem a remar com toda a força.

Cheap os encorajava. Depois de horas, chegaram ao primeiro dos três penhascos, mas logo foram empurrados para trás pelas ondas e correntes. Embora tentassem recuar para uma baía próxima, estavam tão cansados que não conseguiram chegar lá antes do anoitecer, então todos adormeceram nos barcos, deitados sobre os remos. Depois que o sol nasceu, eles passaram um tempo se recuperando na baía, até que Cheap ordenou que tentassem seguir para o cabo outra vez. Deviam remar por seu rei e seu país. Deviam remar por suas esposas, seus filhos e suas filhas, suas mães e seus pais, suas namoradas e uns pelos outros. Dessa vez, os náufragos alcançaram o segundo penhasco, mas foram arremessados para trás e forçados a recuar mais uma vez para a baía.

Na manhã seguinte, as condições estavam tão severas que Cheap sabia que nenhum deles ousaria tentar contornar o cabo e, então, desembarcaram para buscar comida. Eles precisariam de força. Um dos náufragos encontrou uma foca, ergueu seu mosquete e a matou. Os homens cozinharam o animal numa fogueira, arrancando e mastigando pedaços de gordura. Nada foi desperdiçado. Byron até fez sapatos com nacos de pele, envolvendo-os em seus pés quase congelados. Os barcos ficaram ancorados perto da costa, e Cheap designou dois homens para vigiar cada embarcação durante a noite. Coube a Byron ir para a barcaça. Mas ele e os outros, renovados com a comida, adormeceram com a expectativa de, no dia seguinte, talvez contornar o cabo.

Alguma coisa batia contra a barcaça. "Fui [...] despertado pelo movimento incomum do barco e pelo rugido das ondas que quebravam ao redor", escreveu Byron. "Ao mesmo tempo, ouvi um grito agudo."[7] Era como se o fantasma de ilha Wager tivesse reaparecido. A gritaria vinha da iole, ancorada a alguns metros de distância, e Byron se virou bem a tempo de vê-la ser atingida por uma onda com os dois homens a bordo. Depois, ela afundou. Um foi lançado na praia pelas ondas, mas o outro se afogou.

Byron esperava que seu barco também virasse a qualquer momento. Com seu companheiro, levantou a âncora e remou com a proa da barcaça apontada para as ondas, tentando evitar ser atingido de lado e esperando que a tempestade passasse. "Ali ficamos o dia seguinte inteiro, num mar enorme, sem saber qual seria o nosso destino", escreveu ele.[8]

Depois de desembarcarem, eles se reuniram com Cheap e os outros sobreviventes. O grupo somava agora dezoito homens e, sem a iole, não era mais possível transportar todo mundo. Com dificuldade, daria para acomodar mais três homens na barcaça, mas quatro membros do grupo teriam de ficar para trás — ou todos morreriam.

Quatro fuzileiros navais foram selecionados. Como eram soldados, não tinham habilidades de navegação. "Os fuzileiros navais foram escolhidos pois não prestavam nenhum serviço a bordo",[9] confessou Campbell, observando: "Foi uma coisa melancólica, mas a necessidade nos compeliu".[10] Ele registrou os sobrenomes dos fuzileiros: Smith, Hobbs, Hertford e Crosslet.

Cheap deu a eles alguns armamentos e uma frigideira. "Nossos corações se derreteram de compaixão por eles", escreveu Campbell. Enquanto a barcaça se afastava, os quatro fuzileiros navais pararam na praia, deram três vivas e gritaram: "Deus abençoe o rei!".

Seis semanas depois de terem abandonado a ilha Wager, Cheap e seu grupo alcançaram o cabo pela terceira vez. Os mares estavam mais agitados do que nunca, mas ele acenou para que os homens seguissem em frente, e eles passaram por dois dos penhascos. Restava o último. Estavam quase lá. Mas a tripulação desabou, exausta e derrotada. "Percebendo agora que era impossível para qualquer barco dar a volta, os homens continuaram remando até que o barco estivesse muito perto da arrebentação", escreveu Byron. "Achei que queriam acabar com suas vidas e seu sofrimento de uma vez." Por um tempo, ninguém se moveu ou falou nada. Estavam quase na arrebentação, o rugido das ondas era ensurdecedor. "Por fim, o capitão Cheap disse a eles que deveriam morrer naquela hora ou remar com força."[11]

Os homens pegaram os remos, esforçando-se apenas o suficiente para evitar as rochas e virar o barco. "Agora estávamos resignados com nosso destino",[12] escreveu Byron, desistindo "de qualquer outra tentativa de superar o cabo."[13]

Muitos homens atribuíram o fracasso ao fato de não terem enterrado o marinheiro na ilha Wager. Os náufragos voltaram para a baía, na esperança de pelo menos encontrar os fuzileiros navais. Resolveram que dariam um jeito de espremê-los a bordo. Como Campbell escreveu: "Pensamos que, se o barco afundasse, estaríamos livres da vida miserável que levávamos e morreríamos todos juntos".[14]

No entanto, exceto por um mosquete caído na praia, não havia vestígio deles. Sem dúvida, haviam perecido, mas onde estavam seus corpos? Os náufragos procuraram homenagear de algum modo os quatro homens. "Chamamos o local de baía dos Fuzileiros Navais", escreveu Byron.[15]

Cheap queria fazer uma última tentativa de contornar o cabo. Eles estavam tão perto e, se conseguissem, tinha certeza de que seu plano daria certo. Mas os homens não aguentavam mais suas obsessões e decidiram retornar ao lugar de onde vinham tentando escapar: a ilha Wager. "Já tínhamos perdido todas as esperanças de rever nosso país natal", escreveu Campbell, e eles preferiam passar seus últimos dias na ilha, que se tornara "uma espécie de lar".[16]

Cheap concordou com relutância. Levaram quase duas semanas para retornar à ilha e, àquela altura, toda a incursão desastrosa durara dois meses. Haviam esgotado toda a comida da viagem; Byron comera até a pele de foca rançosa e malcheirosa que cobria seus pés. Ele ouviu alguns náufragos sussurrando sobre tirar a sorte e "consignar um homem à morte para o sustento dos demais".[17] Isso era diferente de quando alguns haviam comido cadáveres. Tratava-se de matar um companheiro para conseguir comida, um ritual sinistro que depois seria imaginado pelo poeta Lord Byron:

Os papéis foram feitos, e marcados, e misturados, e entregues,
Em horror silencioso, e sua distribuição
Acalentou até a fome selvagem que exigia,
Como o abutre de Prometeu, essa poluição.[18]

Mas afinal os náufragos não foram tão longe. Em vez disso, subiram cambaleando o monte Desgraça e encontraram o corpo em decomposição de seu companheiro — o homem cujo espírito, eles acreditavam, os assombrava. Então cavaram um buraco e o enterraram. Depois voltaram para o posto avançado e se amontoaram, ouvindo o silêncio do mar.

20. O dia da nossa salvação

Bulkeley e os outros 58 náufragos do *Speedwell* estavam de volta à rota, flutuando devagar pelo estreito de Magalhães em direção ao Atlântico. O barco, danificado e enchendo de água, não conseguia navegar contra o vento, e Bulkeley lutava para manter o curso. "É suficiente para desanimar qualquer homem pensante ver que o barco não virará para barlavento", escreveu ele, acrescentando que a embarcação continuava "flutuando tão pungente no mar".[1]

Bulkeley também atuava como navegador-chefe e, sem um mapa detalhado da região, tinha de juntar as pistas da paisagem com o relato de Narborough e combiná-las às suas próprias observações. À noite, tonto e extenuado, lia as estrelas para fixar a latitude do navio; durante o dia, calculava sua longitude por meio da navegação estimada. Comparava então essas coordenadas com as citadas por Narborough — outra peça do quebra-cabeça. Uma anotação típica de seu diário dizia: "Às oito, vi duas saliências de rochas, estendendo-se por duas léguas de um ponto de terra que parece um antigo castelo".[2]

À medida que ele e seus homens avançavam pelo estreito, às vezes navegando, às vezes remando, flutuavam por entre colinas arborizadas e geleiras azuis, com os Andes aparecendo ao longe com sua capa de neve imortal. Como Charles Darwin escreveu mais tarde, era um litoral que fazia um "terrestre sonhar por uma semana com naufrágios, perigos e morte".[3] Os náufragos passaram por um penhasco onde avistaram dois indígenas com gorros de penas brancas deitados de bruços e olhando para eles antes de desaparecer. Passaram pelo cabo Froward, cujo nome pode ser traduzido como "intratável", o ponto mais austral do continente sul-americano, onde os dois braços do estreito — um que se estende para o Pacífico, outro que segue para o Atlântico — se unem.

Nesse cruzamento, a passagem fazia uma curva acentuada para nordeste. Depois de seguir essa trajetória por mais de trinta quilômetros, Bulkeley e seus homens chegaram ao porto da Fome, onde havia ocorrido outro exemplo de arrogância imperial. Em 1584, os espanhóis, determinados a controlar o acesso ao estreito, tentaram estabelecer ali uma colônia com cerca de trezentas pessoas, entre soldados, padres franciscanos, mulheres e crianças. Mas, durante o inverno gelado, eles começaram a ficar sem comida. Quando outra expedição chegou, quase três anos depois, muitos colonos haviam morrido "como cães" e toda a aldeia estava "contaminada com o cheiro e o sabor dos mortos", de acordo com uma testemunha.[4]

Quando Bulkeley e seu grupo passaram pelas ruínas do porto da Fome, em 7 de dezembro de 1741, fazia quase dois meses que haviam partido da ilha Wager. Sem mais comida e água potável, eles também logo morreriam.

Dois dias depois, avistaram um rebanho de guanacos na margem florestada. Bulkeley, com os olhos de um predador, disse que o animal — um primo selvagem da lhama — era "tão grande quanto qualquer cervo inglês, com pescoço comprido; cabeça, boca e orelhas parecidas com as de uma ovelha".[5] O animal, acrescentou, "tem pernas muito longas e delgadas e pés fendidos como um cervo, com uma cauda curta e espessa, de cor avermelhada". Embora tenha notado que esses animais eram extremamente "ágeis, de visão rápida e requintada, muito tímidos e difíceis de abater", ele tentou levar o *Speedwell* perto o suficiente da costa para que alguns homens armados desembarcassem. Mas os ventos que sopravam das montanhas o forçaram a desistir. O rebanho sumiu, e os homens seguiram em frente.

Como Narborough havia descrito, o canal começou a se estreitar. Bulkeley percebeu que haviam entrado no que era conhecido como o Primeiro Estreito. Em sua parte mais larga, o estreito se estendia por mais de trinta quilômetros, mas ali havia se reduzido a apenas três quilômetros. A navegação pelo ponto mais afunilado da passagem era traiçoeira. A maré subia e descia cerca de doze metros, e muitas vezes havia ventos contrários e correntes de oito nós. Era noite quando os náufragos começaram a navegar pela canaleta de quinze quilômetros de comprimento, se esforçando para enxergar no escuro. Durante horas, manobraram entre as margens encobertas, tentando evitar baixios e reduzindo a constante deriva do barco para sotavento, até que, ao amanhecer, emergiram da canaleta.

Em 11 de dezembro, enquanto remavam, Bulkeley notou um rochedo à distância com vários penhascos brancos majestosos. Ele sentiu um arrepio ao reconhecê-lo. Era o cabo das Onze Mil Virgens, por onde ele havia passado com a esquadra de Anson quase um ano antes, a caminho do cabo Horn. Bulkeley e seu grupo haviam chegado à foz oriental do estreito e estavam sendo arrastados para o Atlântico. Não só haviam conseguido atravessar a passagem de 570 quilômetros em seu barco improvisado; haviam também, graças a um notável feito de navegação de Bulkeley, levado, mesmo com a falsa partida inicial, apenas 31 dias — uma semana mais rápido que Fernão de Magalhães e sua armada.

Contudo, o porto de Rio Grande, o povoado brasileiro mais próximo, ficava a mais de 2500 quilômetros ao norte, e para chegar lá eles precisariam atravessar um litoral (hoje parte da Argentina) sob controle espanhol, o que significava que teriam de enfrentar o perigo adicional de serem capturados. Além disso, exceto por um pouco de farinha crua, estavam sem comida.

Os homens decidiram que não tinham escolha a não ser arriscar desembarcar um grupo de caça e seguiram para uma baía onde Narborough relatara ter visto uma pequena ilha com focas. Em 16 de dezembro, navegaram para a baía conhecida como Porto Desejado. Bulkeley observou na praia uma "rocha pontiaguda, muito parecida com uma torre, como se fosse uma obra de arte montada para ser um marco".[6] Sem ver nenhum sinal de habitantes espanhóis, ele guiou o grupo para o fundo do porto. Logo encontraram a pequena ilha: descansando sobre ela, como se não tivessem se movido desde os dias de Narborough, havia numerosas focas. Bulkeley conseguiu ancorar perto o suficiente da costa para que ele e o resto dos homens, inclusive os que não sabiam nadar, pudessem desembarcar armados, entrando na água até o pescoço. Assim que pisaram na ilha, começaram a matar as focas de forma delirante. Defumaram a carne no fogo e devoraram suas porções — "o povo comendo com avidez", como disse Bulkeley.[7]

Em pouco tempo, muitos desmaiaram, doentes. É muito provável que estivessem sofrendo do que hoje é conhecido como síndrome da realimentação, na qual uma pessoa faminta, após ingerir de repente grandes quantidades de comida, pode entrar em choque e até morrer. (Mais tarde, os cientistas notaram essa síndrome em prisioneiros libertados de campos de concentração após a Segunda Guerra Mundial.) O comissário de bordo Thomas Harvey morreu depois de comer o animal, e pelo menos um outro náufrago pereceu logo após provar o que pensava ser sua salvação.

Os sobreviventes continuaram seguindo a costa em direção ao norte. Não muito tempo depois, seus estoques de foca começaram a acabar. Bulkeley não conseguiu impedir que muitos brigassem pelos últimos pedaços. Logo, toda a comida acabou. "Continuar sem comer ou beber é morte certa", escreveu Bulkeley.[8]

Mais uma vez, tentaram formar um grupo de caça. Mas agora o mar estava tão agitado que tiveram de ancorar longe da costa. Precisariam atravessar a rebentação a nado para chegar à terra. A maioria dos náufragos, incapazes de nadar e paralisados de exaustão, não se mexeu. Bulkeley, que também não sabia nadar, foi obrigado a assumir o comando. Mas o contramestre King, o carpinteiro Cummins e outro homem — movidos ou pela coragem, ou pelo desespero, ou talvez por ambos — pularam na água. Animados com o exemplo, onze outros, inclusive John Duck, o marinheiro negro livre, e o guarda-marinha Isaac Morris, os seguiram. Um fuzileiro naval se cansou e começou a se debater. Morris tentou alcançá-lo, mas o homem se afogou a seis metros da praia.

Os outros tombaram na areia, e Bulkeley jogou ao mar quatro barris vazios, que as ondas levaram até a praia. O objetivo era enchê-los de água fresca. Bulkeley amarrou neles várias armas, e alguns homens as pegaram e começaram a caçar. Eles descobriram um cavalo marcado com as letras AR. Os espanhóis deviam estar por perto. Os náufragos, cada vez mais ansiosos, abateram o cavalo e algumas focas e depois grelharam a carne. Cummins, King e quatro outros nadaram de volta ao barco, levando comida e água fresca. Mas uma tempestade levou o *Speedwell* para longe da costa, e oito homens, entre eles Duck e Morris, ficaram presos em terra. "Ainda vemos as pessoas, mas não conseguimos tirá-las de lá", escreveu Bulkeley.[9]

Naquela noite, enquanto o barco batia nas ondas, parte do leme se quebrou, tornando ainda mais difícil manobrar a embarcação. Bulkeley discutiu com Baynes, Cummins e os outros sobre o que deveriam fazer. Eles resumiram sua decisão em outro documento assinado. Datado a bordo do *Speedwell* — "na costa da América do Sul, na latitude de 37:25 S. longitude do meridiano de Londres, 65:00 O. neste dia 14 de janeiro" —, declarava que, depois de o leme quebrar, eles "esperavam que a embarcação afundasse", e era "a opinião de todos os homens que devemos nos lançar ao mar ou perecer".[10] Eles colocaram algumas armas e munições, bem como uma carta explicando a decisão, num barril e o jogaram ao mar, deixando que as ondas o levassem para a praia. Esperaram até que Duck, Morris e os outros seis o recebessem. Ao ler a carta, eles se ajoelharam e observaram o *Speedwell* se afastar.

Deus estava vendo o que eles faziam ali? Bulkeley ainda buscava consolo no *The Christian's Pattern*, mas um trecho do livro advertia: "Se tivesses a consciência limpa, não poderias temer a morte. Seria melhor evitar o pecado do que fugir da morte".[11] No entanto, era pecado querer viver?

O leme quebrado fez o barco vaguear, como se quisesse seguir um caminho enigmático próprio. Em poucos dias, os homens estavam sem comida e quase sem água. Poucos se mexiam. Bulkeley observou:

> Não há mais de quinze de nós saudáveis (se é que se pode chamar de saudáveis pessoas que mal conseguem engatinhar). No momento, sou considerado um dos mais fortes do barco, mas mal me mantenho de pé por dez minutos seguidos. Nós que estamos num estado de saúde melhor fazemos tudo o que podemos para encorajar o resto.[12]

O tenente Baynes, que estava doente, escreveu sobre "nossos pobres companheiros morrendo todos os dias, olhando-me com seus semblantes medonhos para ajudá-los, o que não estava em meu poder".[13] Em 23 de janeiro, o mestre Thomas Clark, que havia protegido com tanta devoção o filho, morreu, e no dia seguinte o menino também se foi. Dois dias depois, o cozinheiro Thomas Maclean — o homem mais velho da viagem, que havia suportado furacões, escorbuto e naufrágios — deu seu último suspiro. Tinha 82 anos.

Bulkeley ainda rabiscava em seu diário. Se escrevia pensando no futuro, então tinha de acreditar que, de algum modo, seu diário um dia voltaria à terra. Mas sua mente estava se apagando. Uma vez, pensou ter visto borboletas nevando do céu.

Em 28 de janeiro de 1742, um vento empurrou o barco em direção à costa, e Bulkeley percebeu um quadro de formas estranhas. Seria outra miragem? Ele olhou de novo. Ele tinha certeza de que as formas eram estruturas de madeira — casas — e estavam à beira de um grande rio. Tinha de ser o porto de Rio Grande, na fronteira sul do Brasil. Bulkeley chamou os outros tripulantes, e os que ainda estavam conscientes agarraram os cabos e tentaram fazer funcionar o que restava das velas. Após terem percorrido quase 5 mil quilômetros em três meses e meio, os náufragos haviam alcançado a segurança do Brasil.

Quando o *Speedwell* entrou no porto, reuniu uma multidão de habitantes da cidade. Eles ficaram boquiabertos diante da embarcação danificada e alagada, com velas desbotadas pelo sol e esfarrapadas. Então viram as formas humanas quase irreconhecíveis espalhadas pelo convés e empilhadas umas sobre as outras no porão — figuras seminuas com ossos protuberantes, a pele descascada pelo sol, como se tivessem saído de um fogo escaldante. Jubas de cabelo salgado caíam sobre seus queixos e costas. Bulkeley havia escrito em seu diário: "Acredito que nenhum mortal experimentou mais dificuldades e sofrimentos do que nós".[14]

Muitos não conseguiam se mover, mas Bulkeley cambaleou e ficou de pé. Quando explicou que eram remanescentes da tripulação do HMS *Wager*, que havia afundado oito meses antes na costa chilena, os curiosos ficaram ainda mais espantados. "Eles ficaram surpresos que trinta almas, o número de pessoas vivas agora, pudessem ser alojadas numa embarcação tão pequena", escreveu Bulkeley. "Mas que ela pudesse conter o número de pessoas que primeiro embarcaram conosco foi para eles inacreditável e inimaginável."[15]

O governador da cidade veio ao encontro deles e, depois de saber de suas experiências angustiantes, benzeu-se e chamou a chegada deles de milagre. Ele lhes prometeu tudo o que seu país tinha a oferecer. Os doentes foram levados para um hospital, onde o ajudante de carpinteiro William Oram, que ajudara a construir o *Speedwell* e completara toda a odisseia, logo depois morreu. O grupo, que partira da ilha Wager com 81 homens, estava reduzido a 29 almas.

Para Bulkeley, o fato de um único deles ter sobrevivido era uma prova da existência de Deus, e ele acreditava que qualquer pessoa que ainda pudesse duvidar dessa verdade "merece com justiça a ira de uma divindade enfurecida".[16] Em seu diário, anotou que a ocasião de sua chegada ao Brasil deveria ser conhecida como "o dia de nossa salvação e deveria ser assim lembrada".[17]

Ele e alguns homens foram abrigados numa casa quente e confortável para se recuperar e ganharam pratos com pão fresco e pedaços de carne grelhada. "Estamos muito felizes", escreveu Bulkeley.[18]

Pessoas de todo o Brasil começaram a viajar para homenagear aquele bando de marinheiros, comandados por um artilheiro, que havia feito uma das mais longas viagens de náufragos.

O *Speedwell* foi rebocado para a terra e se tornou objeto de peregrinação — "essa maravilha", como disse Bulkeley, que "as pessoas estão continuamente vindo ver".[19]

Bulkeley soube que a Guerra da Orelha de Jenkins ainda estava em andamento e enviou uma carta a um oficial da Marinha britânica no Rio de Janeiro para informá-lo da chegada de seu grupo. E mencionou outra coisa: que o capitão Cheap, "a seu próprio pedido, ficou para trás".[20]

PARTE V

JULGAMENTO

21. Uma rebelião literária

Certa noite, ainda no Brasil, John Bulkeley saiu com um companheiro para passear pelo campo, saboreando sua liberdade recém-adquirida. Ao voltar para a casa onde estavam hospedados, perceberam que as fechaduras das portas haviam sido arrombadas. Os dois entraram com cuidado. Objetos estavam espalhados pelo quarto do artilheiro, como se alguém tivesse vasculhado o local.

Bulkeley ouviu um barulho e se virou a tempo de ver dois intrusos saltarem na sua direção. Um o atacou, e ele o golpeou de volta. Depois de uma luta violenta, os assaltantes fugiram para a escuridão. Bulkeley reconheceu um deles. Era um companheiro náufrago, conhecido por cumprir ordens de John King, o contramestre que durante o motim na ilha Wager deu um soco no rosto do capitão Cheap. Estava claro que os invasores haviam revistado os aposentos de Bulkeley. Mas o que poderiam querer de um artilheiro que agora não tinha nada?

Bulkeley ficou tão preocupado que se mudou com seus companheiros mais próximos para outra hospedaria, numa vila de pescadores. "Aqui achamos que estamos seguros e protegidos", observou ele.[1]

Algumas noites depois, um bando de homens bateu à porta. Bulkeley se recusou a abrir, declarando que era "uma hora imprópria da noite".[2] Mas eles continuaram a golpear e ameaçaram invadir. Bulkeley e seu grupo procuraram armas pela hospedaria, mas não encontraram nada com o que se defender. Então, fugiram pelos fundos, escalando uma parede.

Um membro do bando contou a Bulkeley o que procuravam: seu diário. O artilheiro era a única pessoa que mantivera um relato dos eventos ocorridos na ilha Wager, e aparentemente King e alguns de seus aliados temiam o que o registro poderia revelar sobre seus papéis na derrubada do capitão Cheap. A vida dos ex-náufragos estava mais uma vez em risco, só que agora o perigo não vinha da natureza, mas das histórias que eles contariam ao Almirantado. Ainda não havia notícias de Cheap e seu grupo, e parecia improvável que aparecessem para contar seu lado. Mas e se o fizessem? Mesmo que nunca voltassem, alguém do grupo de Bulkeley poderia fazer um relato conflitante, que implicasse seus compatriotas e poupasse a si mesmo.

Enquanto a sensação de paranoia crescia, Bulkeley escreveu que tinha ouvido King jurar que iria "nos obrigar a entregar o diário ou então tirar nossas vidas".[3] Uma autoridade no Brasil comentou como era estranho que "pessoas que passaram por tantas provações e dificuldades não pudessem concordar de maneira amistosa".[4] As forças desencadeadas na ilha Wager eram como os horrores da caixa de Pandora: uma vez liberadas, não podiam ser contidas.

O tenente Baynes estava particularmente preocupado por ser o oficial mais graduado do grupo. Bulkeley soube que ele sussurrava para autoridades do Brasil que qualquer culpa pelo que havia acontecido ao capitão Cheap era de Bulkeley e Cummins.

Em resposta, o artilheiro fez o que sempre fazia: pegou sua pena e rabiscou um bilhete. Em uma mensagem entregue a Baynes, acusou-o de espalhar acusações falsas e vis e observou que, depois que voltassem para a Inglaterra, cada um teria que "prestar conta de suas ações, e a justiça seria feita".[5]

Em março de 1742, Baynes fugiu num barco para a Inglaterra. Ele queria chegar antes dos outros e registrar sua história primeiro. Bulkeley e Cummins só conseguiram passagem em outro navio meses depois e, quando pararam em Portugal no caminho, foram informados por vários mercadores ingleses que Baynes já havia feito acusações sérias contra eles. "Fomos aconselhados por alguns de nossos amigos a não retornar ao nosso país, para que não sofrêssemos a morte por motim", escreveu Bulkeley.[6]

Ele disse aos mercadores que Baynes era uma fonte não confiável, que nunca havia mantido um diário na ilha, o que era revelador. Então, o artilheiro mostrou, como uma Escritura Sagrada, seu próprio diário volumoso. Bulkeley afirmou que, quando os comerciantes olharam o documento, " descobriram que, se havia algum motim no caso, a própria pessoa que nos acusava era o líder".[7]

Bulkeley e Cummins continuaram sua viagem de volta para casa. Bulkeley ainda escrevia de modo compulsivo em seu diário. "Estávamos confiantes em nossa própria inocência e determinados a ver nosso país de qualquer maneira", escreveu ele.[8]

Em 1º de janeiro de 1743, o navio deles ancorou em Portsmouth. À distância, puderam observar suas casas. Bulkeley não via a esposa e os cinco filhos havia mais de dois anos. "Não pensamos em nada além de desembarcar e ir de imediato para nossas famílias", escreveu Bulkeley.[9] Mas a Marinha os impediu de deixar o navio.

Baynes havia feito uma declaração por escrito ao Almirantado na qual alegava que Cheap havia sido derrubado por um bando de amotinados liderados por Bulkeley e Cummins, que amarraram o capitão e o abandonaram na ilha Wager. O Almirantado ordenou que os dois homens fossem detidos e aguardassem a corte marcial. Agora, eram cativos em seu próprio país.

Bulkeley chamou o relato de "narrativa imperfeita",[10] argumentando que uma história tirada da memória, como Baynes admitiu que era, tinha menos valor probatório do que uma escrita contemporânea aos eventos. E, quando Bulkeley foi solicitado a fornecer sua própria declaração ao Almirantado, ele decidiu oferecer todo o diário, o qual, observou, arriscara a vida para resguardar. Embora fosse escrito na primeira pessoa, ele acrescentou Cummins como coautor, provavelmente para dar maior autoridade ao relato e proteger o melhor amigo da punição.

O diário expunha, do ponto de vista deles, os eventos que conduziram ao levante, incluindo alegações de que o capitão Cheap havia ficado mentalmente perturbado e tinha matado Cozens com um tiro na cabeça. "Se as coisas não fossem feitas com aquela ordem e regularidade observadas na Marinha, a necessidade nos afastaria do caminho comum", escreveu Bulkeley. "Nosso caso era singular: desde a perda do navio, nossa maior preocupação era a preservação de nossas vidas e liberdades." No final, não tiveram escolha a não ser agir "de acordo com os ditames da natureza".[11]

Quando Bulkeley apresentou o diário, também entregou os documentos legais de apoio que haviam sido redigidos na ilha — nos quais era visível que o próprio Baynes havia colocado sua assinatura. Parece que o Almirantado ficou perplexo com os materiais, e o diário em que repousava o destino daqueles homens permaneceu por algum tempo no escritório. Por fim, escreveu Bulkeley, o escritório lhe devolveu o diário com uma ordem: "Fazer um resumo por meio de narrativa que não seja tediosa demais para a leitura de suas senhorias".[12]

Bulkeley e Cummins de imediato resumiram o relato, entregando-o com uma nota que dizia: "Cumprimos de maneira estrita o desejo do desafortunado capitão Cheap, cuja última ordem foi fazer uma narrativa fiel a vossas senhorias".[13]

Membros do Almirantado ficaram confusos com as versões concorrentes e decidiram adiar a investigação pelo menos até que Cheap pudesse ser oficialmente declarado morto. Bulkeley e Cummins, por sua vez, foram libertados após duas semanas de confinamento. "Nossas famílias nos davam por perdidos havia muito tempo", escreveu Bulkeley, e eles "nos viam como filhos, maridos e pais restituídos a eles de maneira milagrosa."[14]

No entanto, até que o caso judicial fosse resolvido, Bulkeley e seu grupo permaneceram numa espécie de purgatório. Foi-lhes negado o pagamento da expedição e estavam impedidos de voltar a ser empregados a serviço de sua majestade. "Depois de sobreviver à perda do navio e lutar contra a fome e inúmeras dificuldades, o que restou de nós é devolvido ao nosso país natal", escreveu Bulkeley. "Mas, mesmo aqui, continuamos infelizes, desempregados, quase sem apoio."[15]

O artilheiro, desesperado por dinheiro, recebeu uma oferta para trazer um navio mercante de Plymouth a Londres. Ele enviou uma carta ao Almirantado implorando para ser autorizado a viajar por motivo de trabalho. Ele escreveu que, embora achasse que era seu dever aceitar, não o faria sem aprovação — "para que vossas senhorias não imaginassem que fugi da justiça". E acrescentou: "Estou disposto e desejoso de obedecer ao mais rigoroso julgamento de minha conduta em relação ao capitão Cheap e espero viver para vê-lo face a face, mas, enquanto isso, espero não ser deixado em terra para perecer".[16] O Almirantado lhe concedeu a permissão, mas ele continuou pobre. Bulkeley vivia com o medo constante de que a qualquer momento ele e os outros náufragos sobreviventes pudessem ser julgados e condenados à morte.

Quando náufrago, Bulkeley parou de esperar que outros no

poder mostrassem liderança. E assim, meses após retornar à sua ilha natal, decidiu iniciar outro tipo de rebelião, dessa vez literária. Começou a planejar publicar o seu diário. Ele moldaria a percepção do público e, como fizera na ilha, conquistaria o apoio das pessoas.

Prevendo que considerariam a publicação um escândalo — era comum que oficiais superiores divulgassem as narrativas de suas viagens, mas não um mero artilheiro —, ele escreveu um prefácio para se antecipar às críticas. Entre outras coisas, argumentou que seria injusto presumir que ele e Cummins, devido à posição social deles, não pudessem ter produzido uma obra tão precisa. "Não nos preparamos para ser naturalistas e homens de grande aprendizado", escreveu Bulkeley.[17] Mas observou:

> Pessoas não especialmente bem-dotadas de entendimento são capazes de colocar no papel notas diárias sobre assuntos dignos de observação, em especial sobre fatos nos quais elas próprias tiveram uma participação tão grande. Nós apenas relatamos coisas que não poderiam escapar de nosso conhecimento, e o que sabemos ser de fato verdade.

E rejeitou a possível crítica de que ele e Cummins não tinham o direito de divulgar os segredos do que havia acontecido com eles e a tripulação:

> Isso nos foi sugerido, como se a publicação deste diário ofendesse algumas pessoas distintas. Não podemos conceber como quaisquer transações relacionadas ao *Wager*, embora tornadas tão públicas, possam ofender algum grande homem. Pode ser ofensa contar ao mundo que naufragamos no *Wager*, quando todos já sabem disso? [...] Também não sabem que viajamos ao exterior com

a esperança de adquirir grandes riquezas, mas voltamos para casa tão pobres quanto mendigos?

E continuou:

> Quando as pessoas superam grandes dificuldades é um prazer para elas relatar sua história; e se nos dermos essa satisfação, quem tem motivo para se ofender? Devemos nós, que enfrentamos a morte de tantas formas, ser intimidados, com medo de ofender a sabe Deus quem?[18]

Bulkeley adotou um tom apelativo parecido ao defender a conduta dele e de Cummins na ilha. Escreveu que muitos os condenaram por serem "ocupados e ativos demais para as pessoas em nossas funções",[19] mas foi apenas graças a suas ações que alguém conseguiu voltar para a Inglaterra. Ele defendeu que, depois de ler o diário, as pessoas seriam capazes de julgar por si mesmas se ele e Cummins mereciam alguma punição: "O fato de termos confinado o capitão é considerado uma ação audaciosa e sem precedentes, e não o termos trazido para casa conosco é considerado pior; mas o leitor descobrirá que a necessidade nos compeliu por completo a agir desse modo".[20]

Bulkeley reconhecia que os autores de narrativas marítimas gostavam de realçar a própria reputação fabricando histórias maravilhosas. Mas ressaltava que ele e Cummins haviam "tomado o cuidado de se desviar disso, respeitando de maneira estrita a verdade".[21]

O relato foi marcante nas letras inglesas. Embora dificilmente fosse uma obra de literatura, o diário trazia mais detalhes narrativos e pessoais do que um diário de bordo tradicional, e a história era contada numa voz nova e revigorante — a de um marinheiro duro e inflexível. Em contraste com a prosa muitas vezes floreada e complicada da época, era escrito num estilo direto que refletia a personalidade de Bulkeley e era, em muitos aspectos, moderno. O artilheiro declarou que o diário tinha "um estilo marítimo simples".[22]

Quando Bulkeley e Cummins estavam prontos para vender o manuscrito, a maioria dos membros de seu grupo havia retornado à Inglaterra, e havia uma intensa demanda pública por qualquer informação sobre o naufrágio e o suposto motim. Os dois receberam o que descreveram como uma quantia considerável de um livreiro de Londres para publicar o diário. O valor, que não foi divulgado, não acabaria com suas inseguranças financeiras; no entanto, para homens naquela situação terrível, representava um prêmio enorme. "O dinheiro é uma grande tentação para pessoas em nossas circunstâncias", reconheceu o artilheiro.[23]

Publicado seis meses após o retorno de Bulkeley e Cummins à Inglaterra, o livro se chamava apenas *A Voyage to the South-Seas, in the Years 1740-1* [Uma viagem aos mares do sul, nos anos 1740-1]. Mas tinha um subtítulo longo e tentador para atrair leitores:

> Uma narrativa fiel da perda do navio de sua majestade, o *Wager*, numa ilha desolada na latitude 47 sul, longitude 81:40 oeste; com os procedimentos e a conduta dos oficiais e da tripulação, e as dificuldades que enfrentaram na referida ilha pelo espaço de cinco meses; sua ousada tentativa em busca da liberdade, ao costear a parte sul da vasta região da Patagônia; partindo com mais de oitenta almas em seus barcos; a perda do cúter; sua passagem pelo estreito de Magalhães; um relato das [...] incríveis dificuldades pelas quais com frequência passaram por falta de comida de qualquer tipo.

O exemplar era vendido por três xelins e seis pence e foi serializado na *London Magazine*. Alguns membros do Almirantado e da aristocracia manifestaram indignação com o que consideraram um ataque em duas frentes de um artilheiro e um carpinteiro ao seu comandante: primeiro, eles haviam amarrado Cheap, e agora o contestavam por escrito. Um dos lordes comissários do Almirantado disse a Bulkeley: "Como você ousa tocar no caráter de um cavalheiro de maneira tão pública?".[24] Um oficial naval disse ao popular jornal semanal *Universal Spectator*:

> Da mesma forma, estamos prontos o suficiente para culpar a tripulação do *Wager* e defender o capitão. [...] Estamos até propensos a achar que se o capitão Cheap voltar para casa, ele removerá a censura que foi lançada sobre sua própria obstinação e a atribuirá à desobediência daqueles que estavam sob seu comando.[25]

Bulkeley reconheceu que seu ato desafiador de publicar o diário havia, em alguns setores, apenas alimentado pedidos por sua execução.

Mas o livro, elogiado mais tarde por um historiador por ter "um verdadeiro toque do mar em cada página",[26] teve uma segunda impressão e influenciou grande parte do público a ficar do lado de Bulkeley e seu grupo. O historiador observou que a "corajosa belicosidade" do livro parecia até ter conquistado "alguma admiração relutante da pequena nobreza de tranças douradas".

Bulkeley temia uma réplica por escrito que contradissesse sua história, mas não houve nenhuma. Ele não só publicara o primeiro rascunho da história, como também parecia que havia mudado o futuro. Ele e seus seguidores até podiam ser exilados da Marinha e continuar pobres, mas estavam vivos e livres.

Como Bulkeley aprendera em sua viagem, um alívio raras vezes dura, pois é inevitavelmente destruído por algum evento imprevisto. E não demorou muito para que começassem a aparecer na imprensa relatos entusiasmados de que o comodoro George Anson, o homem que havia liderado a expedição, estava abrindo caminho através do Pacífico.

22. A recompensa

Anson estava no tombadilho do *Centurion*, olhando para a vasta extensão de água na costa sudeste da China. Era abril de 1743 e fazia dois anos que ele perdera o *Wager* de vista. Ainda não sabia o que havia acontecido com o navio, apenas que tinha sumido. Quanto ao *Pearl* e ao *Severn*, ele sabia que seus oficiais haviam dado meia-volta com os navios cheios de escorbuto e castigados pela tempestade na região do cabo Horn — decisão que fizera com que o capitão do *Pearl* não se visse "sob outra luz senão a da desgraça".[1] O mestre-escola do *Centurion* e alguns outros às vezes murmuravam que esses oficiais haviam desertado de Anson, mas o próprio comodoro nunca os condenou: ele havia experimentado o "ódio cego de Horn" e parecia confiar que os oficiais haviam recuado para evitar serem destruídos por completo.[2]

Embora três outros navios da esquadra de Anson — o *Gloucester*, a chalupa *Trial* e o *Anna*, um pequeno cargueiro — tivessem de forma milagrosa contornado o Horn e se juntado a ele no ponto de encontro nas lendárias ilhas Juan Fernández, eles também estavam agora perdidos. O *Anna* havia sido devorado pelo clima difícil do trajeto e havia afundado de forma intencional após suas peças terem sido retiradas. Depois, a *Trial*, desprovida de homens e sem condições de navegar, foi abandonada. Por fim, o *Gloucester* começou a vazar tanto que Anson não teve escolha senão afundá-lo no mar.

Três quartos dos cerca de quatrocentos homens do *Gloucester* já haviam perecido e, depois que o restante foi transferido para o *Centurion* — a maioria tão doente que teve que ser içada em grades de madeira —, Anson incendiou o casco do navio para evitar que caísse nas mãos do inimigo. Ele observou enquanto seu mundo de madeira pegava fogo, produzindo o que o tenente Philip Saumarez chamou de "a cena mais melancólica que já observei desde que entrei na Marinha".[3] Lawrence Millechamp, o ex-comissário da *Trial*, que estava agora a bordo do *Centurion*, escreveu sobre o *Gloucester*: "Ele queimou a noite toda, compondo uma aparição grandiosa e horrível. Seus canhões, todos carregados, disparavam com tanta regularidade [...] que soavam como canhões de luto".[4] No dia seguinte, quando as chamas atingiram a sala de pólvora, o casco explodiu: "Assim acabou o *Gloucester*, um navio que refletia de forma justa a beleza da Marinha inglesa".

Apesar dessas calamidades, Anson estava determinado a manter pelo menos parte da expedição à tona e cumprir suas ordens de circum-navegar o globo no único navio que restava. Antes de cruzar o Pacífico, ele tentara enfraquecer os espanhóis capturando alguns de seus navios mercantes e invadindo uma pequena cidade colonial no Peru. Mas essas vitórias tiveram um significado militar restrito e, enquanto eles seguiam para a Ásia, a tripulação sofreu mais um surto de escorbuto, causando dessa vez ainda mais sofrimento, porque os homens sabiam o que estava por vir (a dor, o inchaço, a queda dos dentes, a loucura), e porque muitos morreram. Um oficial escreveu que os corpos cheiravam "como ovelhas podres" e relembrou que "jogava ao mar seis, oito, dez ou doze em um dia".[5] Anson, angustiado com a morte e o fracasso de sua missão, confessou: "Eu sentiria muita dor ao retornar ao meu país, depois de toda a fadiga e todo o perigo que passei ao tentar servi-lo, se pensasse que havia perdido [...] a estima do público".[6] Suas forças haviam minguado de cerca de 2 mil homens para apenas 227, e muitos eram apenas garotos. Ele tinha um terço do conjunto necessário para conduzir de forma adequada um navio de guerra do tamanho do *Centurion*.

Apesar das muitas agonias da tripulação, ela havia permanecido leal ao comandante. De tempos em tempos, quando resmungavam, ele lia em voz alta as regras e regulamentos, certificando-se de que estavam cientes da punição por desobediência, mas havia evitado o chicote. "Tivemos o exemplo de um comandante corajoso, humano, equilibrado e prudente", disse um oficial do *Centurion* sobre Anson, e acrescentou: "Seu temperamento era tão firme e sereno que todos os homens e oficiais o olhavam com admiração e deleite, e não poderiam, por vergonha, sentir qualquer grande desânimo sob o perigo mais iminente".[7]

Certa vez, depois que ancorou o *Centurion* numa ilha desabitada do Pacífico, Anson desembarcou com muitos homens. Uma tempestade se formou, e o *Centurion* desapareceu. Anson e seu grupo, como seus camaradas no *Wager*, viram-se náufragos numa ilha desolada. "É quase impossível descrever a tristeza e a angústia que nos possuíram", escreveu Millechamp. "Tristeza, descontentamento, terror e desespero estavam visíveis no semblante de cada um de nós."[8]

Dias se passaram, e Anson, temendo que o *Centurion* estivesse perdido para sempre, planejou expandir um pequeno barco de transporte que tinham levado para a ilha e fazer dele uma embarcação grande o suficiente para levá-los ao porto seguro mais próximo, na costa da China, a cerca de 2500 quilômetros de distância. "A menos que desejemos terminar nossos dias aqui neste lugar selvagem", disse ele aos homens, "devemos colocar nossas costas no trabalho que temos diante de nós, e cada um trabalhar tanto para si quanto para seus companheiros de navio."[9]

O comodoro participou da empreitada, colocando-se, como um dos homens lembrou, no mesmo nível que "o pior marinheiro de sua tripulação".[10] Millechamp observou que ver Anson, junto com todos os outros oficiais superiores, compartilhando as tarefas mais difíceis fez com que todos "se esforçassem para se destacar e, com efeito, logo descobrimos que nosso trabalho prosseguia com grande energia e vigor".[11]

Três semanas depois de desaparecer, o *Centurion* reapareceu. O navio fora danificado ao ser arrastado para o mar; durante todo esse tempo, a tripulação lutou para retornar. Depois de um alegre reencontro, Anson continuou a viagem ao redor do mundo.

Enquanto navegava pelo mar da China Meridional,[12] chamou os homens ao convés e subiu no teto de sua cabine para se dirigir a eles. Havia pouco tempo, o grupo parou no Cantão, onde consertaram e reabasteceram o *Centurion* e onde Anson deixou claro que pretendia enfim retornar à Inglaterra, concluindo seu malfadado esforço. O governador de Manila, nas Filipinas, repassou ao rei da Espanha um relatório no qual afirmava que "os ingleses estão cansados de sua aventura, não tendo conseguido nada".[13]

Do teto da cabine, Anson olhou para baixo e disse: "Cavalheiros e todos vocês, meus bravos rapazes, avancem. Mandei chamá-los, agora que estamos mais uma vez longe da costa [...], para declarar para onde estamos indo". Ele fez uma pausa e gritou: "Não é para a Inglaterra!".[14]

Anson, um jogador de cartas inescrutável, revelou que toda a conversa sobre voltar para casa tinha sido um estratagema. Ele estudara o tempo e os padrões que o galeão espanhol costumava seguir em sua rota e obtivera mais informações de fontes na China. Com base nisso, suspeitava que o galeão logo estaria na costa das Filipinas. E planejava tentar interceptá-lo. Depois de todo o sangue desperdiçado, essa era a chance de desferir um golpe contra o inimigo e obter o valioso tesouro que se dizia estar a bordo. Ele ignorou as histórias assustadoras de que os galeões espanhóis tinham cascos tão grossos que eram impenetráveis para um canhão. No entanto, reconheceu que seu adversário seria tremendo. Olhando a tripulação, ele declarou que a energia que os trouxera até ali e que os ajudara a resistir aos vendavais do cabo Horn e à devastação do Pacífico — aquela "energia em vocês, meus rapazes" —[15] seria suficiente para prevalecer. Um historiador naval descreveu mais tarde a jogada de Anson como "um ato de desespero de um comandante que enfrentava a ruína profissional, o último lance de um jogador que havia perdido tudo".[16] A tripulação acenou com seus chapéus e deu três vivas, prometendo compartilhar com ele a vitória ou a morte.

Anson virou o *Centurion* e seguiu para a ilha Samar, a terceira maior das Filipinas, a cerca de 1600 quilômetros a sudeste. Fez os homens estarem sempre treinando: disparavam mosquetes em objetos pendurados, como cabeças descarnadas, nos laises das vergas; empurravam e puxavam canhões; e praticavam com alfanjes e espadas caso tivessem de abordar o navio inimigo. E, quando concluíam todos esses exercícios, Anson os fazia repetir — mais rápido. Sua ordem era simples: preparem-se ou pereçam.

Em 20 de maio, um vigia avistou o cabo Espírito Santo, o ponto mais ao norte da ilha Samar. Anson logo ordenou que a tripulação enrolasse as velas, para que fosse mais difícil espionar o navio à distância. Ele queria a vantagem da surpresa.

Durante semanas, sob o sol forte, ele e seu grupo navegaram de um lado para o outro na esperança de avistar o galeão. Um oficial escreveu em seu diário de bordo: "Exercitando nossos homens em seus alojamentos, com grande expectativa".[17] Mais tarde, acrescentou: "Mantendo-nos a postos e alertas".[18] Mas, depois de um mês de treinos exaustivos e buscas no calor opressivo, os homens estavam perdendo a esperança de ver sua presa. "Toda a tripulação começou a parecer muito melancólica", escreveu o tenente Saumarez em seu diário de bordo.[19]

Em 20 de junho, amanheceu às 5h40. Quando o sol estava acima da linha d'água, um vigia gritou que havia visto algo distante a sudeste. Anson, no tombadilho, pegou seu telescópio e observou o horizonte. Lá, na borda irregular do mar, avistou várias manchas brancas: velas. A embarcação, a quilômetros de distância, não ostentava a bandeira espanhola, mas, à medida que se aproximava, Anson não teve dúvidas de que era o galeão. E estava sozinho.

Anson mandou a tripulação limpar o convés para a ação e deu início à perseguição. "Nosso navio logo se transformou num fermento", observou Millechamp. "Todo homem estava pronto para ajudar, e cada um pensava que a coisa não poderia ser bem-feita sem a sua participação. De minha parte, pensei que todos tinham enlouquecido de alegria."[20]

Eles derrubaram as divisórias das cabines, para dar mais espaço para as guarnições dos canhões; jogaram ao mar qualquer animal que estivesse no caminho; e se livraram de toda madeira desnecessária que pudesse se quebrar com os tiros de canhão e fazer chover estilhaços letais. Eles espalharam areia nos conveses para torná-los menos escorregadios. Os homens que trabalhavam nos canhões receberam compactadores, esponjas e escorvas, chifres e chumaços e, caso houvesse incêndio, vasilhas de água. No paiol, o artilheiro e seus auxiliares distribuíram pólvora para garotos que subiriam as escadas e atravessariam o navio com a substância, tomando cuidado para não tropeçar e causar uma explosão antes do início da batalha. As lanternas foram apagadas, assim como o fogão da cozinha. Nas entranhas do deque mais baixo, George Allen, de 25 anos, que havia começado a viagem como ajudante de cirurgião e, por conta da morte de seu superior, tornou-se cirurgião-chefe, preparou-se com seus jovens assistentes para as baixas esperadas: construiu uma mesa de operação com caixas, organizou serras de osso e bandagens e colocou no chão uma lona de vela para evitar que seus auxiliares escorregassem no sangue.

Os espanhóis chamavam o galeão de *Nossa Senhora de Covadonga*. Seus tripulantes devem ter percebido que estavam sendo perseguidos. Mas não tentaram fugir, talvez por coragem, ou talvez porque não esperavam que o *Centurion* estivesse em condições de lutar. Seu comandante era Gerónimo Montero, um oficial experiente que havia catorze anos servia no *Covadonga*. Ele tinha ordens de defender o navio cheio de tesouros até a morte e, se necessário, explodi-lo antes que caísse em mãos inimigas.

Montero virou o *Covadonga* e, corajoso, seguiu em direção ao *Centurion*. As duas embarcações se aproximaram em rota de colisão. Anson espiou pelo telescópio, tentando avaliar a força do inimigo. O convés de canhão do galeão se estendia por quase 38 metros — seis metros mais curto que o *Centurion*. E, comparado aos sessenta canhões do navio inglês, muitos dos quais disparavam balas de mais de dez quilos, o galeão tinha apenas 32 canhões e não atirava balas maiores do que cinco quilos. Em termos de poder de fogo, a belonave inglesa era claramente superior.

Mas Montero tinha uma vantagem crucial. Seu navio transportava 530 pessoas — trezentas a mais que o *Centurion*, e que estavam, em geral, saudáveis. Apesar de toda a potente artilharia de Anson, ele não poderia ter homens o bastante para operar todo o arsenal e conduzir o navio. Decidiu então utilizar apenas metade dos canhões — aqueles a estibordo —, o que era seguro fazer agora que sabia que não havia um segundo navio espanhol para atacar seu outro flanco.

No entanto, ele não tinha tripulantes suficientes para manejar todos os canhões de estibordo; então, em vez de ter pelo menos oito pessoas operando cada armamento, como era o costume, designou apenas duas. Cada par seria estritamente responsável por carregar e limpar a boca da arma. Enquanto isso, vários esquadrões, cada um composto por cerca de uma dúzia de pessoas, eram responsáveis por correr de canhão em canhão — conduzindo-os para a frente e os disparando. Anson esperava que essa estratégia lhe permitisse manter uma barreira contínua de fogo. O comodoro tomou outra decisão tática. Notando que as pranchas laterais do galeão acima das amuradas eram surpreendentemente baixas, o que deixava seus oficiais e tripulantes expostos no convés, Anson posicionou uma dúzia de seus melhores atiradores no topo dos mastros. Empoleirados bem acima do mar, eles teriam uma vista privilegiada para abater os inimigos.

Enquanto os navios continuavam a convergir, os comandantes em duelo espelhavam as ações um do outro. Depois que os homens de Anson limparam os conveses, a tripulação de Montero fez o mesmo, jogando ao mar o gado mugindo e outros animais; tal como Anson, o espanhol colocou alguns homens no topo dos mastros com armas pequenas. Montero ergueu a bandeira real espanhola carmesim, adornada com castelos e leões; então Anson expôs suas cores britânicas.

Ambos os comandantes abriram as portinholas e puseram para fora os canos pretos. Montero disparou um tiro, e Anson respondeu na mesma moeda. Os disparos eram apenas para incomodar o outro lado: tendo em vista a imprecisão dos canhões, eles ainda estavam muito longe para travar combate.

Pouco depois do meio-dia, quando os navios estavam a cerca de cinco quilômetros, veio uma tempestade. A chuva caiu, os ventos sopraram, e o mar fumegava com a névoa — era o próprio campo de batalha de Deus. Às vezes, Anson e seus homens perdiam o galeão de vista, embora soubessem que estava ali, movendo-se com todo o seu metal precioso. Com medo de um ataque furtivo, eles vasculharam o mar. Então ouviu-se um grito — estava logo ali! —, e os homens o avistaram antes que desaparecesse de novo. Cada vez que o galeão emergia, estava mais perto. Três quilômetros de distância, depois 1,5, depois um. Anson, não querendo enfrentar o inimigo até que estivesse ao alcance do tiro de uma pistola, ordenou que os homens parassem de atirar: cada tiro deveria contar.

Após a euforia da perseguição, havia agora uma imobilidade angustiante. A tripulação sabia que alguns deles poderiam em breve perder um braço ou uma perna, ou coisa pior. O tenente Saumarez observou que esperava "enfrentar a morte com alegria" sempre que o dever o chamasse.[21] Alguns dos homens de Anson estavam tão ansiosos que seus estômagos doíam.

A chuva parou, e Anson e sua tripulação puderam ver com clareza as bocas negras dos canhões do galeão. O navio estava a menos de cem metros de distância. O vento diminuiu, e o comandante inglês tentou manter as velas abertas o bastante para manobrar, mas não tanto a ponto de tornar o navio ingovernável ou dar ao inimigo muitos alvos grandes que, se atingidos, poderiam mutilar o *Centurion*.

Anson guiou o navio através do rastro do galeão e, então, rapidamente emparelhou com o *Covadonga* pelo lado de sotavento, de tal modo que seria mais difícil para Montero escapar na direção do vento.

Cinquenta metros de distância... vinte e cinco...

Os homens de Anson estavam em silêncio na proa e na popa, aguardando a ordem do comodoro. À uma da tarde, os dois navios estavam tão perto que as pontas de suas vergas quase se tocaram, e Anson enfim deu o sinal: fogo!

Os homens no topo dos mastros começaram a atirar. Seus mosquetes estalaram e brilharam; a fumaça ardia em seus olhos. Quando os canos dos canhões recuavam e os mastros do *Centurion* balançavam com o navio, eles se seguravam nos cabos para não mergulhar para uma morte inglória. Depois de descarregar um mosquete, o atirador pegava outro cartucho, arrancava com os dentes um pedaço de papel no topo e despejava uma pequena quantidade de pólvora negra no receptáculo da arma. Em seguida, enfiava o novo cartucho — que continha mais pólvora e uma bola de chumbo do tamanho de uma bola de gude — no cano, usando uma vareta, e voltava a atirar. De início, esses atiradores de elite miraram seus equivalentes no cordame do galeão, que tentavam abater os oficiais e a tripulação do *Centurion*. Os dois lados travavam uma batalha do alto; bolas zuniam no ar, rasgando velas e cabos e, por vezes, um pedaço de carne humana.

Anson e Montero também dispararam seus canhões. Enquanto os homens de Montero eram capazes de disparar ao mesmo tempo todos os canhões de uma fileira, a tripulação de Anson confiava em seu sistema não convencional de fazê-lo em rápida sucessão. Logo depois de um esquadrão do *Centurion* atirar, os homens enfiavam de volta o canhão e fechavam a portinhola para se proteger do fogo inimigo. Em seguida, os dois carregadores começavam a limpar o cano quente e a preparar a próxima rodada, enquanto o esquadrão corria para outro canhão carregado — preparando-o, apontando-o e acendendo o fósforo, para depois sair do caminho para não se tornar uma vítima do recuo de sua própria arma de duas toneladas. Os canhões estalavam e rugiam, as culatras estremeciam, e os conveses tremiam. Os ouvidos dos homens doíam com o zumbido assassino, e seus rostos estavam escurecidos. "Não dava para ver nada, exceto fogo e fumaça, nem ouvir, exceto o trovão do canhão, que era disparado tão rápido que emitia um som contínuo", anotou Millechamp.[22]

Anson observava do tombadilho o desenrolar da batalha, com a espada na mão. Através da fumaça sufocante, ele detectou uma luz tremeluzente na popa do galeão: um pedaço de rede havia pegado fogo. As chamas se espalhavam, rastejando até a metade do mastro da mezena. Isso deixou os homens de Montero em um estado de confusão. No entanto, as duas embarcações estavam perto o suficiente para que o fogo ameaçasse engolir também o *Centurion*. Usando machados, os homens de Montero cortaram a massa ardente de rede e madeira até que caísse no mar.

A luta continuava, e o barulho era tão ensurdecedor que Anson gesticulava suas ordens. Os canhões do galeão fizeram chover sobre o *Centurion* uma mistura maligna de pregos, pedras e bolas de chumbo, bem como pedaços de ferro ligados por correntes — um tipo de munição "muito bem elaborado para morte e assassinato", como definiu o mestre-escola Pascoe Thomas.[23]

As velas e enxárcias do *Centurion* começaram a se despedaçar, e várias balas de canhão atingiram o casco. Sempre que uma acertava abaixo da linha d'água, o carpinteiro e sua equipe se apressavam em tapar o buraco com toras de madeira, para que o mar não os inundasse. Uma bola de ferro fundido de nove quilos atingiu em cheio a cabeça de Thomas Richmond, um dos homens de Anson, e o decapitou. Outro marinheiro foi atingido na perna e, com a artéria jorrando sangue, foi carregado para o deque mais baixo, onde foi colocado na mesa de operação. Enquanto o navio sofria convulsões com as explosões, o médico Allen agarrou suas lâminas e, sem anestesia, começou a cortar a perna do homem. Um cirurgião naval descreveu como era desafiador operar nessas condições: "No exato instante em que eu amputava o membro de um de nossos marinheiros feridos, fui constantemente interrompido por seus companheiros, que estavam nas mesmas circunstâncias angustiantes; alguns davam os gritos mais penetrantes para serem atendidos, enquanto outros agarravam meu braço em sua ânsia de encontrar alívio, mesmo que eu estivesse passando a agulha para prender por uma ligadura os vasos sanguíneos divididos".[24] Enquanto Allen trabalhava, o navio não parava de balançar com o recuo dos grandes canhões. O médico conseguiu serrar a perna logo acima do joelho e cauterizar a ferida com alcatrão fervente, mas o homem morreu em seguida.

A batalha seguia. Anson percebeu que as portinholas do inimigo eram muito estreitas, o que limitava o movimento dos canhões. Então, manobrou o navio inglês de modo a ficar quase perpendicular ao galeão, impedindo que muitos dos canhões do inimigo fossem capazes de dar um tiro certeiro. As balas do *Covadonga* começaram a voar longe do *Centurion* e a cair no mar, onde levantavam inofensivos jorros de água. As portinholas do navio inglês eram maiores, e os esquadrões de Anson usavam alavancas e pés de cabra para apontar seus canhões diretamente para o galeão. O comodoro deu o sinal para disparar as balas mais pesadas — de dez quilos — no casco do inimigo. Ao mesmo tempo, alguns homens de Anson varreram as velas e o cordame do *Covadonga* com uma saraivada de tiros, paralisando-o no mar. O galeão estremeceu em meio a uma tempestade impiedosa de granizo metálico. Os atiradores de elite de Anson, empoleirados no alto do navio, haviam derrubado os inimigos que estavam no cordame do galeão e agora acertavam os espanhóis que estavam no convés.

Montero exortou seus homens a lutar pelo rei e pelo país, gritando que a vida não tinha sentido sem honra. Uma bala de mosquete ricocheteou em seu peito. Ele ficou atordoado, mas permaneceu no tombadilho até que uma lasca voou e perfurou seu pé; então, foi levado para baixo, juntando-se à massa de feridos. Ele deixou no comando o sargento-mor, que logo foi baleado na coxa. O chefe dos soldados a bordo tentou reanimar a tripulação, mas teve sua perna arrancada. Como observou o mestre-escola Thomas, os espanhóis, "assustados ao ver a profusão de gente cair morta diante deles a cada instante [...], começaram a correr de seus postos e a cair aos montes pelas escotilhas".[25]

Depois de uma hora e meia de fogo implacável, o galeão ficou imóvel, com os mastros rachados, as velas em pedaços, o casco cheio de buracos. O mítico navio era, na verdade, mortal. Em seu convés, entre corpos espalhados e redemoinhos de fumaça, um homem foi visto cambaleando em direção ao mastro principal, onde a bandeira real espanhola estava pendurada em farrapos. Anson sinalizou para sua tripulação parar de atirar. Por um momento, o mundo ficou em silêncio, e Anson e seu grupo assistiram exaustos e aliviados ao homem no galeão começar a baixar a bandeira, sinalizando a rendição. Montero, que ainda estava lá embaixo sem saber o que ocorria no convés, disse a um oficial para detonar rapidamente o paiol e afundar o navio. O oficial respondeu: "É tarde demais".[26]

Anson despachou Saumarez com um grupo para tomar o galeão. Quando subiu a bordo do *Covadonga*, o tenente recuou ao ver os conveses "promiscuamente cobertos com carcaças, entranhas e partes desmembradas".[27] Um homem de Anson confessou que a guerra era terrível para qualquer um com "disposição humana".[28] Os britânicos haviam perdido apenas três homens; os espanhóis tiveram quase setenta mortos e mais de oitenta feridos. Anson enviou seu cirurgião para ajudar a cuidar dos feridos, inclusive Montero.

Saumarez e seu grupo protegeram os prisioneiros, assegurando-lhes que seriam bem tratados, porque lutaram com honra, e depois desceram com lanternas ao porão enfumaçado do galeão. Sacos de armazenamento, baús de madeira e outros recipientes estavam empilhados, desordenados por conta da batalha; água entrava por buracos no casco do navio.

Os homens abriram um saco e encontraram apenas queijo. No entanto, quando um deles pressionou a mão com força na substância gordurosa e macia, sentiu algo duro: era o tesouro. O grupo examinou um grande vaso de porcelana — estava cheio de pó de ouro. Outros sacos estavam repletos de moedas de prata, dezenas de milhares delas — não, centenas de milhares! E os baús tinham mais prata, inclusive tigelas e sinos feitos à mão e pelo menos uma tonelada de prata virgem. O grupo encontrou por todos os lados mais riquezas. Joias e dinheiro estavam enfiados sob as tábuas do assoalho e no fundo falso de caixas. A pilhagem colonial espanhola era agora da Grã-Bretanha. Tratava-se do maior tesouro apreendido por um comandante naval britânico — o equivalente hoje a quase 80 milhões de dólares. Anson e seu grupo haviam capturado o maior prêmio de todos os oceanos.

Um ano depois, em 15 de junho de 1744, após tomar o tesouro e dar a volta ao mundo no *Centurion*, Anson e seus homens retornaram enfim à Inglaterra. A maioria das outras ofensivas militares britânicas durante a Guerra da Orelha de Jenkins haviam sido fracassos terríveis,[29] e o conflito estava num impasse. A tomada do galeão não mudaria o resultado. Mas eis que havia por fim uma notícia de vitória — "TRIUNFO DA GRÃ-BRETANHA", como dizia uma manchete.[30] Anson e seus homens foram recebidos por uma multidão jubilosa ao chegar a Londres. Os oficiais e a tripulação desfilaram com 32 carroças fortemente vigiadas repletas de feixes de prata e ouro. Cada marinheiro recebeu uma parte do dinheiro do prêmio: em torno de trezentas libras, cerca de vinte anos de salário.[31] Anson, que logo foi promovido a contra-

-almirante, recebeu cerca de 90 mil libras, o equivalente a 20 milhões de dólares hoje.

Enquanto uma banda tocava trompas, trompetes e tambores, o grupo marchou sobre a ponte Fulham e pelas ruas da cidade, passando por Piccadilly e St. James's. Em Pall Mall, Anson ficou ao lado do príncipe e da princesa de Gales, observando a multidão delirante, numa cena que uma testemunha comparou aos jogos romanos. Como notou o historiador N. A. M. Rodger: "Foi o tesouro do galeão, desfilado de forma triunfante pelas ruas de Londres, que fez algo para restaurar a abalada autoestima nacional".[32] Uma balada marítima foi posteriormente composta com os versos "A carroça cheia de dinheiro vem,/ E tudo tomado pelo bravo Anson".[33]

Em meio a toda a comoção, o escandaloso caso *Wager* pareceu desaparecer na alegria. Mas, quase dois anos depois, num dia de março de 1746, um barco chegou a Dover, trazendo um homem magro e severo com olhos fixos como baionetas. Era o capitão David Cheap, já há tanto tempo perdido, acompanhado pelo tenente Thomas Hamilton e o aspirante John Byron.

23. Escrevinhadores da Grub Street

Cinco anos e meio. Esse é o tempo que os três homens ficaram fora da Inglaterra. Acreditava-se que estavam mortos, as famílias sofreram por eles, mas ali estavam, como três Lázaros.

Eles começaram a revelar os detalhes do que havia acontecido. Após sua tentativa fracassada de partir da ilha Wager, poucos dias depois de seu retorno e de enterrarem o companheiro assassinado, um pequeno grupo de patagônios nativos apareceu em duas canoas. Naquele momento, Cheap, Byron e Hamilton estavam ilhados com dez outros náufragos, entre eles o aspirante Campbell e o cirurgião Elliot. Um nativo se aproximou e se dirigiu a eles em espanhol, idioma que Elliot era capaz de entender. O homem disse que seu nome era Martín e que era membro de um povo marítimo conhecido como chono. Eles viviam numa região mais ao norte do que os kawésqar — o grupo que havia visitado os náufragos. Martín indicou que estivera na ilha de Chiloé, local do assentamento espanhol mais próximo, e os náufragos imploraram que ele os ajudasse a navegar até lá no único barco restante — a barcaça. Em troca, ao chegar dariam a ele a embarcação.

Martín concordou e, em 6 de março de 1742, eles partiram, junto com os outros chonos, mantendo-se perto da costa ao remar para o norte. Logo depois, enquanto muitos do grupo procuravam comida em terra firme, seis náufragos fugiram com a barcaça e nunca mais foram vistos. "Não sei dizer o que poderia levar os vilões a uma ação tão imunda, exceto a covardia deles", relembrou Cheap em seu relato.[1] O aspirante Campbell, no entanto, ouvira os desertores sussurrando sobre o desejo de se livrar do capitão monomaníaco.

Os chonos continuaram a conduzir o grupo pelo golfo de Penas rumo a ilha de Chiloé. Sem a barcaça, eles seguiram nas canoas dos chonos, parando de quando em quando para buscar alimentos em terra firme. Durante a viagem, um náufrago morreu, deixando apenas "cinco pobres almas",[2] como disse um deles: Cheap, Byron, Campbell, Hamilton e Elliot.

Byron sempre pensou que, entre eles, Elliot é quem teria mais chance de sobreviver, mas esse homem outrora indomável estava ficando cada vez mais fraco, até que se deitou num trecho árido da costa. Seu corpo estava enrugado até os ossos, e sua voz estava sumindo. Ele se mexeu em busca de seu único bem valioso — um relógio de bolso — e o ofereceu a Campbell. Então, observou Campbell, ele "partiu desta vida miserável".[3] Byron lamentou que tenham tido de "abrir um buraco para ele na areia"[4] e pareceu atormentado pela natureza arbitrária de seus destinos. Por que tantos de seus companheiros haviam morrido, e por que ele deveria sobreviver?

Enquanto atravessavam o golfo, os quatro náufragos seguiam os conselhos de seus guias chonos sobre quando remar e quando descansar, além de como encontrar abrigo e moluscos. Mesmo assim, os relatos escancaravam o racismo inerente dos náufragos. Byron costumava se referir aos patagônios como "selvagens", e Campbell reclamou: "Não ousamos encontrar a menor falha na conduta deles, eles se consideram nossos mestres, e nos vemos obrigados a nos submeter a eles em tudo".[5] Mas o sentimento de superioridade dos náufragos era derrubado a cada dia. Quando Byron colheu algumas frutas para comer, um dos chonos as arrancou de sua mão, indicando que eram venenosas. "Assim, é certo que essas pessoas acabaram de salvar minha vida", escreveu Byron.[6]

Depois de viajarem cerca de 115 quilômetros, os náufragos puderam ver a noroeste o cabo do golfo que eles não haviam conseguido contornar. Para a surpresa deles, seus guias não os conduziram naquela direção. Em vez disso, puxaram as canoas para o litoral e começaram a desmontar os barcos, separando cada um em cinco partes distintas, o que os tornava mais fáceis de transportar. Todos receberam uma peça para carregar, exceto Cheap. Sem sonhos nos quais se apoiar, ele parecia estar se desintegrando não só em termos físicos, mas também mentais. Guardando os pequenos pedaços de comida que ainda tinha e resmungando para si mesmo, ele precisou de ajuda para caminhar ao iniciar a jornada.

Em terra firme, os náufragos seguiram Martín e seu grupo por um caminho secreto — uma rota de transporte de treze quilômetros que avançava pela região selvagem e permitia que evitassem os riscos de contornar o cabo. Eles atravessaram um pântano, com os joelhos e, às vezes, a cintura submersos. Byron percebeu que o roubo da barcaça havia facilitado as coisas: não haveria como arrastá-la por terra. Mesmo sem ela, Byron ficou exausto e, depois de alguns quilômetros, desabou debaixo de uma árvore, onde, como ele disse, "se entregou a reflexões melancólicas".[7] Ele já havia visto outros cederem à perspectiva tentadora de se dissolver em outro mundo. Ao menos, não exigiria mais trabalho para chegar lá. Mas Byron se forçou a ficar de pé: "Essas reflexões não serviriam para nada".

No final da travessia, os chonos remontaram as canoas e as

lançaram num canal que serpenteava entre as ilhas fraturadas da costa chilena. Durante semanas, o grupo avançou para o norte, remando de canal em canal, de fiorde em fiorde, até que um dia, em junho de 1742, os náufragos vislumbraram uma elevação à distância. Era a ilha de Chiloé, anunciou Martín.

Para chegarem lá, ainda precisavam atravessar um golfo que se abria para a amplidão do Pacífico, e isso era tão perigoso que servira de barreira natural para as incursões espanholas mais ao sul. "Lá corria um mar oco muito terrível, perigoso, de fato, para qualquer barco aberto", observou Byron, no entanto era "mil vezes mais" desafiador para suas pequenas canoas.[8] Hamilton decidiu esperar vários dias com um dos chonos antes de ousar cruzar. Mas os outros três náufragos partiram numa canoa com Martín, que construiu uma pequena vela com pedaços de cobertores para impulsioná-los. Teve início uma nevasca, e um líquido começou a vazar para dentro do barco. Byron tirava de maneira frenética o líquido, enquanto Cheap resmungava contra o vento. Eles seguiram durante a noite, com o barco cambaleando. Mas, quando o sol nasceu, os náufragos atravessaram a passagem e tocaram a ponta meridional de Chiloé. Eles haviam partido da ilha Wager três meses antes, e fazia quase um ano que tinham naufragado. Como escreveu Byron, ele e os outros náufragos "dificilmente pareciam com homens".[9] Cheap estava em estado grave. "Eu só poderia comparar seu corpo com um formigueiro, com milhares desses insetos rastejando sobre ele", observou Byron.

> Ele já não conseguia mais se livrar desse tormento, pois havia se perdido por completo, sem lembrar nossos nomes, ou mesmo o próprio. Sua barba estava tão longa quanto a de um eremita. [...] Suas pernas eram grandes como postes de moinho, embora seu corpo parecesse não ser nada além de pele e osso.[10]

Os homens caminharam vários quilômetros sob neve forte até uma aldeia indígena, onde os habitantes lhes forneceram comida e abrigo. "Eles fizeram uma cama de peles de carneiro perto do fogo para o capitão Cheap e o deitaram nela", escreveu Byron, "e, de fato, se não fosse pela ajuda gentil que encontrou naquele momento, ele não teria sobrevivido."[11]

Embora Byron e Campbell estivessem cansados da liderança tempestuosa de Cheap, eles se agarravam à ideia de que o plano original do capitão poderia ter dado certo se Bulkeley e seu grupo não os tivessem abandonado. Não havia nenhuma armada espanhola à espreita em Chiloé, e talvez eles pudessem ter entrado num porto sem serem detectados e tomado um navio mercante indefeso — prestando "um serviço considerável ao nosso país", disse Campbell.[12] Ou talvez fosse apenas uma fantasia que tornava mais fácil conviver com as escolhas que haviam feito.

Hamilton logo se juntou ao grupo. Uma noite, quando começaram a melhorar — até mesmo Cheap estava um pouco mais bem-disposto —, eles se banquetearam com carne fresca e beberam um licor feito de cevada. "Todos nos divertimos",[13] escreveu Campbell, e acrescentou: "Pensamos que estávamos mais uma vez na terra dos vivos".[14] Byron, que fizera dois aniversários desde que deixara a Inglaterra, tinha agora dezoito anos.

Em poucos dias, partiram para outra aldeia. Enquanto avançavam, uma falange de soldados espanhóis caiu de repente sobre eles. Depois de suportarem tempestades, escorbuto, naufrágios, abandono e fome, os náufragos se tornaram prisioneiros.

"Agora eu estava reduzido à infame necessidade de me render", anotou Cheap, chamando isso de "o maior infortúnio que pode acontecer a um homem".[15] De início, quando recebeu um documento em que reconhecia sua submissão à Coroa espanhola e lhe pediram para assiná-lo em troca de comida, ele o jogou indignado no chão, dizendo: "Os oficiais do rei da Inglaterra podiam morrer de fome, mas desdenhavam mendigar".[16]

No entanto, não importava se ele o assinaria ou não. Não havia saída, e Cheap e os outros acabaram sendo transportados em um navio para Valparaíso, já no continente. Foram jogados no que era chamado de "buraco do condenado",[17] um local tão escuro que não conseguiam ver o rosto um do outro. "Não havia nada além de quatro paredes nuas", escreveu Byron.[18] E um enxame de pulgas. Quando as pessoas da região vinham ver os valiosos prisioneiros, os guardas os tiravam do buraco e os faziam desfilar, como animais de circo. "Os soldados ganhavam um bom dinheiro, pois cobravam de todos que queriam nos ver", observou Byron.[19]

Sete meses depois de terem sido presos, os quatro homens foram transferidos outra vez, agora para Santiago, onde se encontraram com o governador. Ele os considerava prisioneiros de guerra, mas também cavalheiros, e os tratou com mais gentileza. Concedeu-lhes liberdade condicional e, desde que não tentassem se comunicar com ninguém na Inglaterra, poderiam viver fora da prisão.

Uma noite, foram convidados para jantar com Don José Pizarro, o almirante espanhol que perseguiu a esquadra de Anson durante meses após partirem da Inglaterra. A armada de Pizarro, por sua vez, tentou contornar o cabo Horn antes dos navios britânicos, na esperança de interceptá-los no Pacífico, mas ela também foi quase destruída por completo pelas tempestades. Um navio de guerra com quinhentos homens havia desaparecido. Outro, com setecentos, havia afundado. Por causa dos atrasos causados pelo clima, os três navios restantes ficaram sem comida, e os marinheiros começaram a apanhar ratos e vendê-los uns aos outros por quatro dólares cada. A maioria dos marinheiros acabou morrendo de fome. E Pizarro, depois de debelar um motim e executar três conspiradores, ordenou que os poucos sobreviventes voltassem. Era difícil dizer qual frota, se a de Anson ou a de Pizarro, havia sofrido a perda mais devastadora.

Embora não estivessem mais presos, Cheap e os outros não podiam deixar o Chile, e suas vidas se moviam devagar. "Cada dia aqui parece uma eternidade", lamentou Cheap.[20] Por fim, dois anos e meio depois de terem sido capturados, eles foram informados de que poderiam voltar para casa: embora a Guerra da Orelha de Jenkins nunca tivesse sido formalmente resolvida, as grandes ofensivas entre Grã-Bretanha e Espanha haviam cessado, e os países tinham chegado a um acordo para trocar prisioneiros. Cheap embarcou num navio com Byron e Hamilton, a quem ele se referia como "meus dois fiéis companheiros e colegas de sofrimento".[21] Campbell, no entanto, foi deixado para trás. Depois de tantos anos em cativeiro, ele se aproximou de seus captores espanhóis, e Cheap o acusou de ter se convertido ao catolicismo e mudado sua lealdade da Inglaterra para a Espanha. Se fosse verdade, os membros da tripulação do *Wager* já haviam perpetrado praticamente todos os pecados graves de acordo com os Artigos de Guerra, inclusive traição.

A caminho de casa, Cheap, Byron e Hamilton passaram pela ilha Wager e contornaram o cabo Horn, como se estivessem viajando por seu passado devastado. No entanto, no eterno mistério do mar, dessa vez a travessia foi relativamente tranquila. Quando chegaram a Dover, Byron tomou um cavalo emprestado e partiu de imediato para Londres. Agora com 22 anos, estava vestido como um mendigo e, como não tinha nenhum dinheiro, passou correndo pelos pedágios. Mais tarde, relembrou que havia sido "obrigado a fraudar, cavalgando o mais rápido que pôde por todos, sem dar a mínima atenção aos homens que gritaram para me deter".[22] Passando por estradas lamacentas e barulhentas de paralelepípedos, ele atravessou campos, aldeias e os subúrbios que se espalhavam na periferia de Londres, a maior cidade da Europa, na época com uma população que se aproximava de 700 mil habitantes. A cidade — aquela "coisa grande e monstruosa", como a chamou Defoe —[23] havia crescido nos anos de ausência de Byron, e as casas, igrejas e lojas antigas se amontoavam agora em meio a novos prédios de tijolo, cortiços e lojas; as ruas estavam lotadas de coches e carruagens, de nobres, comerciantes e lojistas. Londres era o coração pulsante de um império insular construído sobre o esforço de marinheiros, a escravidão e o colonialismo.

Byron chegou à Great Marlborough Street, numa área elegante do centro de Londres. Ele foi ao endereço onde alguns de seus amigos mais próximos viviam. O lugar estava interditado. "Depois de tantos anos ausente e sem ter ouvido uma única palavra de casa, eu não sabia quem estava morto, quem estava vivo ou para onde ir a seguir", escreveu Byron.[24] Ele parou numa mercearia que sua família costumava frequentar e perguntou sobre seus irmãos. Foi informado de que sua irmã Isabella havia se casado com um lorde e morava ali perto, na Soho Square, um bairro aristocrático com grandes casas de pedra construídas em torno de um jardim bucólico. Byron caminhou até lá o mais rápido que pôde e bateu à porta, mas o porteiro olhou de soslaio a figura estranha. Byron convenceu o homem a deixá-lo ir até onde Isabella estava. Uma mulher magra e elegante que mais tarde escreveu um livro sobre etiqueta, ela olhou para o visitante perplexa, e então percebeu que era ninguém menos que seu irmão dado como morto. "Com que surpresa e alegria minha irmã me recebeu", escreveu ele.[25] O garoto de dezesseis anos que ela vira pela última vez era agora um marinheiro enrijecido.

David Cheap também seguiu para Londres. Estava com quase cinquenta anos e, durante seu longo tempo em cativeiro, parecia ter revisto cada incidente desastroso, cada desprezo cruel. Agora, descobria que John Bulkeley o havia acusado — nada menos que em um livro — de ser um comandante incompetente e assassino, o que poderia acabar não só com sua carreira militar, mas também com sua vida. Numa carta a um oficial do Almirantado, Cheap chamou Bulkeley e seus companheiros de mentirosos: "Pois o que se pode esperar de tais poltrões [...] depois de nos abandonarem da maneira mais desumana e, ao partir, terem destruído tudo o que achavam que poderia ser útil para nós?".[26]

Cheap ansiava por contar a própria versão. Mas ele não faria o jogo de Bulkeley de publicar um livro. Em vez disso, guardaria seu testemunho — e sua fúria — para um fórum mais importante: a corte marcial composta por uma banca de juízes, todos oficiais comandantes como ele. Cheap preparou um depoimento juramentado em que detalhava suas alegações e, em carta ao secretário do Almirantado, afirmou que, uma vez concluída a audiência judicial, "tenho certeza [...] de que minha conduta parecerá irrepreensível antes e depois de nosso naufrágio".[27] Em um de seus poucos comentários públicos, ele afirmou: "Não tenho nada a dizer a favor nem contra os vilões até o dia do julgamento",[28] quando, acrescentou, nada impediria aqueles homens de serem enforcados.

A história ou as histórias da expedição continuaram a excitar a imaginação do público. A imprensa havia crescido de maneira exponencial, alimentada pelo afrouxamento da censura do governo e pela alfabetização mais ampla.[29] E, para satisfazer a sede insaciável do público por notícias, surgiu uma classe profissional de escrevinhadores que se sustentava vendendo textos, e não com o patrocínio da aristocracia. O velho establishment literário os ridicularizava chamando-os de "escrevinhadores da Grub Street", rua em uma área pobre de Londres que abrigava pensões, bordéis e casas editoriais clandestinas. E a Grub Street, farejando uma boa história, explorava agora o chamado "caso *Wager*".

O *Caledonian Mercury* publicou que Bulkeley e a tripulação amotinada haviam atacado fisicamente não só Cheap e Hamilton, mas também toda a sua facção: "amarraram os pés e as mãos" antes de deixá-los "à disposição de bárbaros mais misericordiosos".[30] Outra matéria trazia o ponto de vista de Hamilton de que o comportamento de Cheap era "muitas vezes misterioso e sempre arrogante e presunçoso", mas, olhando agora para trás, estava claro para Hamilton que o capitão "sempre agira sob a orientação de uma previsão sagaz".[31]

Depois que os jornais e periódicos ficaram cheios de reportagens apelativas, as editoras de livros competiram para divulgar relatos em primeira mão dos ex-náufragos. Pouco depois de Cheap retornar à Inglaterra, Campbell chegou do Chile em outro navio. Ele publicou sua própria narrativa de mais de cem páginas, chamada *The Sequel to Bulkeley and Cummins's "Voyage to the South-Seas"* [A sequência da "Viagem aos mares do sul" de Bulkeley e Cummins], na qual se defendia de acusações de traição. Porém, logo depois ele fugiu do país e se alistou no Exército espanhol.

John Byron acreditava que Bulkeley havia tentado justificar o que "não poderia ser considerado sob nenhuma luz senão como um motim".[32] E, embora Byron pudesse ter divulgado sua própria versão, ele parecia relutante em falar mal de seus superiores e se entregar ao que chamava de "egotismo".[33] Enquanto isso, proliferavam outros relatos. Um livreto de um escrevinhador da Grub Street, *An Affecting Narrative of the Unfortunate Voyage and Catastrophe of His Majesty's Ship Wager* [Uma narrativa emocionante da desafortunada viagem e catástrofe do navio de sua majestade *Wager*], dizia que havia sido "compilado de diários autênticos e transmitido, por carta, a um comerciante em Londres por uma pessoa que foi testemunha ocular de todo o caso". No entanto, como o estudioso Philip Edwards apontou, esse relato é uma releitura ardilosa — às vezes palavra por palavra — do diário de Bulkeley, no qual cada detalhe é urdido para apoiar a perspectiva de Cheap e defender os antigos sistemas de autoridade. Numa guerra de palavras, o diário do artilheiro foi transformado em uma arma contra ele mesmo.

Devido ao grande número de relatos, inclusive de proveniência duvidosa, as percepções do caso *Wager* variavam de leitor para leitor. Bulkeley, cujo diário era a todo momento saqueado por oportunistas, ficou furioso quando se deu conta de que estava sendo visto com cada vez mais desconfiança, como se seu relato também pudesse ser falso.

Poucos dias após o retorno de Cheap à Inglaterra, o Almirantado emitiu uma intimação, divulgada nos jornais, para que todos os oficiais, suboficiais e marinheiros sobreviventes do *Wager* comparecessem a Portsmouth a fim de se submeter a uma corte marcial. O julgamento, que começaria em poucas semanas, teria de penetrar na névoa das narrativas — as contraditórias, as sombrias, até mesmo as fictícias — para discernir o que de fato acontecera e, assim, fazer justiça. A escritora Janet Malcolm observou certa vez: "A lei é a guardiã do ideal da verdade não mediada, a verdade despojada do ornamento da narração. [...] A história que melhor resiste ao desgaste das regras da evidência é a que vence".[34] No entanto, não importa qual prevalecesse, o julgamento sem dúvida exporia como oficiais e marinheiros — parte daquela vanguarda do Império Britânico — haviam caído na anarquia e na selvageria. O triste espetáculo poderia até suplantar a gloriosa história da captura do galeão por Anson.

24. A pauta

Depois de ler no jornal a convocação da corte marcial, Bulkeley foi informado por um advogado de que o Almirantado havia emitido um mandado de prisão contra ele. Na ocasião, ele estava em Londres e foi encontrar o oficial de justiça que o procurava. Ao localizá-lo, fingiu ser parente de um dos náufragos que haviam viajado no escaler para o Brasil. Ele perguntou o que aconteceria com esses homens agora que o capitão Cheap havia retornado.

"Enforcados", respondeu o oficial.[1]

"Pelo amor de Deus, pelo quê?", exclamou Bulkeley. "Por não terem se afogado? E um assassino enfim voltou para casa para acusá-los?"

"Senhor, eles foram culpados de tais coisas em relação ao capitão Cheap enquanto prisioneiro, e acredito que ao menos o artilheiro e o carpinteiro serão enforcados."

Bulkeley por fim admitiu que era "o infeliz artilheiro do *Wager*".

O oficial de justiça, espantado, disse que não tinha escolha a não ser prendê-lo. Bulkeley foi confinado até que vários outros oficiais do *Wager* fossem presos, entre eles o tenente Baynes, o carpinteiro Cummins e o contramestre King. Depois, todos foram levados para Portsmouth — o oficial de justiça advertiu para "tomarem cuidado especial para que o artilheiro e o carpinteiro não escapassem". No porto, um barco os levou até o HMS *Prince George*, um navio de guerra de noventa canhões ancorado um pouco afastado do porto. Eles foram isolados a bordo, mais uma vez aprisionados no mar. Bulkeley reclamou por não ter permissão para receber cartas de familiares ou amigos.

Byron também foi convocado, assim como outros membros da tripulação. Cheap embarcou no navio por vontade própria, mas é provável que tenha tido de entregar sua espada. Desde a expedição, ele vinha sofrendo de gota e problemas respiratórios, mas havia recuperado um pouco de sua presença formidável, com o elegante colete de oficial, olhos severos e lábios tensos.

Era a primeira vez que esses homens estavam juntos desde a ilha. Agora, cada um teria que, como disse Bulkeley, "prestar conta de suas ações" e deixar "a justiça ser feita". A lei naval britânica do século XVIII tem a reputação de ser draconiana, mas na verdade era muitas vezes mais flexível e indulgente.[2] De acordo com os Artigos de Guerra, muitas transgressões, inclusive adormecer em serviço, eram puníveis com a morte, mas costumava haver uma ressalva importante: um tribunal poderia proferir uma sentença menor se assim o entendesse. E, embora derrubar um capitão fosse um crime grave, a classificação de comportamento "amotinado" se aplicava muitas vezes a insubordinações menores que não eram consideradas dignas de punição severa.

Não obstante, o caso contra todos os homens do *Wager* parecia esmagador. Eles não eram acusados de má conduta insignificante, mas de um colapso completo da ordem naval, desde os mais altos níveis de comando até as bases. E, embora cada um tivesse tentado moldar suas histórias de modo a justificar suas ações, o sistema legal era projetado para reduzir essas narrativas a fatos nus, duros e sem emoção. Em *Lord Jim*, Joseph Conrad escreve sobre um inquérito naval oficial: "Eles queriam fatos. Fatos! Exigiam fatos".[3] E todos os relatos dos ex-náufragos continham, em sua essência, certos fatos incontestáveis. Nenhum lado contestava que Bulkeley, Baynes e seu grupo haviam amarrado o capitão e o deixado na ilha, ou que Cheap tinha atirado em um homem desarmado sem nenhum procedimento legal ou aviso. Esses eram os fatos!

Bulkeley e seu grupo pareciam ter violado a maioria dos Artigos de Guerra: o artigo 19, que proibia "assembleias amotinadas sob qualquer pretexto, sob pena de morte";[4] o artigo 20, que dizia que ninguém "ocultará quaisquer práticas, projetos ou palavras traiçoeiras ou amotinadas"; o artigo 21, que proibia brigar ou golpear um oficial superior; e o artigo 17, que decretava que qualquer marinheiro que fugir "será punido com a morte". Um promotor rigoroso poderia apresentar mais acusações, entre elas covardia, por desafiar as ordens de Cheap de perseguir os inimigos espanhóis e ajudar Anson; roubo, por levar os barcos de transporte e outros suprimentos; e até mesmo "ações escandalosas em derrogação da honra de Deus e corrupção das boas maneiras". Além disso, Cheap acusou Bulkeley e seu grupo não só de um motim completo, mas também de tentativa de assassinato, por terem abandonado o capitão e seus seguidores na ilha.

No entanto, o próprio Cheap enfrentaria sem dúvida a acusação mais contundente de todas: homicídio. Era um dos poucos estatutos que não oferecia clemência para os infratores. O artigo 28 afirmava de forma inequívoca: "Todos os assassinatos e homicídios dolosos de qualquer pessoa a bordo do navio serão punidos com a morte".

Mesmo Byron não podia ficar tranquilo. Ele se amotinara por pouco tempo, ao abandonar Cheap na ilha e partir com Bulkeley e seu grupo. Ele voltou, mas isso seria suficiente?

Embora muitos dos réus tivessem escrito relatos na tentativa de limpar seus nomes, essas narrativas estavam repletas de omissões flagrantes. O relatório de Cheap nunca reconhecia de modo explícito o assassinato de Cozens — apenas observava que a altercação deles havia levado a "extremismos". O diário de Bulkeley descrevia o abandono de Cheap na ilha como se estivesse cumprindo de maneira obediente os desejos do capitão.

Pior ainda, muitos documentos legais produzidos pelos réus durante a expedição indicavam uma consciência de culpa. Eles conheciam as regras e os regulamentos, sabiam exatamente o que estavam fazendo e, após cada violação, tentavam criar um rastro de papel para ajudá-los a escapar das consequências.

Uma corte marcial naval se destinava a fazer mais do que determinar a inocência ou a culpa daqueles que estavam sendo julgados: ela deveria defender e reforçar a disciplina durante todo o serviço. Como disse um especialista, o sistema foi "criado para transmitir a majestade e a força do Estado" e para garantir que os poucos culpados de crimes graves servissem de exemplo: "A teoria subjacente era que simples marinheiros, após testemunharem esses espetáculos, ficariam tremendo diante da perspectiva de que uma força tão forte — o poder de vida e morte — pudesse um dia ser usada contra eles caso violassem a lei".[5]

Após o famoso motim no HMS *Bounty*,[6] em 1789, o Almirantado despachou um navio até o Pacífico para caçar os suspeitos e levá-los à justiça na Inglaterra. Depois de uma corte marcial, três foram condenados à morte. Em um navio atracado em Portsmouth, eles foram conduzidos até o castelo de proa, onde três laços na altura do pescoço pendiam de uma verga. A tripulação do navio estava no convés, olhando de forma solene. Uma bandeira amarela foi içada — o sinal da morte —, e outras embarcações que estavam no porto se reuniram ao redor do navio; as tripulações também eram obrigadas a assistir. Uma multidão de espectadores, inclusive crianças, observava da costa.

Depois que os condenados oraram, perguntaram a eles se queriam dizer uma última palavra. Uma testemunha relatou que um deles disse:[7]

> Irmãos marinheiros, vocês veem diante de vocês três rapazes vigorosos prestes a sofrer uma morte vergonhosa pelo terrível crime de motim e deserção. Que nosso exemplo sirva para adverti-los a nunca abandonar seus oficiais e, caso eles se comportem mal com vocês, lembrem-se de que vocês estão comprometidos a defender não a causa deles, mas de seu país.[8]

Enfiaram um saco na cabeça de cada amotinado. Um laço trançado foi então enrolado em seus pescoços. Pouco antes do meio-dia, ao som de um canhão, vários tripulantes começaram a puxar as cordas, levantando os amotinados bem acima da linha do mar. Os nós se apertaram. Os homens lutaram para respirar, e suas pernas e seus braços sofreram convulsões até serem sufocados. Seus corpos foram deixados balançando por duas horas.

Um domingo, enquanto ainda esperavam o início do julgamento no *Prince George*, os homens do *Wager* assistiram a um serviço religioso no convés. O capelão observou que um homem que vai para o mar muitas vezes desce às profundezas turbulentas, onde sua "alma derrete". E alertou os congregantes nervosos de que não deveriam se apegar a "noções ou expectativas vãs de um indulto ou perdão".[9] Os sobreviventes do *Wager* tinham todos os motivos para acreditar que seriam enforcados,[10] ou, como disse Bulkeley, que cairiam "pela violência do poder".[11]

25. A corte marcial

Em 15 de abril de 1746, uma bandeira do Reino Unido foi hasteada no topo de um dos mastros do *Prince George* e um canhão foi disparado, anunciando o início da corte marcial. O romancista marítimo Frederick Marryat, que ingressou na Marinha Real em 1806 aos catorze anos e ascendeu a capitão, escreveu certa vez que a pompa desses eventos era calculada para "impressionar a mente, até mesmo do próprio capitão". E acrescentou:

> O navio está organizado com o maior requinte; os conveses são brancos como a neve; as redes estão arrumadas com cuidado; seus cabos estão esticados; as vergas, niveladas; os canhões, descarregados; e uma guarda de fuzileiros navais, sob as ordens de um tenente, está preparada para receber todos os membros da corte com a honra devida ao posto. O camarote grande está preparado, com uma longa mesa coberta com um pano verde. Penas, tinta, papel, livros de orações e os Artigos de Guerra são distribuídos a todos os membros.[1]

Os treze juízes designados para o julgamento do *Wager* apareceram no convés em trajes formais. Todos eram oficiais de alto escalão: capitães e comodoros, e o juiz principal, o assim chamado presidente, era Sir James Steuart, um vice-almirante de quase setenta anos que era comandante em chefe de todos os navios de sua majestade em Portsmouth. Estava claro que esses homens eram mais parecidos com Cheap do que com Bulkeley e seus seguidores, contudo os juízes eram conhecidos por punir colegas oficiais. Em 1757, o almirante John Byng foi executado após ser considerado culpado de não ter "feito o máximo"[2] durante uma batalha, levando Voltaire a comentar em *Cândido* que os ingleses acreditavam ser apropriado "matar um almirante de vez em quando para encorajar os outros".[3]

Steuart se sentou à cabeceira da mesa, e os outros se acomodaram nas laterais, em ordem decrescente de antiguidade. Os juízes juraram cumprir o dever de administrar a justiça sem favor ou afeição. Um promotor estava presente, assim como um juiz advogado que ajudava a conduzir o tribunal e fornecia aconselhamento jurídico aos membros.

George Anson não estava lá. No entanto, um ano antes, durante sua constante ascensão na hierarquia, foi nomeado para o poderoso Conselho do Almirantado, que supervisionava a política geral da disciplina naval. E, sem dúvida, tinha um profundo interesse nos processos envolvendo seus ex-subordinados, em especial seu protegido Cheap. Ao longo dos anos, Anson mostrara ser capaz de julgar de forma perspicaz o caráter das pessoas, e muitos dos homens da esquadra promovidos por ele se tornariam ilustres comandantes da Marinha, entre eles o tenente do *Centurion* Charles Saunders, o aspirante Augustus Keppel e o aspirante do *Severn* Richard Howe. Mas o homem que Anson havia escolhido para comandar o *Wager* corria o risco de ser condenado como assassino.

Cheap já havia enviado uma carta a Anson, parabenizando--o por sua vitória sobre o *Covadonga* e pelas promoções "que o senhor merece com tanta justiça na opinião de toda a humanidade". Ele escreveu: "Tomo a liberdade de assegurar-lhe que nenhum homem na terra deseja sua prosperidade com um coração mais caloroso do que eu". E acrescentou: "Preciso implorar por seu favor e proteção, que me gabo de ter enquanto me comporto como devo e, quando me comporto de outro modo, não esperarei nenhum dos dois".[4] Anson disse a um parente de Cheap que continuava a apoiar seu ex-tenente.

Cheap e os outros réus foram levados ao tribunal. Como era de praxe, não eram representados por advogados e tinham que se defender por conta própria. Mas podiam receber aconselhamento jurídico do tribunal ou de um colega. E o mais importante: podiam chamar e interrogar testemunhas.

Antes da audiência, solicitou-se que cada réu fornecesse uma declaração de fatos, que foi então apresentada como prova. Quando Bulkeley foi chamado para registrar a sua, ele protestou que ainda não sabia exatamente quais acusações eram feitas contra ele. Sempre consciente de seus direitos, disse: "Toda a vida pensei, ou pelo menos as leis do meu país me dizem, que quando um homem é prisioneiro, ele deve ser acusado".[5] Bulkeley reclamou que não tinha como preparar de forma adequada uma defesa. Foi-lhe dito que, no momento, ele só precisava depor sobre a causa do naufrágio. Sempre que um dos navios de sua majestade se perdia, realizava-se um inquérito para determinar se algum oficial ou tripulante era o responsável.

Quando o julgamento começou, Cheap foi o primeiro a responder às perguntas. Sobre a questão do naufrágio do *Wager*, ele fez apenas uma acusação: que o tenente Baynes havia negligenciado seus deveres, entre outras coisas, por não ter informado a ele que o carpinteiro Cummins relatara ter visto terra um dia antes de o navio bater nas rochas.

Um juiz perguntou a Cheap: "O senhor acusa algum oficial além do tenente de ser de alguma forma cúmplice na perda do *Wager*?".[6]

"Não, senhor, eu os absolvo de tudo *aquilo*", respondeu ele.

Ele não foi pressionado em relação às suas outras declarações. E não demorou para chegar a vez de Bulkeley. Ele também foi interrogado apenas sobre a perda do *Wager*. Um juiz lhe perguntou por que, antes de o navio encalhar, ele não havia tentado soltar a âncora com os outros.

"O cabo estava enredado", respondeu Bulkeley.

"O senhor tem alguma objeção à conduta do capitão ou dos oficiais, ou com a forma como eles lidaram com todos os aspectos para o bem e a preservação do navio e da tripulação?"

Bulkeley já havia respondido a essa pergunta ao publicar seu diário, no qual culpou explicitamente Cheap pelo naufrágio, afirmando que o capitão havia se recusado a alterar o curso por teimosia e obediência cega às ordens. Essas deficiências de temperamento, acreditava Bulkeley, só pioraram durante o tempestuoso interlúdio na ilha, alimentando o caos e culminando com o assassinato cometido por Cheap e sua retirada do poder. No entanto, agora, ao falar perante os treze juízes, ele parecia sentir que alguma coisa nos procedimentos legais estava fundamentalmente errada. Ele não havia sido acusado de motim — ou, na verdade, de nada. Era como se lhe oferecessem um acordo tácito. E assim Bulkeley, embora tivesse jurado contar toda a verdade, decidiu deixar algumas coisas também tácitas. "Não posso imputar nada a nenhum oficial", disse ele.

E assim as coisas seguiram. Ao carpinteiro Cummins, considerado um dos líderes do motim, perguntaram: "O senhor tem algum motivo para acusar o capitão ou qualquer oficial de negligenciar a preservação do navio?".

"Não", respondeu ele, ignorando o fato de que uma vez fora direto ao acusar Cheap de causar o acidente — para não mencionar quando o definiu como assassino por escrito.

Chamaram o contramestre King. Ele estava entre os náufragos mais rebeldes: havia roubado bebidas e roupas de oficiais e, durante a rebelião, agrediu fisicamente Cheap. Mas King não foi acusado de nada; apenas lhe perguntaram: "O senhor tem algo a dizer contra seu capitão [...] pela perda do navio?".

"Não, o capitão se comportou muito bem. Não tenho nada a dizer contra ele ou qualquer outro oficial."

Quando chegou a vez de John Byron, ele não foi questionado sobre nenhum dos horrores que havia testemunhado: aqueles atos sombrios de que, tinha aprendido, os homens — supostos cavalheiros — eram capazes. Após algumas perguntas técnicas sobre as operações do navio, ele foi dispensado.

O tenente Baynes era o único que enfrentava algum tipo de acusação. Ele insistiu que não relatou a Cheap terem avistado terra porque pensou que não passava de uma mancha de nuvens no horizonte. "Caso contrário, eu sem dúvida teria contado ao capitão", disse ele.

Após um breve intervalo, os juízes voltaram. Haviam chegado a um veredicto unânime. Um papel foi entregue ao juiz advogado, que leu a decisão em voz alta: "Que o capitão David Cheap cumpriu seu dever e usou todos os meios ao seu alcance para preservar o navio *Wager* de sua majestade sob seu comando". Todos os outros oficiais e tripulantes também foram absolvidos dessa acusação — exceto Baynes, que recebeu apenas uma repreensão.

Bulkeley ficou muito feliz com o veredicto. Ele se gabou de ter sido "absolvido de forma honrosa" e declarou: "Neste dia, vimos o grande e glorioso poder do Todo-Poderoso, ao defender nossa causa e nos defender de cair pela violência dos homens".[7] Cheap deve ter sido alertado de antemão sobre o foco do tribunal, pois nunca apresentou suas declarações contra Bulkeley e seus homens. Embora lhe tenha sido negada sua tão esperada desforra, ele também foi poupado de qualquer punição. E não foi destituído de seu querido título de capitão.

Não houve mais processos — nenhuma decisão sobre se Cheap era culpado de assassinato ou se Bulkeley e seus seguidores se amotinaram e tentaram matar seu comandante. Não houve nem mesmo uma audiência sobre se alguém havia sido culpado de deserção ou por brigar com um oficial superior. As autoridades britânicas, ao que parece, não queriam que a história de nenhum dos lados prevalecesse. E, para justificar esse resultado, apoiaram-se numa faceta obscura do regulamento: como as regras navais estabeleciam que, após um naufrágio, os marinheiros a bordo não tinham mais direito a salários, os náufragos poderiam supor que, uma vez na ilha, não estavam mais sujeitos à lei. No entanto, esse raciocínio burocrático, que o historiador Glyndwr Williams chamou de "cláusula de escape",[8] ignorava um adendo à regra: se ainda pudessem obter suprimentos de um naufrágio, os marinheiros continuariam na folha de pagamento da Marinha. O contra-almirante britânico C. H. Layman, especialista no caso *Wager*, concluiu mais tarde que havia "um incômodo cheiro de justificativa"[9] na decisão do Almirantado de não processar um motim ostensivo.

É impossível saber com certeza o que aconteceu nos bastidores, mas sem dúvida havia motivos para o Almirantado querer que o caso desaparecesse. Desenterrar e documentar todos os fatos incontroversos do que acontecera na ilha — saques, roubos, chicotadas, assassinatos — teria enfraquecido a alegação central que baseava a justificativa do Império Britânico para dominar outros povos, a saber, que suas forças imperiais, sua civilização, eram inerentemente superiores. E que seus oficiais eram cavalheiros, não brutos.

Além disso, um julgamento adequado seria um lembrete indesejado de que a Guerra da Orelha de Jenkins fora uma calamidade, mais um capítulo ignóbil na longa e sombria história de nações que enviavam tropas para aventuras militares mal planejadas, mal financiadas e malfeitas. Cinco anos antes da corte marcial, o almirante Vernon havia liderado, como planejado, um ataque maciço da Grã-Bretanha — com quase duzentos navios — à Cartagena, na atual Colômbia. No entanto, infestado por má administração, lutas internas entre líderes militares e a constante ameaça de febre amarela, o cerco resultou na perda de mais de 10 mil homens. Depois de 67 dias sem conseguir capturar a cidade, Vernon declarou à tripulação sobrevivente que eles estavam "cercados pelas armadilhas da morte".[10] Ordenou, então, uma retirada humilhante.

Até mesmo a expedição de Anson, com seu alardeado tesouro, foi em grande parte uma catástrofe. Dos quase 2 mil homens que zarparam, mais de 1300 morreram — uma taxa de mortalidade chocante, mesmo para uma viagem tão longa. E, embora Anson tenha retornado com um saque de cerca de 400 mil libras esterlinas, a guerra custou aos contribuintes 43 milhões de libras. Um jornal britânico publicou um poema para discordar das comemorações da vitória de Anson:

Britânicos iludidos! Por que deveriam se gabar
De um tesouro comprado a um custo triplo?
Isso, enquanto centrado em mãos privadas,
Restaurará a riqueza à sua terra tão empobrecida?
Para comprar isso, pensem em quanto tesouro se foi;

Pensem nas grandes maldades que ele fez...
Dos filhos de Albion, perdidos sem lucro.
Então vossa ostentação se transformará em tristeza.[11]

Não só homens e garotos britânicos foram enviados para a morte, como a própria guerra estava enraizada, pelo menos em parte, num engano.[12] O capitão mercante Robert Jenkins havia de fato sido atacado pelos espanhóis, mas isso ocorrera em 1731, oito anos antes do início da guerra. O incidente havia de início atraído pouca atenção e fora esquecido até que políticos britânicos e interesses comerciais que clamavam por guerra o trouxeram à tona. Em 1738, quando Jenkins foi convocado para testemunhar perante a Câmara dos Comuns, divulgaram amplamente que ele havia erguido a orelha numa jarra de salmoura e feito comentários empolgantes sobre se sacrificar pelo país. Embora ele de certo tenha sido chamado, não existe nenhuma transcrição do que ocorreu, e alguns historiadores sugeriram que na época ele estava fora do país.

Os interesses políticos e econômicos britânicos tinham suas próprias motivações ocultas para a guerra. Ainda que estivessem impedidos de negociar em portos controlados pelos espanhóis na América Latina, os mercadores ingleses encontraram uma maneira sinistra de entrar nesse mercado. Em 1713, a Companhia Britânica dos Mares do Sul recebeu da Espanha o que era conhecido como um *asiento* — uma licença para vender quase 5 mil escravizados africanos por ano nas colônias latino-americanas da Espanha. Por causa desse novo acordo abominável, os mercadores ingleses puderam usar seus navios para contrabandear mercadorias como açúcar e lã. À medida que os espanhóis retaliavam, apreendendo navios que vendiam mercadorias proibidas, os comerciantes britânicos e seus aliados políticos começaram a procurar um pretexto para mobilizar o público para a guerra a fim de expandir propriedades coloniais e monopólios comerciais da Grã-Bretanha. "A fábula da orelha de Jenkins", como Edmund Burke mais tarde a apelidou,[13] proporcionou um verniz justo para o projeto deles. (O historiador David Olusoga observou que os aspectos indecorosos da origem da guerra foram em grande parte "expurgados da narrativa dominante da história britânica".)[14]

Na época da corte marcial do *Wager*, a Guerra da Orelha de Jenkins já havia sido incluída em outra luta imperial mais ampla, conhecida como a Guerra da Sucessão Austríaca, na qual todas as potências europeias disputavam o domínio. Nas décadas seguintes, as vitórias navais britânicas transformariam a pequena nação insular em um império com supremacia marítima — o que o poeta James Thomson chamou de "império das profundezas".[15] No início do século XX, a Grã-Bretanha já era o maior império da história, governando mais de 400 milhões de pessoas e um quarto da massa terrestre do planeta. Mas, em 1746, o governo estava preocupado em manter o apoio público depois de tantas perdas terríveis.

Um motim, em especial em tempos de guerra, pode ser tão ameaçador para a ordem estabelecida que nem mesmo é oficialmente reconhecido como tal. Durante a Primeira Guerra Mundial, tropas francesas em várias unidades da frente ocidental se recusaram a lutar, num dos maiores motins da história. Mas o relato oficial do governo descreveu o incidente apenas como "distúrbios e retificação do moral".[16] Os registros militares foram lacrados durante cinquenta anos, e apenas em 1967 foi publicado um relato oficial na França.

O inquérito sobre o caso *Wager* foi encerrado de forma permanente. O depoimento de Cheap que detalhava suas alegações acabou desaparecendo dos arquivos da corte marcial. E a revolta na ilha Wager se tornou, nas palavras de Glyndwr Williams, "o motim que nunca existiu".[17]

26. A versão que venceu

No meio da controvérsia sobre o caso *Wager*, ficou perdida a história de outro motim, testemunhado pelos últimos náufragos a voltar para casa.[1] Três meses depois da corte marcial, três membros do grupo de Bulkeley, do qual fazia parte o aspirante Isaac Morris, surpreendentemente chegaram num navio em Portsmouth.

Mais de quatro anos antes, esses homens haviam nadado até a costa da Patagônia com um pequeno grupo do *Speedwell* para coletar provisões — e foram abandonados na praia. Bulkeley e outros sobreviventes no barco contaram sua versão do que havia acontecido: o mar tempestuoso e um leme quebrado tornaram impossível chegar perto da costa o bastante para resgatá-los. Depois que a tripulação de Bulkeley mandou um barril cheio de munição e uma nota explicando a situação, Morris e seus companheiros caíram de joelhos enquanto viam o *Speedwell* partir. Mais tarde, Morris chamou o abandono sofrido de "o maior ato de crueldade".[2] Na época, o grupo tinha mais sete homens. Depois de oito meses como náufragos, agora eles se viram "numa parte selvagem e desolada do mundo, fatigados, doentes e destituídos de provisões", como escreveu Morris.[3]

Quatro deles morreram, mas Morris e os outros três sobreviveram de caça e coleta de alimentos. Eles tentaram chegar a Buenos Aires, várias centenas de quilômetros ao norte, mas desistiram de exaustão. Um dia, depois de passar oito meses perdido no meio do nada, Morris avistou homens a cavalo galopando em sua direção: "Não imaginei nada além da morte se aproximando e me preparei para enfrentá-la com toda a coragem que pude reunir".[4] Mas, em vez de um ataque, ele foi recebido de forma calorosa por um grupo de patagônios nativos. "Eles nos trataram com grande humanidade: mataram um cavalo para nós, acenderam uma fogueira e assaram parte dele", relembrou Morris. "Também nos deram pedaços de um cobertor velho para cobrir nossa nudez."

Os náufragos foram conduzidos de uma aldeia a outra, muitas vezes permanecendo meses no mesmo lugar. Em maio de 1744, dois anos e meio depois que o *Speedwell* os deixara para trás, três dos homens chegaram em segurança à capital — e foram presos pelos espanhóis. Passaram mais de um ano confinados. Por fim, os espanhóis permitiram que voltassem para casa, e eles foram levados à Espanha como prisioneiros num navio de guerra de 66 canhões sob o comando de Don José Pizarro, o oficial que perseguira a esquadra de Anson ainda no Atlântico. Além de uma tripulação de quase quinhentos homens, havia onze indígenas a bordo, entre eles um cacique chamado Orellana, que fora escravizado e obrigado a trabalhar no navio.

Restaram poucos registros sobre a vida dos homens escravizados, e os que existem são filtrados pela perspectiva europeia. De acordo com o relatório mais detalhado, baseado no testemunho ocular de Morris e seus companheiros náufragos, eles vinham de uma tribo dos arredores de Buenos Aires que resistira durante muito tempo à colonização. Cerca de três meses antes da viagem de retorno de Pizarro, haviam sido capturados por soldados espanhóis. No navio, foram tratados, como dizia o relatório, com "grande insolência e barbaridade".[5]

Um dia, Orellana recebeu a ordem de subir no mastro. Quando se recusou, um oficial o espancou até que ficasse atordoado e ensanguentado. O relatório afirmava que os oficiais açoitavam repetidas vezes os indígenas "da maneira mais cruel, sob os menores pretextos e, muitas vezes, apenas para exercer sua superioridade".[6]

Na terceira noite da viagem, Morris estava lá embaixo quando ouviu um barulho vindo do convés. Um de seus companheiros se perguntou se um mastro havia caído e subiu uma escada correndo para ver o que estava acontecendo. Quando emergiu, alguém o atingiu na nuca, e ele caiu no convés. Então um corpo caiu ao lado dele — o de um soldado espanhol morto. Gritos ecoaram pelo navio: "Motim! Motim!".[7]

Morris também subiu ao convés e ficou surpreso com o que viu: Orellana e seus dez homens invadiam o tombadilho. Estavam em número muito menor e não tinham mosquetes ou pistolas, apenas algumas facas que haviam reunido em segredo e estilingues feitos com madeira e cordas. No entanto, lutaram contra um homem após o outro até que Pizarro e vários de seus oficiais se embarricaram numa cabine, apagaram as lanternas e se esconderam no escuro. Alguns espanhóis se refugiaram no meio do gado encurralado a bordo, enquanto outros correram para o cordame e subiram até o topo dos mastros. "Esses onze indígenas, com uma coragem talvez nunca vista, apoderaram-se quase num instante do tombadilho de um navio com 66 canhões e uma tripulação de quase quinhentos homens", contava o relatório.[8]

Essa foi uma das centenas de rebeliões de escravizados documentadas e insurreições indígenas que aconteceram nas Américas — verdadeiros motins. Como observou a historiadora Jill Lepore, os povos ocupados "se revoltaram repetidas vezes", fazendo "a mesma pergunta, sem parar: *com que direito somos governados*?".[9]

No navio espanhol, Orellana e seu grupo continuaram a manter o controle do centro de comando, bloqueando as pranchas de desembarque e resistindo às incursões. Mas eles não tinham como manobrar o navio nem para onde ir, e depois de mais de uma hora Pizarro e suas forças começaram a se reagrupar. Na cabine, alguns homens encontraram um balde e o amarraram a uma longa corda, que baixaram por uma portinhola até o paiol, onde o artilheiro o encheu de munição. Os oficiais o puxaram em silêncio para cima. Uma vez totalmente armados, eles abriram a porta da cabine e vislumbraram Orellana. Ele havia tirado a roupa ocidental que fora forçado a usar e estava quase nu com seus homens, respirando o ar da noite. Os oficiais apontaram suas pistolas e começaram a atirar — lampejos repentinos na escuridão. Uma bala atingiu Orellana. Ele cambaleou, caiu, e seu sangue escorreu pelo convés. "Assim foi sufocada a insurreição", afirmava o relatório, "e recuperada a posse do tombadilho, depois de duas horas inteiras sob poder desse grande e ousado chefe e de seus corajosos e infelizes compatriotas."[10] Orellana foi morto. E o restante de seus homens, em vez de serem escravizados de novo, subiram nas amuradas do navio, soltaram gritos de desafio e pularam no mar para morrer.

Depois que voltou para a Inglaterra, Morris publicou uma narrativa de 48 páginas, aumentando a crescente biblioteca de relatos sobre o caso *Wager*. Os autores raramente retratavam a si mesmos ou seus companheiros como agentes de um sistema imperialista. Eram consumidos por suas próprias lutas e ambições diárias — trabalhar no navio, ganhar promoções e garantir dinheiro para suas famílias e, em última análise, sobreviver. Mas é precisamente essa cumplicidade impensada que permite que os impérios perdurem. Com efeito, essas estruturas imperiais exigem isso: milhares e milhares de pessoas comuns, inocentes ou não, servindo — e até se sacrificando por — um sistema que muitos deles quase não questionam.

Nessa história, houve um náufrago sobrevivente que nunca teve a chance de registrar de algum modo seu testemunho. Nem em livro, nem em depoimento. Nem mesmo em carta. Trata-se de John Duck, o marinheiro negro livre que desembarcou com o grupo abandonado de Morris.

Duck resistiu aos anos de privação e fome e conseguiu, junto com Morris e outros dois sobreviventes, caminhar até os arredores de Buenos Aires. Mas ali sua fortaleza não lhe serviu de nada, e ele sofreu o que todo marinheiro negro livre temia: foi sequestrado e vendido como escravizado. Morris não sabia para onde seu amigo havia sido levado, se para as minas ou para os campos; o destino de Duck era desconhecido, como é o caso de tantas pessoas cujas histórias nunca poderão ser contadas. "Acredito que ele terminará seus dias" no cativeiro, escreveu Morris, "não havendo perspectiva de que volte para a Inglaterra".[11] Os impérios preservam seu poder com as histórias que contam, mas igualmente fundamentais são as histórias que eles não contam, os silêncios sombrios que impõem, as páginas que arrancam.

Enquanto isso, já havia uma competição em andamento na Inglaterra para publicar a narrativa definitiva da expedição mundial de Anson. Richard Walter, o capelão do *Centurion*, deixou claro que estava escrevendo essa crônica, e o mestre-escola do navio, Pascoe Thomas, reclamou que Walter tentava dissuadir outros de imprimirem suas próprias versões, para que pudesse "fazer um monopólio dessa viagem".[12] Em 1745, Thomas se antecipou a Walter ao lançar *A True and Impartial Journal of a Voyage to the South-Seas, and Round the Globe, in His Majesty's Ship the Centurion, Under the Command of Commodore George Anson* [Um verdadeiro e imparcial diário de uma viagem aos mares do sul e ao redor do globo no navio de sua majestade *Centurion*, sob o comando do comodoro George Anson]. Outra crônica, provavelmente polida por um escrevinhador da Grub Street, saudou a viagem de Anson como "indubitavelmente do maior valor e importância".[13]

Em 1748, dois anos após a corte marcial, o reverendo Walter publicou enfim seu relato, *A Voyage Round the World in the Years 1740-1744 by George Anson* [Uma viagem ao redor do mundo nos anos 1740-1744 por George Anson]. Com quase quatrocentas páginas, era a mais longa e detalhada das várias narrativas, e foi ilustrada com belos esboços feitos durante a expedição por um tenente do *Centurion*. Como muitos relatos de viagem da época, o livro sofre de prosa empolada e das minúcias tediosas de um diário de bordo, mas transmite com sucesso o drama pulsante de Anson e seus homens enfrentando um desastre após o outro. Numa breve discussão sobre o caso *Wager*, o relato simpatiza com Cheap, argumentando que ele havia "feito o possível"[14] para salvar a tripulação e só atirou em Cozens porque ele era o "líder"[15] de um bando de agitadores violentos. Walter também deu crédito ao motivo de nenhum náufrago ter sido processado, alegando que os "homens conceberam que, com a perda do navio, a autoridade dos oficiais havia chegado ao fim".[16] Por fim, nas mãos de Walter, o naufrágio do *Wager* se tornou apenas mais um impedimento na busca do *Centurion* por capturar o galeão. O livro termina com palavras estimulantes: "Embora a prudência, a intrepidez e a perseverança unidas não estejam isentas dos golpes da fortuna adversa", no final, elas "raras vezes deixam de ser bem-sucedidas".[17]

Mas há algo estranho no livro, pois, como obra de um clérigo, chama a atenção o fato de fazer poucas menções a Deus.[18] E, embora o narrador escreva na primeira pessoa ao descrever o confronto do *Centurion* com o galeão, Walter não estava presente nessa batalha: ele havia partido da China para a Inglaterra pouco antes do confronto. Mais tarde, historiadores investigativos descobriram que Walter não era o único autor do livro; grande parte dele fora escrito por um autor de panfletos e matemático chamado Benjamin Robins.[19]

Na verdade, havia ainda outra força oculta por trás do livro: ninguém menos que o próprio almirante Anson. Ele tinha o que admitia ser uma "aversão à escrita"[20] e, em seu despacho após a captura do galeão, havia dito pouco mais do que "eu o vi e fui atrás".[21] Anson, no entanto, arquitetara o livro de Walter, ao fornecer os materiais, escolher o reverendo para compilá-lo, supostamente pagar a Robins mil libras para dar vida ao projeto e se certificar de que refletisse sua perspectiva em cada página.

A expedição era apresentada como "um empreendimento de natureza muito singular",[22] e o próprio Anson era descrito como um comandante que "constantemente se esforçava ao máximo"[23] e "sempre mantinha sua compostura usual" —[24] um homem que era tão "notável por sua indulgência e humanidade" quanto por "sua determinação e coragem".[25] Além disso, o livro é um dos poucos relatos que parece ter uma consciência profunda dos interesses imperiais da Grã-Bretanha, elogiando o país, na primeira página, por mais uma vez demonstrar sua "evidente superioridade" sobre seus inimigos, "tanto no comércio quanto na glória". O relato era em segredo a versão de Anson dos eventos, projetada para polir não apenas sua reputação, mas também a do Império Britânico. Até a ilustração da batalha entre o *Centurion* e o galeão, que se tornou uma imagem icônica, alterou as dimensões das embarcações para fazer com que o galeão fosse o maior e mais poderoso dos dois, e não o contrário.

O livro teve várias impressões e foi traduzido em todo o mundo — um best-seller estrondoso, na linguagem de hoje. Um oficial do Almirantado observou: "Todo mundo já ouviu falar, e multidões já leram, *A viagem de Anson ao redor do mundo*".[26] O livro influenciou Rousseau, que, em um de seus romances, descreveu Anson como "*un capitaine, un soldat, un pilote, un sage, un grand homme*!" [um capitão, um soldado, um piloto, um sábio, um grande homem!].[27] Montesquieu escreveu um resumo com comentários de mais de quarenta páginas do livro. O capitão James Cook, que chamou o reverendo Walter de "o engenhoso autor da *Viagem de Lord Anson*",[28] carregou um exemplar do livro no *Endeavour* durante sua primeira expedição ao redor do mundo, e Darwin fez o mesmo em sua jornada no *Beagle*. O livro foi saudado por críticos e historiadores como "uma clássica história de aventura",[29] "um dos livrinhos mais agradáveis da biblioteca mundial"[30] e "o livro de viagens mais popular de sua época".[31]

Assim como as pessoas moldam suas histórias para servir a seus interesses, revisando, apagando e enfeitando, o mesmo acontece com as nações. Depois de todas as narrativas sombrias e perturbadoras sobre o desastre do *Wager*, e depois de tanta morte e destruição, o Império enfim encontrara sua história mítica do mar.

Epílogo

Na Inglaterra, os homens do *Wager* retomaram suas vidas como se o sórdido caso nunca tivesse acontecido. Com o apoio do almirante Anson, David Cheap foi nomeado capitão de um navio de guerra de 44 canhões. No Natal de 1746, oito meses após a corte marcial, ele navegava perto da ilha da Madeira com outro navio britânico quando avistou um navio espanhol de 32 canhões. Cheap e o outro navio britânico o perseguiram e, por um momento, ele se pareceu com o líder que sempre quis ser: empoleirado no tombadilho, com as armas prontas, gritando ordens aos seus homens. Mais tarde, ele informou ao Almirantado que era sua "honra" revelar que seu grupo havia vencido o inimigo em "cerca de meia hora".[1] Além disso, relatou que havia descoberto a bordo mais de cem baús de prata. Cheap conquistara enfim o que chamou de "um prêmio bastante valioso". Depois de receber uma parte substancial do dinheiro, ele se aposentou da Marinha, comprou uma grande propriedade na Escócia e se casou. No entanto, mesmo após sua vitória, não conseguiu limpar por completo a mancha do *Wager*. Quando morreu, em 1752, aos 59 anos, um obituário observou que, após naufragar, ele havia atirado num homem "que morreu no local".[2]

John Bulkeley escapou para uma terra onde os migrantes podiam descartar o peso de seu passado e se reinventar: os Estados Unidos. Ele se mudou para a colônia da Pensilvânia, aquele futuro foco de rebelião, e em 1757 publicou uma edição americana de seu livro. Ele incluiu um trecho de um relato que Isaac Morris havia escrito, embora tenha cortado a parte em que Morris o acusava de abandoná-lo de forma cruel. Após a publicação americana, Bulkeley desapareceu da história de forma tão abrupta quanto havia se inserido nela. A última vez que sua voz foi ouvida foi na nova dedicatória de seu livro, na qual mencionava que esperava encontrar na América "o Jardim do Senhor".

John Byron, que se casou e teve seis filhos, permaneceu na Marinha por mais de duas décadas e subiu na hierarquia até ser vice-almirante. Em 1764, foi convidado a liderar uma expedição ao redor do globo; uma de suas ordens era ficar de olho no caso improvável de que algum náufrago do *Wager* tivesse sobrevivido na costa da Patagônia. Ele completou a viagem sem perder um navio, mas aonde quer que fosse no mar, era perseguido por tempestades terríveis, o que lhe valeu o apelido de Foul-Weather Jack [Jack Mau-Tempo].[3] Um biógrafo naval do século XVIII escreveu que Byron tinha "a reputação universal e adquirida de forma justa de ser um oficial corajoso e excelente, mas também de ser um homem extremamente infeliz".[4] Não obstante, no mundo de madeira enclausurado, ele parecia encontrar o que tanto desejava — um sentimento de companheirismo. E foi amplamente elogiado pelo que um oficial chamou de ternura e cuidado para com seus homens.

Preso à tradição naval, ele manteve silêncio sobre o caso *Wager*, carregando consigo suas lembranças angustiantes: como seu amigo Cozens agarrou sua mão após ser baleado; como o cachorro que ele encontrou foi abatido e comido; e como alguns de seus companheiros se voltaram, como último recurso, para o canibalismo. Em 1768, duas décadas depois da corte marcial — e muito depois da morte de Cheap —, Byron publicou enfim sua própria versão dos acontecimentos. Chamava-se *The Narrative of the Honourable John Byron: Containing an Account of the Great Distresses Suffered by Himself and His Companions on the Coast of Patagonia, from the Year 1740, Till Their Arrival in England, 1746* [A narrativa do honorável John Byron: Contendo um relato das grandes aflições sofridas por ele e seus companheiros na costa da Patagônia, desde o ano de 1740 até sua chegada à Inglaterra em 1746]. Com Cheap morto, ele poderia ser mais sincero sobre a conduta perigosamente "impensada e precipitada"[5] de seu ex-capitão. O tenente dos fuzileiros navais Hamilton, que continuava a defender com veemência a conduta de Cheap, acusou Byron de fazer uma "grande injustiça" à memória do capitão.[6]

O livro foi elogiado pelos críticos. Um deles o chamou de "simples, interessante, comovente e romântico".[7] E, embora não tenha recebido uma leitura duradoura, enfeitiçou o neto de Byron, a quem ele nunca conheceu. Em *Don Juan*, o poeta escreveu que as "dificuldades do protagonista eram comparáveis/ Àquelas relatadas na *Narrativa* de meu avô".[8] Ele também escreveu certa vez: "Inverteu-se para mim o destino de outrora de nosso avô, —/ Ele não teve descanso no mar, nem eu em terra".[9]

O almirante George Anson conquistou mais vitórias navais. Durante a Guerra da Sucessão Austríaca, ele capturou uma frota francesa inteira. Mas não foi como comandante que ele causou maior impacto, e sim como administrador. Nas duas décadas em que foi membro do Conselho do Almirantado, ajudou a reformar a Marinha, resolvendo muitos dos problemas que causaram tantas calamidades durante a Guerra da Orelha de Jenkins. Entre as mudanças estavam a profissionalização do serviço e o estabelecimento de um corpo de fuzileiros navais permanente sob o controle do Almirantado, o que evitaria que inválidos fossem enviados para o mar e o tipo de estrutura de comando nebulosa que havia contribuído para a desordem na ilha Wager. Anson foi aclamado como o "Pai da Marinha Britânica". Ruas e cidades foram batizadas em sua homenagem, inclusive Ansonborough, na Carolina do Sul. John Byron deu ao seu segundo filho o nome George Anson Byron.

No entanto, em algumas décadas, até mesmo a fama do antigo comodoro de Byron começou a declinar, ofuscada por gerações subsequentes de comandantes como James Cook e Horatio Nelson, com suas próprias histórias míticas do mar. Depois que o *Centurion* foi desativado e desmontado em 1769, sua cabeça de leão de madeira de quase cinco metros foi dada ao duque de Richmond, que a colocou no pedestal de uma hospedaria com uma placa que dizia:

Fique, viajante, por algum tempo, e veja
Alguém que viajou mais do que você:
Ao redor de todo o mundo, através de cada grau,
Anson e eu percorremos o mar[10]

Mais tarde, a pedido do rei, a cabeça do leão foi transferida para o Greenwich Hospital, em Londres, e colocada em frente a uma enfermaria para marinheiros, que recebeu o nome de Anson. Mas, ao longo dos cem anos seguintes, o significado do artefato desapareceu, e ele acabou sendo jogado num galpão, onde se decompôs.[11]

Por vezes, um grande contador de histórias marítimas era atraído pela saga do *Wager*. Em *Jaqueta Branca*, romance publicado em 1850, Herman Melville observa que as "impressionantes e interessantíssimas narrativas" do sofrimento dos náufragos são uma boa leitura em "tempestuosas noites de março, quando as persianas matraqueiam em seus ouvidos, e o vento assovia descendo pela chaminé da lareira com gotas de chuva."[12] Em 1959, Patrick O'Brian publicou *The Unknown Shore* [A costa desconhecida], um romance inspirado no desastre do *Wager*. Embora seja uma obra incipiente e menos polida, proporcionou ao autor um modelo para sua série magistral subsequente, ambientada no período das Guerras Napoleônicas.

No entanto, o caso *Wager*, apesar desses lembretes ocasionais, está esquecido pelo público. Os mapas do golfo de Penas contêm referências que desconcertam a maioria dos marinheiros contemporâneos. Perto dos promontórios mais ao norte, pelos quais Cheap e seu grupo tentaram remar inutilmente, quatro pequenas ilhas são identificadas como Smith, Hertford, Crosslet e Hobbs — os nomes dos quatro fuzileiros navais deixados para trás quando não havia espaço para eles no barco de transporte restante. Eles gritaram "Deus salve o rei" antes de desaparecerem para sempre. Há um canal Cheap e uma ilha Byron, o lugar onde Byron fez sua escolha fatídica de deixar o grupo de Bulkeley e voltar para seu capitão.

Desaparecidos das águas costeiras estão os nômades do mar. No final do século XIX, os chonos foram exterminados pelo contato com os europeus e, no início do século XX, havia apenas algumas dezenas de kawésqar, que se estabeleceram numa aldeia a cerca de 160 quilômetros ao sul do golfo de Penas.

A ilha Wager continua sendo um lugar de desolação selvagem.[13] Mesmo hoje o lugar não parece menos ameaçador, e suas praias ainda são castigadas por ventos e ondas implacáveis. As árvores são nodosas, torcidas e dobradas, e muitas estão escurecidas por raios. O solo é encharcado de chuva e granizo. Uma névoa quase permanente envolve o topo do monte Anson e dos outros picos e, às vezes, ela desce pelas encostas até as rochas à beira-mar, como se toda a ilha fosse consumida por fumaça. Poucos animais parecem se mover na névoa, exceto uma ou outra pardela-preta ou outra ave aquática que voa sobre a arrebentação.

Perto do monte Desgraça, onde os náufragos construíram seu posto avançado, alguns talos de aipo ainda brotam, e é possível procurar lapas como as que o grupo consumia para sobreviver. Um pouco mais para o interior, parcialmente enterradas num riacho gelado, estão várias tábuas de madeira apodrecidas que, centenas de anos atrás, chegaram à ilha.[14] Com cerca de cinco metros de comprimento e marteladas com pregos de madeira, essas tábuas são da estrutura esquelética de um casco do século XVIII — o HMS *Wager*. Nada mais resta da luta feroz que ali se travou outrora, nem dos sonhos devastadores dos impérios.

Agradecimentos

Às vezes, escrever um livro pode se parecer com navegar num navio durante uma viagem longa e tempestuosa. E sou grato a muitas pessoas que me mantiveram à tona.

O eminente historiador naval britânico Brian Lavery me deu pacientemente orientações sobre tudo, desde a construção naval do século XVIII até a marinharia, revisou de forma generosa meu manuscrito antes da publicação e fez comentários sábios. Daniel A. Baugh, um importante historiador naval, proporcionou-me grandes insights e conselhos durante a pesquisa. E muitos outros historiadores e especialistas responderam gentilmente aos meus telefonemas inoportunos, inclusive Denver Brunsman e Douglas Peers. O contra-almirante C. H. Layman, que fez sua própria pesquisa sobre o caso *Wager*, respondeu às minhas perguntas e me permitiu reimprimir várias ilustrações de sua coleção.

Em 2006, o coronel John Blashford-Snell, que dirige a Scientific Exploration Society, organizou uma expedição conjunta britânica e chilena para descobrir os destroços do *Wager*. Ele compartilhou comigo informações fundamentais, assim como Chris

Holt, um dos líderes do grupo, que também me permitiu reimprimir várias de suas fotografias.

Yolima Cipagauta Rodríguez, uma exploradora extraordinária que ajudara a preparar a expedição da sociedade, auxiliou-me a organizar minha viagem de três semanas à ilha. Partimos da ilha de Chiloé num pequeno barco, aquecido por um fogão a lenha. A embarcação era operada por Noel Vidal Landeros, um capitão habilidoso e experiente, e seus dois tripulantes extremamente capazes, Hernán Videla e Soledad Nahuel Arratia. Por causa de suas habilidades notáveis, e com a ajuda de Rodríguez, consegui chegar à ilha Wager e localizar pedaços do naufrágio, entendendo melhor o que os náufragos haviam vivenciado.

Também estou em dívida com os inúmeros arquivistas que tornaram este livro possível, da Biblioteca Britânica, do Arquivo Nacional Britânico, da Biblioteca Nacional da Escócia, da Sociedade Histórica de Oregon, das Coleções Especiais da Biblioteca da Universidade St. Andrews e do Museu Marítimo Nacional em Greenwich.

Vários indivíduos foram particularmente valiosos para o projeto. Len Barnett ajudou de forma incansável na busca e cópia de registros navais. Carol McKinven foi um prodígio na pesquisa genealógica. Cecilia Mackay localizou inúmeras fotos e ilustrações. Aaron Tomlinson melhorou várias de minhas fotografias da ilha Wager. Stella Herbert compartilhou gentilmente informações sobre seu ancestral Robert Baynes. E Jacob Stern, Jerad W. Alexander e Madeleine Baverstam — todos jovens repórteres talentosos — me ajudaram a localizar inúmeros livros e artigos.

Nunca poderei agradecer o suficiente a David Kortava. Jornalista extraordinário, ele não apenas checou de modo incansável os fatos do livro, como também foi uma fonte inesgotável de insight e apoio. Como sempre, exigi demais de meus amigos e colegas escritores Burkhard Bilger, Jonathan Cohn, Tad Friend, Elon

Green, David Greenberg, Patrick Radden Keefe, Raffi Khatchadourian, Stephen Metcalf e Nick Paumgarten.

Cada página se beneficiou da sabedoria de John Bennet, editor e amigo, que morreu de forma trágica em 2022. Jamais esquecerei as lições que ele me transmitiu como escritor e espero que este livro permaneça como uma pequena parte de seu vasto legado.

Desde que entrei na *New Yorker*, em 2003, tive a sorte de trabalhar com Daniel Zalewski, um editor respeitado entre os escritores. Sem seus conselhos e sua amizade, eu me sentiria abandonado, e ele deu a este livro seus toques mágicos, polindo frases, removendo infelicidades e aguçando meus pensamentos.

Em um setor às vezes turbulento, fui apoiado por meus agentes, Kathy Robbins e David Halpern, no Robbins Office, e Matthew Snyder, na CAA. Eles estão ao meu lado há décadas, guiando-me e apoiando-me. Também tenho muita sorte de ter o suporte de Nancy Aaronson e Nicole Klett-Angel no Leigh Bureau.

Não há líder maior a seguir do que Bill Thomas, meu editor de longa data na Doubleday. Ele tornou este livro e todos os meus escritos possíveis. Incrivelmente inteligente e inabalável em seu apoio, ele me ajudou não apenas a encontrar as histórias certas, mas também a melhor maneira de as contar. Ele e Maya Mavjee, presidente e editora do Knopf Doubleday Group, e Todd Doughty, meu extraordinário assessor de imprensa, são um presente para um escritor, assim como toda a equipe da Doubleday. Quero agradecer em especial a: John Fontana, que desenhou a capa do livro; Maria Carella, que fez o design do miolo do livro; o preparador Patrick Dillon; os editores executivos Vimi Santokhi e Kathy Hourigan; o editor de produção Kevin Bourke; o editor assistente Khari Dawkins; Jeffrey L. Ward, que fez os mapas; e a incrível força de marketing de Kristin Fassler, Milena Brown, Anne Jaconette e Judy Jacoby.

Nina e John Darnton continuam sendo os sogros mais amorosos. Eles leem cada rascunho de capítulo, me mostrando maneiras de melhorá-lo e me encorajando a seguir em frente. O irmão de John, Robert Darnton, que está entre os maiores historiadores, dedicou tempo para ler o manuscrito e fazer sugestões maravilhosas. Minha irmã Alison e meu irmão Edward são minhas âncoras, assim como minha mãe Phyllis, que, mais do que ninguém, despertou em mim o amor pela leitura e pela escrita. Meu pai Victor não está mais vivo, mas este livro foi inspirado por muitas das nossas aventuras maravilhosas. Ele sempre foi um capitão de graça e bondade.

Por fim, há três pessoas que são tudo para mim: Kyra, Zachary e Ella. Nenhuma palavra pode expressar minha gratidão a eles e, pela primeira vez, como escritor, devo terminar em silêncio reverente.

Uma nota sobre as fontes

Um dia, há vários anos, visitei o Arquivo Nacional Britânico, em Kew, onde fiz um pedido. Horas depois, recebi uma caixa; dentro havia um manuscrito empoeirado e em processo de apodrecimento. Para evitar danificá-lo ainda mais, abri com delicadeza a capa com um marcador de papel. Cada página estava organizada em colunas, com títulos como "mês e ano", "rota" do navio e "Observações e incidentes notáveis". As anotações, escritas com pena e tinta, estavam borradas, e a escrita era tão pequena e irregular que precisei me esforçar para decifrá-la.

Em 6 de abril de 1741, com o navio tentando contornar o cabo Horn, um oficial escreveu: "Todas as velas e cordames estavam ruins, e os homens estavam muito doentes". Vários dias depois, o oficial observou: "Perdi de vista o *Comodoro* e toda a esquadra". A cada dia que passava, as anotações ficavam mais sombrias: o navio estava se partindo, os homens não tinham água potável. Em 21 de abril, o registro dizia: "Timothy Picaz, marinheiro, partiu desta vida. [...] Thomas Smith, inválido, partiu desta vida. [...]

John Paterson, inválido, e John Fiddies, marinheiro, partiram desta vida".

O livro era apenas um dos muitos registros angustiantes que sobreviveram da expedição liderada por George Anson. Mesmo depois de mais de dois séculos e meio, há um tesouro surpreendente de fontes primárias, inclusive aquelas que detalham o calamitoso naufrágio do *Wager* numa ilha desolada da costa da Patagônia. Esses registros incluem não apenas diários de bordo, mas também correspondência, diários, livros de inspeção, testemunhos em cortes marciais, relatórios do Almirantado e outros registros governamentais. Acrescentam-se a eles numerosos relatos de jornais da época, baladas marítimas e esboços feitos durante a viagem. Existem ainda as vívidas narrativas do mar que muitos dos próprios participantes publicaram.

O livro que você está segurando é em grande parte extraído desses ricos materiais. As descrições da ilha Wager e dos mares em volta foram aprimoradas ainda mais por minha própria jornada de três semanas até lá, que proporcionou pelo menos um vislumbre da maravilha e do terror que os náufragos experimentaram.

Para retratar a vida dentro do mundo de madeira no século XVIII, baseei-me também em diários publicados e não publicados de outros marinheiros. E me beneficiei do trabalho de vários historiadores excelentes. O livro de Glyn Williams, *The Prize of All the Oceans* [O preço de todos os oceanos], continua inestimável, assim como sua coleção editada a partir de fontes primárias *Documents Relating to Anson's Voyage Round the World* [Documentos sobre a viagem de Anson em volta da Terra]. Entre outras fontes essenciais estão o inovador *British Naval Administration in the Age of Walpole* [Administração naval britânica na era de Walpole], de Daniel Baugh; a esclarecedora história da impressão de Denver Brunsman, *The Evil Necessity* [A necessidade do mal]; os brilhantes estudos de Brian Lavery sobre construção e vida navais, entre eles *The Arming and Fitting of English Ships of War, 1600-1815* [Armamento e construção de navios ingleses de guerra, 1600-1815] e sua coleção de documentos primários, *Shipboard Life and Organization, 1731-1815* [Vida e organização a bordo, 1731-1815]; e o monumental *The Wooden World* [O mundo de madeira], de N. A. M. Rodger. O contra-almirante C. H. Layman também reimprimiu vários registros importantes em sua coleção editada de documentos primários, *The Wager Disaster* [O desastre do *Wager*]. Além disso, baseei-me em muitas entrevistas extensas com esses e outros especialistas.

Na bibliografia, delineei todas as fontes importantes. Se eu estava em dívida especial com um livro ou artigo, tentei citá-lo também nas notas. Qualquer coisa que apareça no texto entre aspas vem diretamente de um diário, um registro, uma carta ou alguma outra fonte. Para maior clareza, modernizei a ortografia e a pontuação arcaicas, como a capitalização aleatória das palavras e o uso da forma parecida do *f* e do *s*, que era comum no século XVIII. As citações são mencionadas nas notas.

Fontes de arquivos e inéditas

BL — Biblioteca Britânica
ADD MSS — Manuscritos Adicionais
ERALS — Arquivos e Estudos Locais de East Riding
HALS — Arquivos e Estudos Locais de Hertfordshire, Hertfordshire
JS — Documentos de Joseph Spence na Coleção James Marshall e Marie-Louise Osborn, Biblioteca de Manuscritos e Livros Raros Beinecke, Universidade Yale
LOC — Biblioteca do Congresso, Washington, DC
NMM — Museu Marítimo Nacional, Greenwich, Londres
ADM B — Cartas do Conselho da Marinha para o Almirantado
ADM L — Almirantado: Diários de Bordo de Tenentes
HER — Coleção Heron-Allen, contendo cartas e retratos gravados de oficiais navais
HSR — Documentos manuscritos
JOD — Diários e agendas
LBK — Livros de cartas de oficiais navais
PAR/162/1 — Coleção pessoal de Sir William Parker, Almirante da Frota, 1781-1866
POR — Cartas e relatórios do Estaleiro de Portsmouth
NLS — Biblioteca Nacional da Escócia, Edimburgo
NRS — Registros Nacionais da Escócia, Edimburgo
CC8 — Testamentos

JC26/135	Registros dos Tribunais
SIG1	Registros fundiários
OHS	Sociedade Histórica de Oregon, Portland
TNA	Arquivos Nacionais, Kew, Surrey
ADM 1	Documentos e correspondência oficiais do Almirantado
ADM 1/5288	Registros de cortes marciais do Almirantado
ADM 3	Atas do conselho do Almirantado
ADM 6	Registros de serviços, registros gerais, retornos e certificados do Almirantado
ADM 8	Livros de listas do Almirantado
ADM 30	Conselho da Marinha: Departamento de Pagamentos da Marinha
ADM 33	Folhas de pagamento para navios do Conselho da Marinha
ADM 36	Livros de registros para navios do Almirantado
ADM 51	Diários de bordo de capitães do Almirantado
ADM 52	Diários de bordo dos mestres do Almirantado
ADM 55	Diários de bordo suplementares e diários de navios em exploração do Almirantado
ADM 106	Conselho da Marinha: cartas recebidas
HCA	Registros da Alta Corte do Almirantado
PROB 11	Cópias de testamentos do Tribunal de Prerrogativas de Canterbury
SP	Registros reunidos pelo Departamento de Documentos do Estado, inclusive documentos das Secretarias de Estado
RLSA	Arquivo e Estudos Locais de Rochdale, Rochdale, Inglaterra
SL	Biblioteca do Estado de Nova Gales do Sul, Austrália
USASC	Coleções Especiais da Universidade de St. Andrews, Escócia
WSRO	Escritório de Registros de West Sussex, Inglaterra

Notas

PRÓLOGO [pp. 17-20]

1. Minha descrição da chegada dos navios é extraída em grande parte de diários dos sobreviventes, despachos, relatos publicados e correspondência privada. Para mais informações, ver John Bulkeley e John Cummins, *A Voyage to the South Seas*. 3. ed. Introdução de Arthur D. Howden Smith. Nova York: Robert M. McBride & Company, 1927; John Byron, *The Narrative of the Honourable John Byron: Containing an Account of the Great Distresses Suffered by Himself and His Companions on the Coast of Patagonia, from the Year 1740, Till Their Arrival in England, 1746*. Londres: S. Baker and G. Leigh, 1769; Alexander Campbell, *The Sequel to Bulkeley and Cummins's "Voyage to the South Seas"*. Londres: W. Owen, 1747; C. H. Layman, *The Wager Disaster: Mayhem, Mutiny and Murder in the South Seas*. Londres: Uniform Press, 2015; e registros em TNA-ADM 1 e JS.

2. Bulkeley e Cummins, op. cit., p. xxxi. John Cummins, o carpinteiro do *Wager*, aparece como coautor do diário, mas foi Bulkeley que de fato o escreveu.

3. John Byron, op. cit., p. 170.

4. Bulkeley e Cummins, op. cit., p. xxiv.

5. Campbell, op. cit., capa.

6. Ibid., pp. vii-viii.

7. Bulkeley e Cummins, op. cit., p. 72.

8. Ibid.

9. Ibid., p. xxiv.

1. O PRIMEIRO-TENENTE [pp. 23-43]

1. A grafia tradicional do sobrenome era Cheape. Mas, tanto nos relatos contemporâneos quanto nos modernos da viagem, costuma-se escrever Cheap, e usei essa grafia para evitar confusão. Pouco foi publicado sobre seu passado, e meu retrato dele se baseia em especial em registros não publicados, como papéis da família, correspondência particular e diários de bordo e despachos. Também me vali de vários dos diários e relatos escritos por seus amigos e inimigos. Para mais informações, ver os registros em JS, TNA, NMM, USASC, NLS e NRS. Ver também Bulkeley e Cummins, op. cit.; John Byron, op. cit.; Campbell, op. cit.; e Alexander Carlyle, *Anecdotes and Characters of the Times*. Londres: Oxford University Press, 1973.

2. George Anson: Meu retrato de Anson está baseado nos registros escritos não publicados que ele deixou, inclusive sua correspondência com o Almirantado e os diários de bordo de suas viagens. Também me vali de descrições dele em cartas, diários e outros escritos de membros de sua família, colegas marinheiros e contemporâneos. Além disso, beneficiei-me de vários relatos publicados: Walter Vernon Anson, *The Life of Admiral Lord Anson: The Father of the British Nav, 1697-1762*. Londres: John Murray, 1912; John Barrow, *The Life of Lord George Anson*. Londres: John Murray, 1839; o verbete de N. A. M. Rodger sobre Anson no *Oxford Dictionary of National Biography*; Peter Le Fevre e Richard Harding (orgs.), *Precursors of Nelson*. Mechanicsburg: Stackpole, 2000; Andrew D. Lambert, *Admirals: The Naval Commanders Who Made Britain Great*. Londres: Faber and Faber, 2009; Brian Lavery, *Anson's Navy: Building a Fleet for Empire 1744-1763*. Barnsley: Seaforth Publishing, 2021; Richard Walter, *A Voyage Round the World*. Londres: F. C. & J. Rivington, 1821; S. W. C. Pack, *Admiral Lord Anson: The Story of Anson's Voyage and Naval Events of His Day*. Londres: Cassell & Company, 1960; e Glyndwr Williams, *The Prize of All the Oceans*. Nova York: Penguin, 2001. Por fim, sou grato ao historiador Lavery, que compartilhou comigo um ensaio inédito que escreveu sobre Anson.

3. Embora não tivesse o tipo de conexões familiares que favoreciam a ascensão de muitos oficiais, Anson não era de todo desprovido delas. Sua tia era casada com o conde de Macclesfield. Mais tarde, por meio de seu meritório serviço naval, ele também ganhou vários protetores influentes, como Philip Yorke, o primeiro conde de Hardwicke.

4. Uma carta que um capitão enviou a um colega capta com perfeição co-

mo esse patrocínio, ou "interesse", funcionava na Marinha. "Devo implorar que você use agora todo o seu interesse com seus grandes e nobres amigos para que eu possa ser promovido a oficial comandante", escreveu o capitão.

5. Citado em Barrow, op. cit., p. 241.

6. Citado em Rodger, "George, Lord Anson", em Le Fevre e Harding (orgs.), op. cit., p. 198.

7. Ibid., p. 181.

8. Ibid., p. 198.

9. Thomas Keppel, *The Life of Augustus, Viscount Keppel, Admiral of the White, and First Lord of the Admiralty in 1782-3*. Londres: Henry Colburn, 1842, v. 1, p. 172.

10. Citado em James Boswell, *The Life of Samuel Johnson*. Londres: John Murray, 1831, v. 1, p. 338.

11. Autobiografia inédita de Andrew Massie, que traduzi do latim para o inglês, NLS.

12. Relatório de Cheap para Richard Lindsey, 26 fev. 1744, JS.

13. O relato de um capitão sob o qual Cheap serviu descreve como um bando de piratas invadiu seu navio no Caribe: "O inimigo entrou furiosamente com suas lanças e espadas e caiu cortando a mim e à minha gente da maneira mais bárbara. [...] Além de duas balas de mosquete que recebi na coxa direita no meio da ação, minha cabeça foi cortada em três lugares".

14. Carlyle, op. cit., p. 100.

15. Ibid., p. 99.

16. Para mais informações sobre a guerra, ver Craig S. Chapman, *Disaster on the Spanish Main*. Lincoln: Potomac Books, University of Nebraska Press, 2021; e Robert Gaudi, *The War of Jenkins' Ear: The Forgotten War for North and South America*. Nova York: Pegasus, 2021.

17. O poeta Alexander Pope consagrou ainda mais a história, ao escrever que "os espanhóis fizeram uma coisa jocosa" quando "cortaram nossas orelhas e as enviaram ao rei".

18. Citado em Philip Stanhope Mahon, *History of England: From the Peace of Utrecht to the Peace of Versailles*. Londres: John Murray, 1853, v. 2, p. 268.

19. As instruções também mencionavam a rota alternativa pelo estreito de Magalhães, uma passagem traiçoeira entre a extremidade sul-americana do continente e a Terra do Fogo. Mas o comodoro Anson planejava contornar o cabo Horn.

20. Instruções ao comodoro Anson, 1740, publicadas em Glyndwr Williams (org.), *Documents Relating to Anson's Voyage Round the World*. Londres: Navy Records Society, 1967, p. 35.

21. Para simplificar, a partir de então me refiro a esta narrativa como o relato do reverendo Walter.

22. Walter, op. cit., p. 246. Esta citação é apresentada de forma um pouco diferente em uma das edições, e eu a citei como ela costuma aparecer.

23. Ibid., p. 37.

24. Trecho de "A Journal of My Proceedings", de Sir John Norris, 1739-40, publicado em Williams (org.), *Documents Relating to Anson's Voyage Round the World*, op. cit., p. 12.

25. Walter, op. cit., pp. 95-6.

26. Citado em Luc Cuyvers, *Sea Power: A Global Journey*. Annapolis: Naval Institute Press, 1993, p. xiv.

27. Keppel, op. cit., p. 155.

28. Não há estudo mais importante sobre a administração da Marinha nesse período do que o livro de Daniel Baugh, *British Naval Administration in the Age of Walpole* (Princeton: Princeton University Press, 1965). Baseei-me nesse relato e em sua coleção editada de documentos de fonte primária, *Naval Administration, 1715-1750* (Grã-Bretanha: Navy Records Society, 1977). Também me vali de extensas entrevistas com Baugh.

29. Para mais informações sobre como os navios de guerra eram construídos e equipados, ver as obras inestimáveis de Brian Lavery, em especial *Building the Wooden Walls: The Design and Construction of the 74-Gun Ship Valiant* e *The Arming and Fitting of English Ships of War, 1600-1815* (Londres: Conway, 1991). Lavery também foi generoso ao me ajudar com inúmeras entrevistas e verificação de fatos dessas seções do livro.

30. O tipo de carvalho grosso necessário para o casco, como o cobiçado carvalho-compasso, que tinha as curvas naturais para a estrutura, levava cerca de cem anos para atingir a maturidade. Os construtores de navios vasculhavam a terra em busca de madeira. Muitos dos mastros — os "grandes paus", feitos a partir de madeiras mais flexíveis, como o pinho — eram importados das colônias americanas. Em 1727, um empreiteiro da Marinha na Nova Inglaterra relatou que, em apenas um inverno, "não menos de 30 mil pinheiros foram cortados" e que, em sete anos, se a taxa continuar, "não haverá mil árvores para fazer mastros de pé em todas aquelas províncias". É um vislumbre do desmatamento.

31. Levaria várias décadas até que a Marinha começasse a revestir de forma habitual o fundo de seus navios com cobre em vez de madeira.

32. Samuel Pepys, *Pepys' Memoires of the Royal Navy, 1679-1688*. Org. de J. R. Tanner. Oxford: Clarendon Press, 1906, p. 11.

33. Julian Slight, *A Narrative of the Loss of the Royal George at Spithead*. Portsea: S. Horsey, 1843, p. 79.

34. Carta de Jacob Acworth ao secretário do Almirantado Josiah Burchett, 15 ago. 1739, NMM-ADM B.

35. Diário de bordo de Anson no *Centurion*, NMM-ADM L.

36. Anselm John Griffiths, *Observations on Some Points of Seamanship*. Cheltenham: J. J. Hadley, 1824, p. 158.

37. Carta de Cheap ao Almirantado, 17 jun. 1740, TNA-ADM 1/1439.

38. Trecho de "A Journal of My Proceedings", de John Norris (1739-40). Publicado em Williams (org.), *Documents Relating to Anson's Voyage Round the World*, op. cit., p. 12.

39. Citado em Sarah Kinkel, *Disciplining the Empire: Politics, Governance, and the Rise of the British Navy*. Cambridge, MA; Londres: Harvard University Press, 2018, pp. 98-9.

40. Diário de bordo do capitão Dandy Kidd no *Wager*, TNA-ADM 51/1082.

41. Para mais informações sobre a experiência de descer o Tâmisa, ver o excelente livro de G. J. Marcus, *Heart of Oak*. Londres: Oxford University Press, 1975.

42. O aspirante do *Centurion* Augustus Keppel, que mais tarde se tornaria almirante, comentou sobre um navio que passava: "Ele ainda mantém um traseiro gordo".

43. Para mais informações sobre a crise extraordinária de pessoal e a administração naval naquele momento, ver *British Naval Administration in the Age of Walpole*, de Baugh, e sua coleção editada de documentos *Naval Administration, 1715-1750*.

44. Embora o termo primeiro-ministro não estivesse em uso, hoje ele costuma ser considerado pelos historiadores o primeiro primeiro-ministro do país.

45. Citado em Baugh, *British Naval Administration in the Age of Walpole*, op. cit., p. 186.

46. Thomas Gibbons Hutchings, *The Medical Pilot, or, New System*. Nova York: Smithson's Steam Printing Officers, 1855, p. 73.

47. Relatório de Cheap para Lindsey, 26 fev. 1744, JS.

48. Para mais informações sobre o impacto da epidemia de tifo na Marinha Real, ver Baugh, *British Naval Administration in the Age of Walpole*, op. cit. Ver também James Lind, *An Essay on the Most Effectual Means of Preserving the Health of Seamen in the Royal Navy*. Londres: D. Wilson, 1762.

49. James Lind, o cirurgião naval que revolucionou os métodos de higiene na Marinha, escreveu que um único recruta doente infectava um navio inteiro, tornando-o um "seminário de contágio para toda a frota".

50. Citado em Baugh, *British Naval Administration in the Age of Walpole*, op. cit., p. 181.

51. Ibid., p. 148.

52. Memorial do Almirantado ao Rei em Conselho, 23 jan. 1740. Publicado em Baugh (org.), *Naval Administration, 1715-1750*, op. cit., p. 118.

53. Robert Hay, *Landsman Hay: The Memoirs of Robert Hay*. Org. de Vincent McInerney. Barnsley, UK: Seaforth, 2010, p. 195.

54. Um oficial do *Centurion* escreveu em seu diário: "O segundo-tenente e 27 homens navegaram para impressionar os marinheiros".

55. Citado em Marcus, op. cit., p. 80.

56. Às vezes, sangue era derramado durante o recrutamento forçado. Um capitão relatou que homens resistiram atirando contra a sua patrulha quando ela tentou subir a bordo do navio deles. "Então ordenei que meus homens entrassem com espadas", escreveu ele. Cinco foram mortos.

57. Citado em Denver Brunsman, *The Evil Necessity: British Naval Impressment in the Eighteenth-Century Atlantic World*. Charlottesville: University of Virginia Press, 2013, p. 184.

58. William Robinson, *Jack Nastyface: Memoirs of an English Seaman*. Annapolis: Naval Institute Press, 2002, pp. 25-6.

59. Pepys, *Everybody's Pepys: The Diary of Samuel Pepys*. Org. de O. F. Morshead. Nova York: Harcourt, Brace & Company, 1926, p. 345.

60. Se os desertores fossem apanhados, corriam o risco de serem enforcados — ou, como certa vez um capitão pediu ao Almirantado, "alguma punição mais terrível que a morte". No entanto, era raro desertores serem executados. A Marinha não podia se dar ao luxo de matar tantos marinheiros quando precisava desesperadamente deles. E os poucos apreendidos em geral voltavam para seus navios. Mas em um caso ocorrido na esquadra de Anson, um oficial relatou que um desertor "seduziu vários dos nossos para fugir e fez o possível para evitar que outros voltassem", e depois de ser pego por essa e outras ofensas, teve de ser acorrentado a uma cavilha de arganéu, "um grande castigo para ele".

61. Citado em Baugh, *British Naval Administration in the Age of Walpole*, op. cit., p. 184.

62. Esse número se baseia em minha análise dos livros de alistamento dos cinco navios de guerra da esquadra e da chalupa de reconhecimento *Trial*.

63. Citado em Peter Kemp, *The British Sailor: A Social History of the Lower Deck*. Londres: Dent, 1970, p. 186.

64. Relatório de Cheap para Lindsey, 26 fev. 1744, JS.

65. Citado em Baugh, *British Naval Administration in the Age of Walpole*, op. cit., p. 165.

66. Para minha descrição dos fuzileiros navais e inválidos, baseei-me em relatos de primeira mão de membros da expedição. Também me beneficiei do excelente trabalho histórico de Glyn Williams, *The Prize of All the Oceans*, op. cit. De acordo com os registros do hospital que ele descobriu, um dos inválidos

já havia sido "ferido na coxa direita", enquanto a sua perna esquerda e o seu estômago haviam sido "feridos por uma bomba". Outro foi listado como "paralético [sic] e muito enfermo".

67. Citado em Williams, *The Prize of All the Oceans*, op. cit., p. 22.

68. Michael Roper, *The Records of the War Office and Related Departments*. Public Record Office Handbooks, n. 29. Kew, UK: Public Record Office, 1998, p. 71.

69. Walter, op. cit., pp. 7-8.

70. Ibid.

71. Ibid.

72. Anônimo, *A Voyage to the South-Seas, and to Many Other Parts of the World, Performed from the Month of September in the Year 1740, to June 1744, by Commodore Anson*. Londres: Yeovil Mercury, 1744, p. 12.

73. A grafia arcaica do nome da embarcação costumava ser Tryal ou Tryall, mas usei a grafia moderna, que é *Trial*.

74. *Daily Post*, 5 set. 1740, Londres.

75. Bulkeley e Cummins, op. cit., p. 1.

2. UM CAVALHEIRO VOLUNTÁRIO [pp. 44-62]

1. Meu estudo sobre Byron se baseia principalmente em seus diários, sua correspondência com família e amigos, seus relatórios ao Almirantado ao longo dos anos, os diários de bordo dos vários navios em que navegou, os relatos de primeira mão publicados por seus colegas oficiais e marinheiros e reportagens de jornais da época. Além disso, usei vários livros sobre ele e a história de sua família, entre eles Emily Brand, *The Fall of the House of Byron: Scandal and Seduction in Georgian England*. Londres: John Murray, 2020; Fiona MacCarthy, *Byron: Life and Legend*. Nova York: Farrar, Straus and Giroux, 2002; e A. L. Rowse, *The Byrons and Trevanions*. Exeter: A. Wheaton & Co., 1979.

2. Doris Leslie, *Royal William: The Story of a Democrat*. Londres: Hutchinson & Co., 1940, p. 10.

3. Bulkeley e Cummins, op. cit., p. 135.

4. Washington Irving descreveu a propriedade da família Byron como "um dos melhores espécimes existentes daquelas grandes construções pitorescas e românticas, meio castelo, meio convento, que permanecem como monumentos dos tempos antigos da Inglaterra".

5. George Gordon Byron, *The Poetical Works of Lord Byron*. Londres: John Murray, 1846, p. 732.

6. Ibid., p. 378.

7. Samuel Pepys, *The Diary of Samuel Pepys*. Org. de Robert Latham e William Matthews, op. cit., v. 2, p. 114.

8. Citado em N. A. M. Rodger, *The Wooden World: An Anatomy of the Georgian Navy*. Nova York: W. W. Norton, 1996, p. 115.

9. Frederick Chamier, *The Life of a Sailor*. Org. de Vincent McInerney. Londres: Richard Bentley, 1850, p. 10.

10. Citado em N. A. M. Rodger, *The Safeguard of the Sea*. Nova York: W. W. Norton, 1999, p. 408.

11. John Bulloch, *Scottish Notes and Queries*. Aberdeen: A. Brown & Co., 1900, v. 1, p. 29.

12. As mulheres estavam proibidas de servir na Marinha, embora algumas tentassem se disfarçar de homens; às vezes, os oficiais levavam junto suas esposas.

13. Para mais informações sobre marinheiros negros durante esse período, ver W. Jeffrey Bolster, *Black Jacks: African American Seamen in the Age of Sail*. Cambridge, MA: Harvard University Press, 1997; e a coleção editada da obra de Olaudah Equiano, *The Interesting Narrative and Other Writings*. Nova York: Penguin, 2003.

14. Citado em Henry Baynham, *From the Lower Deck: The Royal Navy, 1780-1840*. Barre, MA: Barre Publishers, 1970, p. 116.

15. Dudley Pope, *Life in Nelson's Navy*. Londres: Unwin Hyman, 1987, p. 62.

16. Baynes, o tenente do *Wager*, deixou correspondência e testemunho limitados, e muito do que se sabe sobre sua conduta vem dos relatos de outras pessoas no navio. Existe uma boa quantidade de informações sobre sua família. Entre outras fontes, ver Derek Hirst, "The Fracturing of the Cromwellian Alliance: Leeds and Adam Baynes". *The English Historical Review*, v. 108, 1993; John Yonge Akerman (org.), *Letters from Roundhead Officers Written from Scotland and Chiefly Addressed to Captain Adam Baynes, July MDCL-June MDCLX*. Edimburgo: W. H. Lizars, 1856; e Henry Reece, *The Army in Cromwellian England, 1649-1660*. Londres: Oxford University Press, 2013. Também entrevistei Derek Hirst sobre a família Baynes e conversei com uma descendente, Stella Herbert, que gentilmente compartilhou comigo as informações que havia reunido sobre Robert Baynes.

17. Havia também um terceiro grupo de marinheiros composto por homens da retaguarda. Embora posicionados no tombadilho, eles recebiam ordens, ao invés de dá-las. Realizavam tarefas rudimentares, como escorar as velas do mastro da mezena ou esfregar o convés com pedras sagradas — rochas semelhantes a tijolos sobre as quais os homens se ajoelhavam, como se estivessem rezando.

18. Samuel Leech, *Thirty Years from Home, or, A Voice from the Main Deck*. Boston: Tappan, Whittemore & Mason, 1843, p. 40.

19. Meu retrato da vida a bordo se baseia em várias fontes publicadas e inéditas. Sou particularmente grato ao trabalho inovador de história de Rodger, *The Wooden World* (op. cit.); Adkins e Adkins, *Jack Tar: Life in Nelson's Navy* (Londres: Abacus, 2009); Lavery, *Shipboard Life and Organisation, 1731-1815* (*Publications of the Navy Records Society*. Aldershot, Inglaterra: 1998, v. 138), uma fantástica coleção de documentos primários; e os relatos de primeira mão, diários e registros de marinheiros, inclusive daqueles que fizeram a viagem de Anson. Também me beneficiei de entrevistas com especialistas da área, entre eles Lavery, Rodger, Baugh e Brunsman.

20. Citado em Rodger, *The Wooden World*, op. cit., p. 37.

21. Edward Thompson, *Sailor's Letters: Written to His Select Friends in England, During His Voyages and Travels in Europe, Asia, Africa, and America*. Dublin: J. Potts, 1767, v. 1, pp. 155-6.

22. Em um ensaio publicado em 1702, um autor reclamou que os oficiais amaldiçoavam seus homens como "filhos de prostitutas eternas" e "sangues de cadelas eternas", acrescentando que eles também "juram pelo Senhor Jesus Cristo [...] com muitas outras expressões ímpias que não cabem ser mencionadas".

23. Como não havia refrigeração — uma invenção milagrosa do século XIX —, a única maneira de conservá-las era desse modo.

24. Byron, *The Narrative of the Honourable John Byron*, op. cit., p. 39.

25. Byron relembrou que numa viagem, um oficial "tocou violino e alguns dos nossos dançaram".

26. Charles Harding Firth (org.), *Naval Songs and Ballads*. Londres: Impresso para Navy Records Society, 1908, p. 172.

27. Robert E. Gallagher (org.), *Byron's Journal of His Circumnavigation, 1764-1766*. Londres: Hakluyt Society, 1964, p. 35.

28. Thompson, *Sailor's Letters*, op. cit., v. 2, p. 166.

29. Bulkeley e Cummins, op. cit., p. 77.

30. Herman Melville, *Redburn: His First Voyage: Being the Sailor-Boy Confession and Reminiscences of the Son-of-a-Gentleman, in the Merchant Service*. Nova York: Modern Library, 2002, pp. 132-3.

31. Depois de escalar muitas vezes o mastro principal, Byron escreveria com fria indiferença que "subiu de imediato".

32. Walter, op. cit., p. 17.

33. Ibid., p. 11.

34. Carta do capitão Norris a Anson, 2 nov. 1740, TNA-ADM 1/1439.

35. N. A. M. Rodger, *Articles of War: The Statutes Which Governed Our*

Fighting Navies, 1661, 1749, and 1886. Homewel; Havant; Hampshire: Kenneth Mason, 1982, p. 24.

36. John Nichols, *Literary Anecdotes of the Eighteenth Century*. Londres: Nichols, Son, and Bentley, 1815, v. 9, p. 782.

37. Berkenhout, "A Volume of Letters from Dr. Berkenhout to His Son, at the University of Cambridge". *The European Magazine and London Review*, n. 19, p. 116, fev. 1791.

38. Walter, op. cit., p. 18.

39. *An Appendix to the Minutes Taken at a Court-Martial, Appointed to Enquire into the Conduct of Captain Richard Norris*. Londres: Printed for W. Webb, 1745, p. 24.

40. Carta do capitão Norris ao Almirantado, 18 set. 1744, TNA-ADM 1/2217.

41. Anônimo, op. cit., p. 18.

42. W. H. Long (org.), *Naval Yarns of Sea Fights and Wrecks, Pirates and Privateers from 1616-1831 as Told by Men of Wars' Men*. Nova York: Francis P. Harper, 1899, p. 86.

43. Andrew Stone para Anson, 7 ago. 1740. Publicado em Williams (org.), *Documents Relating to Anson's Voyage Round the World*, op. cit., p. 53.

44. Walter, op. cit., p. 19.

45. Ibid., p. 20.

3. O ARTILHEIRO [pp. 63-82]

1. Citado em Adkins e Adkins, op. cit., p. 270.

2. Para mais informações sobre como os homens dos navios de guerra britânicos se preparavam para a batalha, ver Adkins e Adkins, op. cit.; Patrick O'Brian, *Men-of-War: Life in Nelson's Navy*. Nova York: W. W. Norton & Company, 1995; Tim Clayton, *Tars: The Men Who Made Britain Rule the Waves*. Londres: Hodder Paperbacks, 2008; G. J. Marcus, op. cit.; Lavery, *Shipboard Life and Organisation*, op. cit.; e Rodger, *The Wooden World*, op. cit. Ver também os muitos relatos em primeira mão de marinheiros, como os de William Dillon e Samuel Leech.

3. Durante o ensaio, muitos canhões disparavam balas de festim para economizar munição.

4. Chamier, op. cit., p. 93.

5. William Monson, *Sir William Monson's Naval Tracts: In Six Books*. Londres: Printed for A. and J. Churchill, 1703, p. 342.

6. Bulkeley e Cummins, op. cit., p. xxi.

7. Ibid., p. 45.

8. Thomas à Kempis, *The Christian's Pattern, or, A Treatise of the Imitation of Jesus Christ*. Halifax: William Milner, 1844, p. 19.

9. Ibid., p. 20.

10. Bulkeley e Cummins, op. cit., p. xxi.

11. William Mountaine, *The Practical Sea-Gunner's Companion, or, An Introduction to the Art of Gunnery*. Londres: Printed for W. and J. Mount, 1747, p. ii.

12. Ibid.

13. Bulkeley e Cummins, op. cit., p. 5.

14. Ibid., p. XXIII.

15. Rodger, *The Wooden World*, op. cit., p. 20.

16. Bulkeley e Cummins, op. cit., p. 136.

17. Minha compreensão dos diários de bordo e das narrativas marítimas deve muito a duas fontes excelentes: Philip Edwards, *The Story of the Voyage: Sea-Narratives in Eighteenth-Century England* (Cambridge: Cambridge University Press, 1994) e Paul A. Gilje, *To Swear Like a Sailor: Maritime Culture in America, 1750-1850* (Nova York: Cambridge University Press, 2016).

18. Daniel Defoe, *The Novels and Miscellaneous Works of Daniel Defoe*. Londres: George Bell & Sons, 1890, p. 194.

19. Bulkeley e Cummins, op. cit., capa.

20. Gilje, op. cit., p. 66.

21. R. H. Dana, *The Seaman's Friend: A Treatise on Practical Seamanship*. Boston: Thomas Groom & Co., 1879, p. 200.

22. Para mais informações sobre o interesse crescente por narrativas marítimas nessa época, ver Edwards, op. cit.

23. Citado em ibid., p. 3.

24. Lawrence Millechamp, *A Narrative of Commodore Anson's Voyage into the Great South Sea and Round the World*, NMM-JOD/36.

25. Para mais informações sobre táticas de batalha naval, ver Sam Willis, *Fighting at Sea in the Eighteenth Century: The Art of Sailing Warfare*. Woodbridge, Suffolk, UK: Boydell Press, 2008.

26. O historiador naval Sam Willis escreve que essa linha de formação de batalha era considerada "o Santo Graal do desempenho da frota".

27. Citado em Willis, op. cit., p. 137.

28. Leech, op. cit., p. 83.

29. Para mais informações sobre a epidemia de tifo que atormentou a expedição, ver, entre outras fontes, Heaps, *Log of the Centurion: Based on the Original Papers of Captain Philip Saumarez on Board HMS Centurion, Lord Anson's Flagship During His Circumnavigation, 1740-44*. Nova York: Macmillan Publishing Co., 1971; Keppel, op. cit.; Pascoe Thomas, *A True and Impartial Journal*

of a Voyage to the South-Seas, and Round the Globe, in His Majesty's Ship the Centurion, Under the Command of Commodore George Anson. Londres: S. Birt, 1745; Boyle Somerville, *Commodore Anson's Voyage into the South Seas and Around the World*. Londres; Toronto: William Heinemann, 1934; Walter, op. cit.; e Williams, *The Prize of All the Oceans*, op. cit. Ver também os vários diários de bordo e livros de registro mantidos em cada navio da esquadra de Anson, que oferecem um quadro vívido e tenso do enorme estrago.

30. Keppel, op. cit., v. 1, p. 24.

31. Henry Ettrick, "The Description and Draught of a Machine for Reducing Fractures of the Thigh". *Philosophical Transactions*, v. XLI, n. 459, p. 562, 1741.

32. Pascoe Thomas, op. cit., p. 142.

33. Millechamp, op. cit.

34. *The Spectator*, 25 ago.-1 set. 1744.

35. Tobias Smollett, *The Works of Tobias Smollett: The Adventures of Roderick Random*. Nova York: George D. Sproul, 1902, v. 2, p. 54.

36. Citado em H. G. Thursfield (org.), *Five Naval Journals, 1789-1817*. Londres: Publications of Navy Records Society, 1951, p. 35.

37. Para mais informações sobre os rituais de enterro no mar, ver, entre outras fontes, Adkins e Adkins, op. cit.; Baynham, op. cit.; Joan Druett, *Rough Medicine: Surgeons at Sea in the Age of Sail*. Nova York: Routledge, 2000; Dudley Pope, op. cit.; Rex Hickox, *18th Century Royal Navy*. Bentonville, AR: Rex Publishing, 2005; e Thursfield, op. cit.

38. Dana, *Two Years Before the Mast, and Twenty-Four Years After*. Londres: Sampson Low, Son & Marston, 1869, p. 37.

39. Prefácio de John Woodall, *De Peste, or the Plague*. Londres: Impresso por J. L. para Nicholas Bourn, 1653.

40. Bulkeley e Cummins, op. cit., p. 2.

41. A contagem das mortes é baseada em minha análise dos livros de registro dos navios *Pearl*, *Centurion*, *Severn* e *Gloucester*. Como muitos dos registros do *Wager* se perderam no naufrágio, não é possível fornecer um número exato de mortes por tifo que a tripulação sofreu, embora tenha sido considerável. Também não incluo nenhuma morte sofrida na chalupa *Trial* e nos dois cargueiros *Industry* e *Anna*. Desse modo, o número que citei é conservador e, mesmo assim, mostra que as perdas foram muito maiores do que costuma ser relatado.

42. Walter, op. cit., p. 42.

43. Bulkeley e Cummins, op. cit., p. 4.

44. Ibid., p. 3.

45. Thomas, op. cit., p. 12.

46. Citado em Keppel, op. cit., v. 1, p. 26.

47. Ibid.

48. O tifo não era mais a única causa do sofrimento deles. É provável que alguns tivessem contraído febre amarela e malária. Embora reclamassem de mosquitos venenosos, eles não sabiam que esses insetos transmitiam doenças potencialmente fatais. Muitos oficiais atribuíam as febres às condições atmosféricas — o que o mestre-escola, Thomas, chamou de "calor violento do clima e do ar ruim". O próprio nome *malária* reflete esse equívoco, pois deriva das palavras italianas *mala* e *aria*, ar ruim.

49. Thomas, op. cit., p. 10.

50. Millechamp, op. cit.

51. Bulkeley e Cummins, op. cit., p. 3.

52. Relatório do tenente Salt ao Almirantado, 8 jul. 1741, TNA-ADM 1/2099.

53. Somerville, op. cit., p. 28.

54. Anônimo, op. cit., p. 19.

55. Vontade e testamento de Dandy Kidd, TNA-PROB 11.

56. Capitães tirânicos eram muito menos comuns do que as narrativas costumam indicar. Quando um capitão ganhava fama de crueldade excessiva, logo descobria que poucos iriam para o mar com ele. O Almirantado também tentou erradicar essas figuras, se não por razões humanas, pelo menos por razões práticas: um navio infeliz era ineficaz. Um homem do castelo de proa observou que as tripulações bem tratadas sempre superavam aquelas que se sentiam "tão degradadas por serem espancadas de forma arbitrária e pouco masculina que seus espíritos ficavam parcialmente destroçados".

57. Kempis, op. cit., p. 41.

58. Bulkeley e Cummins, op. cit., p. 4.

4. NAVEGAÇÃO ESTIMADA [pp. 85-98]

1. James Scott, *Recollections of a Naval Life*. Londres: Richard Bentley, 1834, v. 1, p. 41.

2. Joseph Conrad, *Complete Short Stories*. Nova York: Barnes & Noble, 2007, p. 688.

3. Para mais informações sobre essas regras e regulamentos, ver Rodger, *Articles of War: The Statutes Which Governed Our Fighting Navies, 1661, 1749 and 1886*, op. cit.

4. Para descrever as condições ao redor do cabo Horn, baseei-me nos diários de primeira mão e nos diários de bordo dos marinheiros, em especial os da

viagem de Anson. Fiz uso também de vários relatos publicados, entre eles Adrian Flanagan, *The Cape Horners' Club: Tales of Triumph and Disaster at the World's Most Feared Cape*. Londres: Bloomsbury Publishing, 2017; Richard Hough, *The Blind Horn's Hate*. Nova York: W. W. Norton & Company, 1971; Robin Knox-Johnston, *Cape Horn: A Maritime History*. Londres: Hodder & Stoughton, 1995; Dallas Murphy, *Rounding the Horn: Being a Story of Williwaws and Windjammers, Drake, Darwin, Murdered Missionaries and Naked Natives — a Deck's Eye View of Cape Horn*. Nova York: Basic Books, 2005; e William F. Stark e Peter Stark, *The Last Time Around Cape Horn: The Historic 1949 Voyage of the Windjammer Pamir*. Nova York: Carroll & Graf, 2003.

5. Francis Drake passou em sua expedição pelo estreito de Magalhães, mas na costa oeste da Patagônia seu navio foi pego por uma tempestade e levado para perto do cabo Horn. Embora não tenha contornado o Horn, ele encontrou a rota, que mais tarde foi chamada de passagem de Drake.

6. Citado em David Laing Purves, *The English Circumnavigators: The Most Remarkable Voyages Round the World*. Londres: William P. Nimmo, 1874, p. 59.

7. Melville, *White-Jacket: or, The World in a Man-of-War*. Londres: Richard Bentley, 1850, pp. 151-3. [Ed. bras.: *Jaqueta Branca, ou O mundo em um navio de guerra*. Trad. de Bruno Gambarotto. Rio de Janeiro: Zahar, 2021.]

8. Rudyard Kipling, *The Writings in Prose and Verse of Rudyard Kipling*. Nova York: Charles Scribner's Sons, 1899, p. 168.

9. Para mais informações sobre navegação e longitude, ver o relato de Dava Sobel, *Longitude: The True Story of a Lone Genius Who Solved the Greatest Scientific Problem of His Time* (Nova York: Walker, 2007). Ver também duas outras fontes excelentes: Lloyd A. Brown, *The Story of Maps* (Nova York: Dover Publications, 1979), e William J. H. Andrewes (org.), *The Quest for Longitude* (Cambridge, MA: Collection of Historical Scientific Instruments, Universidade Harvard, 1996).

10. O próprio Magalhães não completou a viagem ao redor do mundo. Em 1521, foi morto durante uma luta com habitantes de onde hoje são as Filipinas, que resistiram às suas tentativas de convertê-los ao cristianismo.

11. Citado em Sobel, op. cit., Prefácio, p. xiii.

12. Ibid., p. 52.

13. Ibid., p. 7.

14. Citado em Lloyd A. Brown, op. cit., p. 232.

15. Sobel, op. cit., p. 14.

16. Pascoe Thomas, op. cit., p. 18.

17. Millechamp, op. cit.

18. Citado em Samuel Bawlf, *The Secret Voyage of Sir Francis Drake, 1577--1580*. Nova York: Walker, 2003, p. 104.

19. Ibid., p. 106.

20. Diário de Saumarez, impresso em Williams (org.), *Documents Relating to Anson's Voyage Round the World*, op. cit., p. 165.

21. Millechamp, op. cit.

22. Gallagher (org.), op. cit., p. 62.

23. Ibid., p. 59.

24. Millechamp, op. cit.

25. Ibid.

26. Thomas, op. cit., p. 19.

27. Antonio Pigafetta e R. A. Skelton, *Magellan's Voyage: A Narrative of the First Circumnavigation*. Nova York: Dover, 1994, p. 46.

28. Ordens de Anson ao capitão Edward Legge, 18 jan. 1741, TNA-ADM 1/2040.

29. Diário de Saumarez, impresso em Williams (org.), *Documents Relating to Anson's Voyage Round the World*, op. cit, p. 165.

30. Walter, op. cit., p. 79.

31. Melville, *White-Jacket*, op. cit, p. 183.

32. Millechamp, op. cit.

33. Samuel Taylor Coleridge, *The Rime of the Ancient Mariner*. Nova York: D. Appleton & Co., 1857, p. 18.

34. Millechamp, op. cit.

35. Walter, op. cit., pp. 80-1.

36. Diário do capitão Matthew Mitchell do *Gloucester*, 8 mar. 1741, TNA--ADM 51/402.

37. Walter, op. cit., p. 80.

38. William F. Stark e Peter Stark, op. cit., pp. 176-7.

39. John Kenlon, *Fourteen Years a Sailor*. Nova York: George H. Doran Company, 1923, p. 216.

40. Ibid.

41. Bulkeley e Cummins, op. cit., p. 73.

5. A TEMPESTADE DENTRO DA TEMPESTADE [pp. 99-108]

1. *Los Angeles Times*, 5 jan. 2007.

2. Gallagher (org.), op. cit., p. 32.

3. Walter, op. cit., p. 109.

4. Thomas, op. cit., p. 142.

5. Gallagher (org), op. cit., p. 116.

6. Walter, op. cit., p. 109.

7. Ibid., p. 108.

8. Citado em Jonathan Lamb, *Scurvy: The Disease of Discovery*. Princeton: Princeton University Press, 2016, p. 56.

9. Durante o surto, o tenente Saumarez observou que alguns dos homens doentes apresentavam "idiotismo, loucura, convulsões".

10. Anônimo, *A Voyage to the South-Seas, and to Many Other Parts of the World, Performed from the Month of September in the Year 1740, to June 1744, by Commodore Anson* [...] *by an Officer of the Squadron*, op. cit., p. 233.

11. Citado em Kenneth J. Carpenter, *The History of Scurvy and Vitamin C*. Cambridge; Nova York: Cambridge University Press, 1986, p. 17.

12. Para mais informações sobre escorbuto, ver várias fontes excelentes, como: Kenneth J. Carpenter, op. cit.; David Harvie, *Limeys: The Conquest of Scurvy*. Stroud: Sutton, 2005; Stephen R. Bown, *Scurvy: How a Surgeon, a Mariner, and a Gentleman Solved the Greatest Medical Mystery of the Age of Sail*. Nova York: Thomas Dunne Books, 2004; Jonathan Lamb, op. cit., que é em especial perspicaz sobre os efeitos psíquicos do transtorno nos marinheiros; James Watt, "The Medical Bequest of Disaster at Sea: Commodore Anson's Circumnavigation, 1740-44". *Journal of the Royal College of Physicians of London*, v. 32, n. 6, dez. 1998; e Eleanora C. Gordon, "Scurvy and Anson's Voyage Round the World, 1740-1744: An Analysis of the Royal Navy's Worst Outbreak". *The American Neptune*, v. XLIV, n. 3, jun./ago. 1984. Para entender como a doença era percebida e mal interpretada durante a era da vela, também recorri a textos médicos da época, como James Lind, *An Essay on the Most Effectual Means of Preserving the Health of Seamen in the Royal Navy*, op. cit.; Richard Mead, *The Medical Works of Richard Mead*. Dublin: Impresso para Thomas Ewing, 1767; e Thomas Trotter, *Medical and Chemical Essays*. Londres: Impresso para J. S. Jordan, 1795. Para saber como a doença devastou de maneira específica a esquadra de Anson, ver os diários, a correspondência e os diários de bordo dos membros da tripulação.

13. Carta de Anson a James Naish, dez. 1742, impresso em Williams (org.), op. cit., p. 152.

14. Byron, *The Narrative of the Honourable John Byron*, op. cit., pp. 8-9.

15. Anônimo, *A Voyage to the South-Seas, and to Many Other Parts of the World, Performed from the Month of September in the Year 1740, to June 1744, by Commodore Anson* [...] *by an Officer of the Squadron*, op. cit., p. 233.

16. Richard Mead, op. cit., p. 441.

17. Outros especulavam que o escorbuto era resultado de os suprimentos de comida começarem a estragar. Outra teoria mais cruel, sustentada por al-

guns oficiais, era de que os próprios marinheiros doentes eram os culpados — que sua letargia, em vez de ser um sintoma da doença, era a causa. À beira da morte, esses pobres homens eram chutados e espancados enquanto eram xingados de cães ociosos, preguiçosos e sorrateiros.

18. Thomas, op. cit., p. 143.

19. Bulkeley e Cummins, op. cit., p. 6.

20. Outra cura infundada para o escorbuto talvez fosse ainda mais desconcertante. Um texto para cirurgiões do mar recomendava que os pacientes fossem submersos "em um bom banho de sangue de animais, vacas, cavalos, jumentos, cabras ou ovelhas".

21. A. Beckford Bevan e H. B. Wolryche-Whitmore (orgs.), *The Journals of Captain Frederick Hoffman, R.N., 1793-1814*. Londres: John Murray, 1901, p. 80.

22. Marjorie H. Nicolson, "Ward's 'Pill and Drop' and Men of Letters". *Journal of the History of Ideas*, v. 29, n. 2, p. 178, 1968.

23. Thomas, op. cit., p. 143.

24. Diário de Saumarez, impresso em Williams (org.), op. cit., p. 166.

25. Walter, op. cit., p. 110.

26. Millechamp, op. cit.

27. Diário de bordo do capitão Matthew Mitchell do *Gloucester*, TNA-ADM 51/402.

28. Capitão Edward Legge ao secretário do Almirantado, 4 jul. 1741, TNA-ADM 1/2040.

29. John Philips, *An Authentic Journal of the Late Expedition Under the Command of Commodore Anson*. Londres: J. Robinson, 1744, p. 46.

30. Capitão Legge ao secretário do Almirantado, 4 jul. 1741, TNA-ADM 1/2040.

31. Keppel, op. cit., v. 1, p. 31.

32. Livro de registro do *Centurion*, TNA-ADM 36/0556.

33. George Gordon Byron, *The Complete Works of Lord Byron*. Paris: Baudry's European Library, 1837, p. 720.

34. Ibid., p. 162.

35. Walter, op. cit., p. 107.

36. Ibid., p. 113.

37. Woodes Rogers, *A Cruising Voyage Round the World*. Londres: Impresso para A. Bell, 1712, p. 128.

38. Ibid., p. 126.

39. Ibid., p. 131.

40. As reverberações das histórias de Selkirk e Crusoé continuam na era moderna. Ver, por exemplo, o filme de sobrevivência de 2015 *Perdido em Marte*.

41. Millechamp, op. cit.

42. Diário de bordo do capitão Mitchell do *Gloucester*, TNA-ADM 51/402.

43. Millechamp, op. cit.

6. SOZINHO [pp. 109-16]

1. Byron, *The Narrative of the Honourable John Byron*, op. cit., p. 9. O relato do reverendo Walter também se refere às tempestades como o "furacão perfeito".

2. Bulkeley e Cummins, op. cit., p. 5.

3. Capitão Legge ao secretário do Almirantado, 4 jul. 1741, TNA-ADM 1/2040.

4. Um oficial da esquadra disse sobre as condições atmosféricas: "Nunca soprou dos céus uma tempestade mais violenta".

5. Thomas, op. cit., p. 24.

6. Ibid., p. 25.

7. Mesmo depois de se recuperar da queda, o mestre-escola Thomas continuou a sofrer. "Desde então, sinto uma dor violenta naquele ombro, muitas vezes acompanhada da incapacidade de vestir minhas próprias roupas, de virar a mão para trás ou mesmo de levantar meio quilo com ela", escreveu ele em seu diário.

8. Bulkeley e Cummins, op. cit., p. 6.

9. Ibid.

10. Ele não foi o único membro da expedição a cair no mar e se afogar. Isso aconteceu com muitos outros. Em um exemplo, o aspirante do *Centurion* Keppel escreveu em seu diário de bordo: "Martin Enough, um marinheiro enérgico, ao subir pelas enxárcias principais, caiu no mar e se perdeu — foi muito procurado e lamentado".

11. Walter, op. cit., p. 85.

12. Eva Hope (org.), *The Poetical Works of William Cowper*. Londres: Walter Scott, 1885, p. 254.

13. Thomas, op. cit., p. 145.

14. Relatório do capitão Murray ao Almirantado, 10 jul. 1741, TNA-ADM 1/2099.

15. Keppel, op. cit., v. 1, p. 32.

16. Walter, op. cit., p. 114.

17. Bulkeley e Cummins, op. cit., p. 6.

18. Relatório de Cheap para Richard Lindsey, 26 fev. 1744, JS.

19. Relatório do capitão Murray ao Almirantado, 10 jul. 1741, TNA-ADM 1/2099.

20. Bulkeley e Cummins, op. cit., p. 5.

21. Thomas, op. cit., p. 24.

22. Walter, op. cit., p. 106.

23. Bulkeley e Cummins, op. cit., p. 7.

7. O GOLFO DA DOR [pp. 117-25]

1. Relatório de Cheap para Lindsey, 26 fev. 1744, JS.

2. "*Cut and run*": mais um termo náutico que vem de quando um capitão, para escapar às pressas de um inimigo, mandava seus homens "cortarem" o cabo da âncora e "correrem" rápido a favor do vento.

3. Alexander Campbell, op. cit., p. 20.

4. Relatório de Cheap para Lindsey, 26 fev. 1744, JS.

5. Byron, *The Narrative of the Honourable John Byron*, op. cit., p. 7.

6. Bulkeley e Cummins, op. cit., p. 9.

7. Ibid., p. 39.

8. Esta e as outras citações na cena vêm de ibid., pp. 9-10.

9. Ibid., p. 8.

10. Ibid., p. 10.

11. Ibid., p. 11.

12. Ibid.

13. Os marinheiros usavam então o termo *wear* em vez de *jibe*.

14. Relatório de Cheap para Lindsey, 26 fev. 1744, JS.

15. Byron, *The Narrative of the Honourable John Byron*, op. cit., p. 18.

16. Ibid., p. 10.

17. Testemunho de John Cummins à corte marcial, 15 abr. 1746, TNA-ADM 1/5288.

18. Relatório de Cheap para Lindsey, 26 fev. 1744, JS.

19. Byron, *The Narrative of the Honourable John Byron*, op. cit., p. 12.

20. Ibid., p. 13.

21. George Gordon Byron, *The Complete Works of Lord Byron*, op. cit., p. 695.

22. Byron, *The Narrative of the Honourable John Byron*, op. cit., p. 14.

8. NAUFRÁGIO [pp. 129-37]

1. Rodger, *Articles of War*, op. cit., p. 17.

2. Relatório de Cheap para Lindsey, 26 fev. 1744, JS.

3. Bulkeley e Cummins, op. cit., p. 13.

4. Byron, *The Narrative of the Honourable John Byron*, op. cit., p. 17.

5. Ibid., p. 14.

6. Para uma estimativa do tamanho desses barcos de transporte, ver Layman, op. cit. Para descrições mais detalhadas da construção e desenho desses barcos, ver Lavery, *The Arming and Fitting of English Ships of War, 1600-1815*. Annapolis: Naval Institute Press, 1987.

7. Campbell, op. cit., p. 13.

8. Ibid.

9. Testemunho de John Jones à corte marcial, 15 abr. 1746, TNA-ADM 1/5288.

10. Byron, *The Narrative of the Honourable John Byron*, op. cit., p. 15.

11. Bulkeley escreveu que a barcaça foi libertada primeiro, mas outros relatos indicam que foi a iole.

12. Bulkeley e Cummins, op. cit., p. 13.

13. Ibid., p. 14.

14. Byron, *The Narrative of the Honourable John Byron*, op. cit., p. 16.

15. Campbell, op. cit., p. 14.

16. Bulkeley e Cummins se juntaram ao grupo um pouco depois, pois estavam no navio reunindo suprimentos.

17. Byron, *The Narrative of the Honourable John Byron*, op. cit., pp. 17-8.

18. Ibid, p. 18.

19. Minhas descrições do local não se baseiam apenas nos relatos dos náufragos, mas também em minha própria viagem à ilha, quando pude explorá-la.

20. Byron, *The Narrative of the Honourable John Byron*, op. cit., p. 18.

21. Campbell, op. cit., p. 14.

22. Ibid.

23. Ibid., p. 15.

24. Bulkeley e Cummins, op. cit., p. 14.

9. A BESTA [pp. 138-44]

1. Byron, *The Narrative of the Honourable John Byron*, op. cit., p. 19.

2. Ibid., pp. VI-VII.

3. Ibid., p. 20.

4. P. Parker King, *Narrative of the Surveying Voyages of His Majesty's Ships Adventure and Beagle*. Londres: Henry Colburn, 1839, v. 1, p. 179. Em sua citação, King toma emprestado um verso do poeta James Thomson.

5. Byron, *The Narrative of the Honourable John Byron*, op. cit., p. 21.

6. Ibid., p. 26.

7. Bulkeley e Cummins, op. cit., p. 14.

8. Byron, *The Narrative of the Honourable John Byron*, op. cit., p. 25.

9. Bulkeley e Cummins, op. cit., p. 15.

10. Ibid., p. 18.

11. Ibid., p. XXVIII.

12. Ibid.

13. Ibid., p. 21.

14. Ibid., p. XXIV.

15. Ibid., p. 212.

16. Byron, *The Narrative of the Honourable John Byron*, op. cit., p. 53.

17. Ibid., p. 51.

18. Ibid.

19. Anne Chapman, *European Encounters with the Yamana People of Cape Horn, Before and After Darwin*. Cambridge: Cambridge University Press, 2013, pp. 104-5.

20. Byron, *The Narrative of the Honourable John Byron*, op. cit., p. 52.

21. Ibid., p. 53.

22. Bulkeley e Cummins, op. cit., p. 15.

23. Byron, *The Narrative of the Honourable John Byron*, op. cit., p. VI.

24. Ibid., p. 32.

10. NOSSA NOVA CIDADE [pp. 145-56]

1. Para mais informações sobre esse experimento, ver o estudo de Ancel Keys, Josef Brozek, Austin Henschel e Henry Longstreet Taylor, *The Biology of Human Starvation*. Minneapolis: University of Minnesota Press, 1950, v. 1; David Baker e Natacha Keramidas, "The Psychology of Hunger". *American Psychological Association*, v. 44, n. 9, p. 66, out. 2013; Nathaniel Philbrick, *In the Heart of the Sea: The Tragedy of the Whaleship Essex*. Nova York: Penguin, 2001; e Todd Tucker, *The Great Starvation Experiment: Ancel Keys and the Men Who Starved for Science*. Minneapolis: University of Minnesota Press, 2007.

2. Citado em Todd Tucker, op. cit., p. 139.

3. Ibid., p. 102.

4. Citado em Philbrick, op. cit., p. 171.

5. Mais tarde, ao visitar a Patagônia, Charles Darwin ficou maravilhado com o modo como as "obras inanimadas da natureza — rocha, gelo, neve, vento e água —guerreiam todas entre si, mas combinadas contra o homem — ali reinavam em absoluta soberania".

6. Thomas Hobbes, *Leviathan, or, The Matter, Forme, & Power of a Commonwealth Ecclesiasticall and Civil*. Nova York: Barnes & Noble Books, 2004, p. 91. [Ed. bras.: *Leviatã ou matéria, forma e poder de um Estado eclesiástico e civil*. São Paulo: Martin Claret, 2014.]

7. Rodger, *Articles of War*, op. cit., pp. 16-7.

8. Relatório de Cheap para Lindsey, 26 fev. 1744, JS.

9. Byron, *The Narrative of the Honourable John Byron*, op. cit., p. 27.

10. Bulkeley e Cummins, op. cit., p. 19.

11. Ibid., p. 17.

12. Campbell, op. cit., p. 21.

13. Ibid., p. 29.

14. Bulkeley e Cummins, op. cit., p. 18.

15. Ibid., p. 16.

16. Byron, *The Narrative of the Honourable John Byron*, op. cit., p. 27.

17. Bulkeley e Cummins, op. cit., p. 58.

18. Campbell, op. cit., p. 19.

19. Ibid., p. 21.

20. Bulkeley e Cummins, op. cit., p. 55.

21. Campbell, op. cit., p. 31.

22. Ibid.

23. Bulkeley e Cummins, op. cit., p. 47.

24. Byron, *The Narrative of the Honourable John Byron*, op. cit., p. 48.

25. Charles Darwin comparou a forma como esse tipo de ave nada no mar com quando "o pato doméstico comum escapa ao ser perseguido por um cão".

26. Byron, *The Narrative of the Honourable John Byron*, op. cit., p. 51.

27. Bulkeley e Cummins, op. cit., p. 30.

28. Ibid., p. 174.

29. Ibid., p. 14.

30. Byron, *The Narrative of the Honourable John Byron*, op. cit., p. 99.

31. Ibid.

32. Extratos de citações dos diários de Byron e Bulkeley.

33. Byron, *The Narrative of the Honourable John Byron*, op. cit., p. 35.

34. Bulkeley e Cummins, op. cit., p. 27.

35. Byron, *The Narrative of the Honourable John Byron*, op. cit., p. 67.

11. NÔMADES DO MAR [pp. 157-66]

1. Bulkeley e Cummins, op. cit., p. 17.

2. Byron, *The Narrative of the Honourable John Byron*, op. cit., pp. 33-4.

3. Ibid., p. 137.

4. Ibid., p. 33.

5. Para informações sobre os kawésqar e outros habitantes da região, utilizei várias fontes: Junius B. Bird, *Travels and Archaeology in South Chile*. Iowa City: University of Iowa Press, 1988; Lucas E Bridges, *Uttermost Part of the Earth: Indians of Tierra del Fuego*. Nova York: Dover Publications, 1988; Arnoldo Canclini, *The Fuegian Indians: Their Life, Habits, and History*. Buenos Aires: Dunken, 2007; Anne Chapman, op. cit.; John M. Cooper, *Analytical and Critical Bibliography of the Tribes of Tierra del Fuego and Adjacent Territory*. Washington, DC: Government Printing Office, 1917; Joseph Emperaire, *Los Nomades del Mar*. Santiago: LOM, 2002; Martin Gusinde, *The Lost Tribes of Tierra del Fuego: Selk'nam, Yamana, Kawésqar*. Nova York: Thames & Hudson, 2015; o ensaio "The Spanish Attempt Salvage!", de Diego Carabias Amor, publicado em Layman, op. cit.; Samuel Kirkland Lothrop, *The Indians of Tierra del Fuego*. Nova York: Museum of the American Indian Heye Foundation, 1928; Colin McEwan, Luis Alberto Borrero e Alfredo Prieto (orgs.), *Patagonia: Natural History, Prehistory, and Ethnography at the Uttermost End of the Earth*. Princeton: Princeton University Press, 1997; Omar Reyes, *The Settlement of the Chonos Archipelago, Western Patagonia, Chile*. Cham: Springer Nature Switzerland AG, 2020; e Julian H. Steward, *Handbook of South American Indians*. Washington, DC: US Government Printing Office, 1946, v. 1. Além disso, foram úteis as informações detalhadas das exposições sobre os kawésqar e os yaganos no Museu Antropológico Martin Gusinde no Museu Chileno de Arte Pré-Colombiana.

6. Ao longo do tempo, os estrangeiros também chamaram esse povo por outros nomes, como alacalufes. Seus descendentes, no entanto, consideram kawésqar seu nome autêntico.

7. Os yaganes não comiam abutres porque poderiam ter bicado carcaças humanas.

8. Anne Chapman, op. cit., p. 186.

9. Instruções ao comodoro Anson, 1740, impresso em Williams (org.), op. cit., p. 41.

10. Pigafetta e Skelton, op. cit., p. 48.

11. Em 2008, os restos mortais de cinco dessas vítimas de sequestro foram descobertos numa coleção do Instituto e Museu Antropológico da Universidade de Zurique. Eles acabaram sendo devolvidos ao Chile e receberam um

enterro kawésqar adequado: os ossos foram ungidos com óleo, colocados em peles protetoras de leão-marinho e cestas de junco e depositados numa caverna. Para mais informações, ver "Remains of Indigenous Abductees Back Home After 130 Years". *Spiegel*, 13 jan. 2010.

12. Byron, *The Narrative of the Honourable John Byron*, op. cit., p. 33.

13. Para mais informações sobre a língua dos kawésqar, ver o artigo de Jack Hitt "Say No More", publicado em *The New York Times Magazine*, 29 fev. 2004. Ele observa que o kawésqar tinha inúmeras distinções sutis para denotar o passado: "Você pode dizer 'um pássaro passou voando' e, pelo uso de tempos diferentes, você pode querer dizer alguns segundos atrás, alguns dias atrás, um momento há tanto tempo que você não foi o observador original do pássaro (mas conhece quem foi) e, por fim, um passado mitológico, um tempo verbal que os kawésqar usam para sugerir que a história é tão antiga que não possui mais verdade descritiva fresca, mas antes aquela outra que emerge de histórias que retêm seu poder narrativo apesar da constante repetição".

14. Byron, *The Narrative of the Honourable John Byron*, op. cit., p. 34.

15. Ibid., p. 33.

16. Alexander Campbell, op. cit., p. 20.

17. Ibid., p. 19.

18. Bulkeley e Cummins, op. cit., p. 16.

19. Alexander Campbell, op. cit., p. 20.

20. Byron, *The Narrative of the Honourable John Byron*, op. cit., p. 45.

21. Ibid., pp. 125-6.

22. Os kawésqar também costumavam usar peles de focas para cobrir os telhados e as paredes de suas casas.

23. Bulkeley e Cummins, op. cit., p. 27.

24. Byron, *The Narrative of the Honourable John Byron*, op. cit., p. 133.

25. Ibid., p. 134.

26. Bulkeley e Cummins, op. cit., p. 28.

27. Byron, *The Narrative of the Honourable John Byron*, op. cit., p. 133.

28. Ibid., p. 100.

29. Bulkeley e Cummins, op. cit., p. 58.

30. Byron, *The Narrative of the Honourable John Byron*, op. cit., p. 45.

31. Ibid.

12. O SENHOR DO MONTE DESGRAÇA [pp. 167-77]

1. Byron, *The Narrative of the Honourable John Byron*, op. cit., p. 36.

2. Bulkeley e Cummins, op. cit., p. 29.

3. Ibid., p. 54.

4. Ibid., p. 56.

5. Ibid., p. 30.

6. Ibid., p. 46.

7. Ibid., p. 55.

8. Byron, *The Narrative of the Honourable John Byron*, op. cit., p. 47.

9. George Gordon Byron, *The Complete Works of Lord Byron*, op. cit., p. 715.

10. Alexander Campbell, op. cit., p. 20.

11. Byron, *The Narrative of the Honourable John Byron*, op. cit., p. 40.

12. Ibid., p. 38.

13. Ibid., pp. 102-3.

14. Alexander Campbell, op. cit., p. 20.

15. Ibid., p. 17.

16. Ibid., p. 20.

17. Byron, *The Narrative of the Honourable John Byron*, op. cit., p. 36.

18. Bulkeley e Cummins, op. cit., p. 57.

19. Thomas à Kempis, op. cit., p. 20.

20. Bulkeley e Cummins, op. cit., p. 44.

21. Ibid., p. 47.

22. Ibid.

23. Ibid., p. 20.

24. Byron, *The Narrative of the Honourable John Byron*, op. cit., p. 28.

25. Ibid., p. 53.

26. Ibid., p. 56.

27. Bulkeley e Cummins, op. cit., p. 44.

28. Ibid.

29. Ibid.

30. Ibid., p. 60.

31. Para mais informações sobre como funcionavam as cortes marciais, ver John D. Byrn, *Crime and Punishment in the Royal Navy: Discipline on the Leeward Islands Station, 1784-1812*. Aldershot: Scolar Press, 1989; Markus Eder, *Crime and Punishment in the Royal Navy of the Seven Years' War, 1755-1763*. Hampshire, UK; Burlington, VT: Ashgate, 2004; David Hannay, *Naval Courts Martial*. Cambridge: Cambridge University Press, 1914; John M'Arthur, *Principles and Practice of Naval and Military Courts Martial*. Londres: A. Strahan, 1813, 2 v.; Rodger, N. A. M., *Articles of War*, op. cit.; e Rodger, N. A. M., *The Wooden World*, op. cit.

32. Cheap e outros oficiais navais supervisionavam as cortes marciais

dos marinheiros, enquanto Pemberton e seus oficiais presidiam o julgamento de fuzileiros navais.

33. Bulkeley e Cummins, op. cit., p. 44.

34. Citado em Henry Baynham, *From the Lower Deck*, op. cit., p. 63.

35. Bulkeley e Cummins, op. cit., p. 44.

36. Leech, *Thirty Years from Home*, op. cit., p. 116.

37. Citado em H. G. Thursfield (org.), op. cit., p. 256.

38. Relatório de Cheap para Lindsey, 26 fev. 1744, JS.

39. Byron, *The Narrative of the Honourable John Byron*, op. cit., p. 67.

40. Ibid., p. 68.

13. EXTREMIDADES [pp. 178-81]

1. Byron, *The Narrative of the Honourable John Byron*, op. cit., p. 36-7.

2. Relatório de Cheap para Lindsey, 26 fev. 1744, JS.

3. Bulkeley e Cummins, op. cit., p. 20.

4. Relatório de Cheap para Lindsey, 26 fev. 1744, JS.

5. Byron, *The Narrative of the Honourable John Byron*, op. cit., p. 41.

6. Bulkeley e Cummins, op. cit., p. 19.

7. Ibid., p. 18.

8. Ibid., p. 19.

9. Relatório de Cheap para Lindsey, 26 fev. 1744, JS.

14. AFETOS DO POVO [pp. 182-6]

1. Byron, *The Narrative of the Honourable John Byron*, op. cit., p. 40.

2. Ibid.

3. Bulkeley e Cummins, op. cit., p. 22.

4. Byron, *The Narrative of the Honourable John Byron*, op. cit., p. 42.

5. Bulkeley e Cummins, op. cit., p. 21.

6. Ibid., p. 22.

7. Byron, *The Narrative of the Honourable John Byron*, op. cit., p. 41.

8. Ibid., p. 42.

9. John Woodall, *The Surgions Mate*. Londres: Kingsmead Press, 1978, p. 140.

10. Bulkeley e Cummins, op. cit., p. 23.

11. Woodall, *The Surgions Mate*, op. cit., p. 2.

12. Bulkeley e Cummins, op. cit., p. 24.

13. Woodall, *The Surgions Mate*, op. cit., p. 139.

14. Bulkeley e Cummins, op. cit., p. 25.

15. Byron, *The Narrative of the Honourable John Byron*, op. cit., p. 42.

16. Ibid., p. 41.

17. Bulkeley e Cummins, op. cit., p. 25.

18. Ibid.

15. A ARCA [pp. 187-99]

1. Bulkeley e Cummins, op. cit., p. XXVIII.

2. Ibid., p. 52.

3. Ibid., p. 20.

4. Byron, *The Narrative of the Honourable John Byron*, op. cit., pp. 43-4.

5. Para saber como a embarcação foi construída, beneficiei-me da profunda experiência de Brian Lavery, um importante historiador naval e uma autoridade em construção naval, que pacientemente me explicou o processo.

6. Bulkeley e Cummins, op. cit., p. 46.

7. Ibid., p. 66.

8. Narborough, Tasman, Wood e Martens, *An Account of Several Late Voyages and Discoveries to the South and North*. Cambridge: Cambridge University Press, 2014, p. 116.

9. Bulkeley e Cummins, op. cit., p. XXVIII.

10. Narborough, Tasman, Wood e Martens, op. cit., p. 118.

11. Bulkeley e Cummins, op. cit., p. XXVIII.

12. Narborough, Tasman, Wood e Martens, op. cit., p. 119.

13. Bulkeley e Cummins, op. cit., p. 31.

14. Ibid., p. 73.

15. Ibid., p. 33.

16. Esta e as outras citações na cena vêm de ibid., pp. 36-40.

17. Ibid., p. 48.

18. Alexander Campbell, op. cit., p. 17.

19. Bulkeley e Cummins, op. cit., p. 45.

16. MEUS AMOTINADOS [pp. 200-12]

1. Bulkeley e Cummins, op. cit., p. 48.

2. Ibid., p. 60.

3. Citado em Elihu Rose, "The Anatomy of Mutiny". *Armed Forces & Society*, v. 8, n. 4, p. 561, 1982.

4. David Farr, *Major-General Thomas Harrison: Millenarianism, Fifth Monarchism and the English Revolution, 1616-1660*. Londres; Nova York: Routledge, 2016, p. 258.

5. Bulkeley e Cummins, op. cit., p. 61.

6. Ibid., p. 49.

7. Ibid.

8. Ibid., p. 67.

9. Esta e as outras citações na cena vêm de ibid., pp. 51-2.

10. Ibid., p. 56.

11. Relatório de Cheap para Lindsey, 26 fev. 1744, JS.

12. Bulkeley e Cummins, op. cit., p. 52.

13. Ibid.

14. Byron, *The Narrative of the Honourable John Byron*, op. cit., p. 111.

15. Ibid., p. 30.

16. De acordo com Brian Lavery, autoridade em construção naval, esse era o método que eles deveriam empregar.

17. Alexander Campbell, op. cit., p. 23.

18. Bulkeley e Cummins, op. cit., p. 62.

19. Esta e as outras citações na cena vêm de ibid., pp. 63-4.

20. Alexander Campbell, op. cit., p. 26.

21. Byron, *The Narrative of the Honourable John Byron*, op. cit., pp. 60-1.

22. Bulkeley e Cummins, op. cit., p. 67.

23. Ibid., p. 66.

24. Ibid., p. 67.

25. Ibid., p. 74.

26. Relatório de Cheap para Lindsey, 26 fev. 1744, JS.

27. Ibid.

28. Bulkeley observa que havia oito separatistas, mas todos os outros relatos, inclusive os de Cheap, Byron e Campbell, indicam que eram sete.

29. Bulkeley e Cummins, op. cit., pp. 76-7.

30. Relatório de Cheap para Lindsey, 26 fev. 1744, JS.

31. Bulkeley e Cummins, op. cit., p. 72.

17. A ESCOLHA DE BYRON [pp. 215-9]

1. Byron, *The Narrative of the Honourable John Byron*, op. cit., p. 59.

2. Bulkeley e Cummins, op. cit., p. 76.

3. Alexander Campbell, op. cit., p. 28.
4. Bulkeley e Cummins, op. cit., p. 77.

18. PORTO DA MISERICÓRDIA DE DEUS [pp. 220-8]

1. Bulkeley e Cummins, op. cit., p. 81.
2. Ibid., p. 84.
3. Ibid.
4. Ibid., p. 107.
5. Ibid., p. 84.
6. Ibid., p. 85.
7. Ibid., p. 97.
8. Ibid., p. 88.
9. Ibid., p. 87.
10. Narborough, Tasman, Wood e Martens, op. cit., p. 78.
11. Bulkeley e Cummins, op. cit., p. 89.
12. Francis Drake e Francis Fletcher, *The World Encompassed by Sir Francis Drake, Being His Next Voyage to That to Nombre de Dios. Collated with an Unpublished Manuscript of Francis Fletcher, Chaplain to the Expedition*. Londres: The Hakluyt Society, 1854, p. 82.
13. Bulkeley e Cummins, op. cit., p. 90.
14. Ibid.
15. Ibid., p. 87.
16. Ibid., p. 86.
17. Ibid.
18. Ibid., p. 95.
19. Ibid., p. 93.
20. Ibid., pp. 94-5.
21. Ibid., p. 96.

19. A ASSOMBRAÇÃO [pp. 229-36]

1. Byron, *The Narrative of the Honourable John Byron*, op. cit., p. 65.
2. Alexander Campbell, op. cit., p. 31.
3. Relatório de Cheap para Lindsey, 26 fev. 1744, JS.
4. Byron, *The Narrative of the Honourable John Byron*, op. cit., pp. 102-3.
5. Alexander Campbell, op. cit., p. 35.
6. Ibid., p. 37.
7. Byron, *The Narrative of the Honourable John Byron*, op. cit., p. 82.

8. Ibid., p. 83.

9. Alexander Campbell, op. cit., p. 46.

10. Ibid., pp. 45-6.

11. Byron, *The Narrative of the Honourable John Byron*, op. cit., p. 88.

12. Ibid., p. 90.

13. Ibid., p. 89.

14. Alexander Campbell, op. cit., p. 48.

15. Byron, *The Narrative of the Honourable John Byron*, op. cit., p. 89.

16. Alexander Campbell, op. cit., p. 47.

17. Byron, *The Narrative of the Honourable John Byron*, op. cit., p. 103.

18. George Gordon Byron, *The Complete Works of Lord Byron*, op. cit., p. 623.

20. O DIA DA NOSSA SALVAÇÃO [pp. 237-45]

1. Bulkeley e Cummins, op. cit., p. 98.

2. Ibid., p. 105.

3. Darwin e Amigoni, *The Voyage of the Beagle: Journal of Researches into the Natural History and Geology of the Countries Visited during the Voyage of HMS Beagle Round the World, Under the Command of Captain Fitz Roy, RN*. Ware: Wordsworth Editions, 1997, p. 230. [Ed. bras.: *A viagem do Beagle*. São Paulo: Edusp, 2009.]

4. Citado em Richard Hough, op. cit., p. 149.

5. Bulkeley e Cummins, op. cit., p. 101.

6. Ibid., p. 106.

7. Ibid.

8. Ibid., p. 109.

9. Ibid.

10. Ibid., pp. 112-3.

11. Thomas à Kempis, op. cit., p. 33.

12. Bulkeley e Cummins, op. cit., p. 108.

13. Carta do tenente Baynes ao irmão, 6 out. 1742, ERALS-DDGR/39/52.

14. Bulkeley e Cummins, op. cit., p. 120.

15. Ibid.

16. Ibid., p. 103.

17. Ibid., p. 120.

18. Ibid., p. 121.

19. Ibid., p. 120.

20. Ibid., p. 124.

21. UMA REBELIÃO LITERÁRIA [pp. 249-58]

1. Bulkeley e Cummins, op. cit., p. 137.
2. Ibid., pp. 137-8.
3. Ibid., p. 138.
4. Ibid., p. 136.
5. Ibid., p. 127.
6. Ibid., p. XXIX.
7. Ibid.
8. Ibid., p. XXIX.
9. Ibid., p. 151.
10. Ibid., p. 72.
11. Ibid., p. 152.
12. Ibid., p. 153.
13. Ibid., p. 158.
14. Ibid., pp. 151-2.
15. Ibid., pp. XXIII-XXIV.
16. Ibid., p. 161.
17. Ibid., p. XXIX.
18. Ibid., p. XXX.
19. Ibid., p. XXIX.
20. Ibid., p. XXVIII.
21. Ibid., p. XXXI.
22. Ibid., p. XXIII.
23. Ibid., p. 159.
24. Ibid., p. 172.
25. *The Universal Spectator*, 25 ago.-1 set. 1744.
26. Introdução de Arthur D. Howden Smith a Bulkeley e Cummins, op. cit., p. VI.

22. A RECOMPENSA [pp. 259-73]

1. Relatório do capitão Murray ao Almirantado, 10 jul. 1741, TNA-ADM 1/2099.
2. Um irmão do capitão do *Severn* ficou grato por Anson ter ficado ao lado de seu parente e o protegido das "cavilações daqueles filhos tranquilos que ficam em casa e, sem se arriscar, culpam a conduta de todos os homens que não entendem e não podem entender".

3. Leo Heaps, op. cit., p. 175.

4. Millechamp, op. cit.

5. *The Gentleman's Magazine*, jun. 1743.

6. Carta de Anson a Lord Hardwicke, 14 jun. 1744, BL-ADD MSS.

7. *The Universal Spectator*, 25 ago.-1 set. 1744.

8. Millechamp, op. cit.

9. Somerville, op. cit., pp. 183-4.

10. *The Universal Spectator*, 25 ago.-1 set. 1744.

11. Millechamp, op. cit.

12. Minha descrição da perseguição do galeão e da cena de batalha subsequente é extraída em grande parte dos numerosos relatos de primeira mão e relatórios de quem estava presente. Para mais informações, ver as cartas e despachos de Anson; Heaps, op. cit., v. 1; Millechamp, op. cit.; Thomas, op. cit.; e Williams (org.), *Documents Relating to Anson's Voyage Round the World*, op. cit. Minha pesquisa também se beneficiou de vários trabalhos de história excelentes, entre eles, Somerville, op. cit.; e Williams, *The Prize of All the Oceans*, op. cit.

13. Relatório de inteligência enviado ao governador de Manila, impresso em Williams (org.), *Documents Relating to Anson's Voyage Round the World*, op. cit., p. 207.

14. Somerville, op. cit., p. 217.

15. Ibid.

16. Williams, *The Prize of All the Oceans*, op. cit., p. 161.

17. Walter, op. cit., p. 400.

18. Ibid., p. 401.

19. Diário de Saumarez, impresso em Williams (org.), *Documents Relating to Anson's Voyage Round the World*, op. cit., p. 197.

20. Millechamp, op. cit.

21. Keppel, op. cit., v. 1, p. 115.

22. Millechamp, op. cit.

23. Thomas, op. cit., p. 289.

24. Citado em Brian Lavery, *Anson's Navy: Building a Fleet for Empire, 1744-1763*, op. cit., p. 102.

25. Thomas, op. cit., pp. 282-3.

26. Juan de la Concepción, *Historia General de Philipinas*, publicado em Williams (org.), *Documents Relating to Anson's Voyage Round the World*, op. cit., p. 218.

27. Heaps, op. cit., p. 224.

28. *The Universal Spectator*, 25 ago.-1 set. 1744.

29. Em novembro de 1739, logo no início da guerra, o almirante Edward Vernon e suas forças capturaram o assentamento espanhol de Portobelo, no

atual Panamá, mas essa vitória foi logo seguida por uma série de derrotas calamitosas.

30. *Daily Advertiser*, 5 jul. 1744.

31. Para informações sobre as parcelas estimadas do prêmio em dinheiro concedidas aos marinheiros e oficiais, inclusive a Anson, ver Williams, *The Prize of All the Oceans*, op. cit.

32. Rodger, *The Command of the Ocean: A Naval History of Britain, 1649-1815*. Nova York: W. W. Norton, 2005, p. 239.

33. Firth (org.), op. cit., p. 196. Esta canção sobre Anson celebra não apenas a conquista do galeão, mas também a captura quatro anos depois de outro rico prêmio.

23. ESCREVINHADORES DA GRUB STREET [pp. 274-84]

1. Relatório de Cheap para Lindsey, 26 fev. 1744, JS.
2. Alexander Campbell, op. cit., p. 55.
3. Ibid., p. 63.
4. Byron, *The Narrative of the Honourable John Byron*, op. cit., pp. 150-1.
5. Alexander Campbell, op. cit., p. 58.
6. Byron, *The Narrative of the Honourable John Byron*, op. cit., p. 167.
7. Ibid., p. 158.
8. Ibid., p. 172.
9. Ibid., p. 169.
10. Ibid., pp. 169-70.
11. Ibid., p. 176.
12. Alexander Campbell, op. cit., p. 77.
13. Ibid., p. 70.
14. Ibid., p. 78.
15. Relatório de Cheap para Lindsey, 26 fev. 1744, JS.
16. Alexander Carlyle, op. cit., p. 100.
17. Byron, *The Narrative of the Honourable John Byron*, op. cit., p. 214.
18. Ibid.
19. Ibid.
20. Relatório de Cheap para Lindsey, 26 fev. 1744, JS.
21. Citado em Layman, op. cit., p. 218.
22. Byron, *The Narrative of the Honourable John Byron*, op. cit., p. 262.
23. Defoe, *A Tour Through the Whole Island of Great Britain*. New Haven: Yale University Press, 1991, p. 135.
24. Byron, *The Narrative of the Honourable John Byron*, op. cit., p. 263.
25. Ibid., p. 264.

26. Citado em Layman, op. cit., p. 217.

27. Ibid., p. 216.

28. Bulkeley e Cummins, op. cit., p. 170.

29. Para mais informações sobre o comércio editorial durante essa época, ver Bob Clarke, *From Grub Street to Fleet Street: An Illustrated History of English Newspapers to 1899*. Brighton: Revel Barker, 2010; Robert Darnton, *The Literary Underground of the Old Regime*. Cambridge, MA; Londres: Harvard University Press, 1982; Pat Rogers, *The Poet and the Publisher: The Case of Alexander Pope, Esq., of Twickenham versus Edmund Curll, Bookseller in Grub Street*. Londres: Reaktion Books, 2021; e Howard William Troyer, *Ned Ward of Grub Street: A Study of Sub-Literary London in the Eighteenth Century*. Nova York: Barnes & Noble, 1967.

30. *Caledonian Mercury*, 6 fev. 1744.

31. Alexander Carlyle, op. cit., p. 100.

32. Byron, op. cit., p. x.

33. Ibid., p. IX.

34. Janet Malcolm, *The Crime of Sheila McGough*. Nova York: Alfred A. Knopf, 1999, p. 3.

24. A PAUTA [pp. 285-9]

1. Esta e as outras citações na cena vêm de Bulkeley e Cummins, op. cit., pp. 169-70.

2. Para mais informações sobre direito naval e cortes marciais, ver Byrn, op. cit.; Markus Eder, op. cit.; David Hannay, op. cit.; John M'Arthur, op. cit.; Rodger, *Articles of War*, op. cit.; e Rodger, *The Wooden World*, op. cit.

3. Joseph Conrad, *Lord Jim*. Ware, Hertfordshire: Wordsworth Editions, 1993, p. 18. [Ed. bras.: *Lorde Jim*. São Paulo: Abril Cultural, 1971.]

4. Para esta e outras citações de regulamentos, ver Rodger, *Articles of War*, op. cit., pp. 13-9.

5. Byrn, op. cit., p. 55.

6. Sobre esse motim, há livros suficientes para encher uma vasta biblioteca. Confiei em especial no excelente relato de Caroline Alexander, *The Bounty: The True Story of the Mutiny on the Bounty*. Nova York: Penguin Books, 2004. Para mais informações, ver também Edward Christian e William Bligh, *The Bounty Mutiny*. Nova York: Penguin Books, 2001.

7. Há relatos divergentes sobre o que os condenados disseram antes da execução.

8. Citado em Christian e Bligh, op. cit., p. 128.

9. Bulkeley e Cummins, op. cit., p. 170.

10. Em geral, um capitão ou outro oficial comissionado condenado à morte podia escolher entre ser enforcado ou fuzilado.

11. Bulkeley e Cummins, op. cit., p. 171.

25. A CORTE MARCIAL [pp. 290-8]

1. Frederick Marryat, *Frank Mildmay, or, The Naval Officer*. Ithaca, NY: McBooks Press, 1998, p. 93.

2. *The Trial of the Honourable Admiral John Byng, at a Court Martial, As Taken by Mr. Charles Fearne, Judge-Advocate of His Majesty's Fleet*. Dublin: Impresso para J. Hoey, P. Wilson, et al., 1757, p. 298.

3. Voltaire e David Wootton, *Candide and Related Texts*. Indianapolis: Hackett, 2000, p. 59.

4. Cheap para Anson, 12 dez. 1745, impresso em Layman, op. cit., pp. 217-8.

5. Bulkeley e Cummins, op. cit., p. 171.

6. Este e outros testemunhos da corte marcial citados vêm de TNA-ADM 1/5288.

7. Bulkeley e Cummins, op. cit., pp. 172-3.

8. Williams, *The Prize of All the Oceans*, op. cit., p. 101.

9. Da minha entrevista com o contra-almirante Layman.

10. Citado em Gaudi, *The War of Jenkins' Ear*, op. cit., p. 277.

11. *London Daily Post*, 6 jul. 1744.

12. Para mais informações sobre as origens da guerra, ver Craig S. Chapman, op. cit.; Gaudi, op. cit.; e David Olusoga, *Black and British: A Forgotten History*. Londres: Macmillan, 2017.

13. Citado em Justin McCarthy, *A History of the Four Georges and of William IV*. Leipzig: Bernhard Tauchnitz, 1890, v. 2, p. 185.

14. Olusoga, op. cit., p. 25.

15. Citado em P. J. Marshall, *The Oxford History of the British Empire: The Eighteenth Century*. Oxford; Nova York: Oxford University Press, 1998, v. 2, p. 5.

16. Citado em Rose, op. cit., p. 565.

17. Williams, *The Prize of All the Oceans*, op. cit., p. 101.

26. A VERSÃO QUE VENCEU [pp. 299-306]

1. Em uma reviravolta surpreendente, Morris e os outros dois náufragos descobriram alguém inesperado a bordo do mesmo navio: o aspirante Alexander Campbell, que voltava para a Inglaterra depois de ser deixado para trás por Cheap.

2. Morris, *A Narrative of the Dangers and Distresses Which Befel Isaac Morris, and Seven More of the Crew, Belonging to the Wager Store-Ship, Which Attended Commodore Anson, in His Voyage to the South Sea*. Dublin: G. and A. Ewing, 1752, p. 10.

3. Ibid.

4. Ibid., pp. 27-8.

5. Ibid., p. 42.

6. Ibid.

7. Alexander Campbell, op. cit., p. 103.

8. Morris, op. cit., p. 45.

9. Jill Lepore, *These Truths: A History of the United States*. Nova York e Londres: W. W. Norton & Company, 2018, p. 55.

10. Morris, op. cit., p. 47.

11. Ibid., p. 37.

12. Thomas, op. cit., p. 10.

13. Philips, op. cit., p. II. Não havia ninguém chamado John Philips a bordo do *Centurion*, mas o relato parece ter-se baseado no diário de bordo de um oficial.

14. Walter, op. cit., p. 155.

15. Ibid., p. 158.

16. Ibid., p. 156.

17. Ibid., p. 444.

18. Para mais informações sobre o mistério de quem escreveu *A Voyage Round the World*, ver Barrow, op. cit.; e Williams, *The Prize of All the Oceans*, op. cit.

19. Barrow, o biógrafo de Anson, concluiu que Walter "desenhou o esqueleto frio e nu", enquanto Robins "o vestiu com carne e músculos e, pelo calor de sua imaginação [...], fez o sangue circular pelas veias".

20. Citado em Lavery, *Anson's Navy: Building a Fleet for Empire, 1744-1763*, op. cit., p. 14.

21. Carta de Anson ao duque de Newcastle, 14 jun. 1744, TNA-SP 42/88.

22. Walter, op. cit., p. 2.

23. Ibid., p. 218.

24. Ibid., p. 342.

25. Ibid., p. 174.

26. Barrow, op. cit., p. III.

27. Citado em Mahon, op. cit., v. 3, p. 33.

28. James Cook, *Captain Cook's Journal During His First Voyage Round the World Made in H.M. Bark Endeavour, 1768-1771*. Londres: Elliot Stock, 1893, p. 48.

29. Introdução de Glyndwr Williams à sua versão editada de *A Voyage Round the World*, p. IX.

30. Thomas Carlyle, *Complete Works of Thomas Carlyle*. Nova York: P. F. Collier & Son, 1901, v. 3, p. 491.

31. Bernard Smith, *Imagining the Pacific: In the Wake of the Cook Voyages*. New Haven: Yale University Press, 1992, p. 52.

EPÍLOGO [pp. 307-12]

1. Carta de Cheap ao Almirantado, 13 jan. 1747, publicado em Layman, op. cit., pp. 253-5.

2. *Derby Mercury*, 24 jul. 1752.

3. Uma balada sobre John Byron dizia: "Bravo ele pode ser, negá-lo quem pode,/ Mas o almirante John é um homem sem sorte;/ E as mães dos aspirantes gritam: "Longe, ai de mim!/ Meu rapaz navegou com Foulweather Jack!".

4. John Charnock, *Biographia Navalis, or, Impartial Memoirs of the Lives and Characters of Officers of the Navy of Great Britain, from the Year 1660 to the Present Time*. Cambridge: Cambridge University Press, 2011, v. 5, p. 439.

5. Byron, *The Complete Works of Lord Byron*, op. cit., p. 41.

6. Alexander Carlyle, op. cit., p. 100.

7. Citado em Emily Brand, op. cit., p. 112.

8. Byron, *The Complete Works of Lord Byron*, op. cit., p. 720.

9. Byron, *The Collected Poems of Lord Byron*, op. cit., p. 89.

10. Barrow, op. cit., p. 419.

11. Nada sobreviveu da cabeça do leão, exceto uma parte da perna esculpida, que foi resgatada por um descendente de Anson.

12. Melville, *White-Jacket, or, The World in a Man-of-War*, op. cit., pp. 155-6.

13. A descrição da ilha se baseia na visita que fiz ao lugar.

14. Esses restos do casco, alguns dos quais observei durante minha própria visita à ilha, foram descobertos em 2006 por uma expedição organizada pela Sociedade de Exploração Científica com o apoio da Marinha do Chile. Para mais informações sobre suas descobertas, ver "The Quest for HMS *Wager* Chile Expedition 2006", que foi publicado pela Sociedade de Exploração Científica, e "The Findings of the *Wager*, 2006", do major Chris Holt, membro da expedição, publicado em Layman, op. cit.

Bibliografia selecionada

A Journal of a Voyage Round the World, in His Majesty's Ship the Dolphin, Commanded by the Honourable Commodore Byron [...] *by a Midshipman on Board the Said Ship*. Londres: M. Cooper, 1767.

A Voyage Round the World, in His Majesty's Ship the Dolphin, Commanded by the Honourable Commodore Byron [...] *by an Officer on Board the Said Ship*. Londres: Newbery and Carnan, 1768.

A Voyage to the South-Seas, and to Many Other Parts of the World, Performed from the Month of September in the Year 1740, to June 1744, by Commodore Anson [...] *by an Officer of the Squadron*. Londres: Yeovil Mercury, 1744.

ADKINS, Roy; ADKINS, Lesley. *Jack Tar: Life in Nelson's Navy*. Londres: Abacus, 2009.

AKERMAN, John Yonge (org.). *Letters from Roundhead Officers Written from Scotland and Chiefly Addressed to Captain Adam Baynes, July MDCL — June MDCLX*. Edimburgo: W. H. Lizars, 1856.

ALEXANDER, Caroline. *The Bounty: The True Story of the Mutiny on the Bounty*. Nova York: Penguin, 2004.

AN Affecting Narrative of the Unfortunate Voyage and Catastrophe of His Majesty's Ship Wager, One of Commodore Anson's Squadron in the South Sea Expedition [...] *The Whole Compiled from Authentic Journals*. Londres: John Norwood, 1751.

AN Appendix to the Minutes Taken at a Court-Martial, Appointed to Enquire into the Conduct of Captain Richard Norris. Londres: Printed for W. Webb, 1745.

AN Authentic Account of Commodore Anson's Expedition: Containing All That Was Remarkable, Curious and Entertaining, During That Long and Dangerous Voyage [...] *Taken from a Private Journal*. Londres: M. Cooper, 1744.

ANDREWES, William J. H. (org.). *The Quest for Longitude*. Cambridge, MA: Collection of Historical Scientific Instruments, Universidade Harvard, 1996.

ANSON, Walter Vernon. *The Life of Admiral Lord Anson: The Father of the British Navy, 1697-1762*. Londres: John Murray, 1912.

ATKINS, John. *The Navy-Surgeon, or, A Practical System of Surgery*. Londres: Impresso para Caesar Ward e Richard Chandler, 1734.

BARROW, John. *The Life of Lord George Anson*. Londres: John Murray, 1839.

BAUGH, Daniel A. *British Naval Administration in the Age of Walpole*. Princeton: Princeton University Press, 1965.

______ (org.). *Naval Administration, 1715-1750*. Grã-Bretanha: Navy Records Society, 1977.

BAWLF, Samuel. *The Secret Voyage of Sir Francis Drake, 1577-1580*. Nova York: Walker, 2003.

BAYNHAM, Henry. *From the Lower Deck: The Royal Navy, 1780-1840*. Barre, MA: Barre Publishers, 1970.

BERKENHOUT, John. "A Volume of Letters from Dr. Berkenhout to His Son, at the University of Cambridge". *The European Magazine and London Review*, n. 19, fev. 1791.

BEVAN, A. Beckford; WOLRYCHE-WHITMORE, H. B. (orgs.). *The Journals of Captain Frederick Hoffman, R.N., 1793-1814*. Londres: John Murray, 1901.

BIRD, Junius B. *Travels and Archaeology in South Chile*. Iowa City: University of Iowa Press, 1988.

BLACKMORE, Richard. *A Treatise of Consumptions and Other Distempers Belonging to the Breast and Lungs*. Londres: Impresso para John Pemberton, 1724.

BOLSTER, W. Jeffrey. *Black Jacks: African American Seamen in the Age of Sail*. Cambridge, MA: Harvard University Press, 1997.

BOSWELL, James. *The Life of Samuel Johnson*. Londres: John Murray, 1831. v. 1.

BOWN, Stephen R. *Scurvy: How a Surgeon, a Mariner, and a Gentleman Solved the Greatest Medical Mystery of the Age of Sail*. Nova York: Thomas Dunne Books, 2004.

BRAND, Emily. *The Fall of the House of Byron: Scandal and Seduction in Georgian England*. Londres: John Murray, 2020.

BRIDGES, E. Lucas. *Uttermost Part of the Earth: Indians of Tierra del Fuego*. Nova York: Dover Publications, 1988.

BROCKLISS, Laurence; CARDWELL, John; MOSS, Michael. *Nelson's Surgeon: William Beatty, Naval Medicine, and the Battle of Trafalgar*. Oxford; Nova York: Oxford University Press, 2005.

BROUSSAIN, Juan Pedro (org.). *Cuatro relatos para un naufragio: La fragata Wager en el golfo de Penas en 1741*. Santiago: Septiembre Ediciones, 2012.

BROWN, Kevin. *Poxed and Scurvied: The Story of Sickness and Health at Sea*. Barnsley: Seaforth, 2011.

BROWN, Lloyd A. *The Story of Maps*. Nova York: Dover Publications, 1979.

BRUNSMAN, Denver. *The Evil Necessity: British Naval Impressment in the Eighteenth-Century Atlantic World*. Charlottesville: University of Virginia Press, 2013.

BULKELEY, John; CUMMINS, John. *A Voyage to the South Seas*. 3. ed. Intr. de Arthur D. Howden Smith. Nova York: Robert M. McBride & Company, 1927.

BULLOCH, John. *Scottish Notes and Queries*. Aberdeen: A. Brown & Co., 1900. v. 1.

BURNEY, Fanny. *The Early Journals and Letters of Fanny Burney*. Org. de Betty Rizzo. Oxford: Clarendon Press, 2003. v. 4.

BYRN, John D. *Crime and Punishment in the Royal Navy: Discipline on the Leeward Islands Station, 1784-1812*. Aldershot: Scolar Press, 1989.

BYRON, John. *Byron's Narrative of the Loss of the Wager: Containing an Account of the Great Distresses Suffered by Himself and His Companions on the Coast of Patagonia, from the Year 1740, Till Their Arrival in England, 1746*. Londres: Henry Leggatt & Co., 1832.

______. *The Narrative of the Honourable John Byron: Containing an Account of the Great Distresses Suffered by Himself and His Companions on the Coast of Patagonia, from the Year 1740, Till Their Arrival in England, 1746*. Londres: S. Baker and G. Leigh, 1769.

BYRON, George Gordon. *The Complete Works of Lord Byron*. Paris: Baudry's European Library, 1837.

______. *The Poetical Works of Lord Byron*. Londres: John Murray, 1846.

______. *The Collected Poems of Lord Byron*. Hertfordshire: Wordsworth, 1995.

CAMÕES, Luís Vaz de; WHITE, Landeg. *The Lusíads*. Oxford World's Classics. Oxford; Nova York: Oxford University Press, 2008.

CAMPBELL, Alexander. *The Sequel to Bulkeley and Cummins's "Voyage to the South-Seas"*. Londres: W. Owen, 1747.

CAMPBELL, John. *Lives of the British Admirals: Containing an Accurate Naval History from the Earliest Periods*. Londres: C. J. Barrington, Strand, and J. Harris, 1817. v. 4.

CANCLINI, Arnoldo. *The Fuegian Indians: Their Life, Habits, and History*. Buenos Aires: Editorial Dunken, 2007.

CANNY, Nicholas P. (org.). *The Oxford History of the British Empire: The Origins of Empire — British Overseas Enterprise to the Close of the Seventeenth Century*. Oxford: Oxford University Press, 2001. v. 1.

CARLYLE, Alexander. *Anecdotes and Characters of the Times*. Londres: Oxford University Press, 1973.

CARLYLE, Thomas. *Complete Works of Thomas Carlyle*. Nova York: P. F. Collier & Son, 1901. v. 3.

CARPENTER, Kenneth J. *The History of Scurvy and Vitamin C*. Cambridge; Nova York: Cambridge University Press, 1986.

CHAMIER, Frederick. *The Life of a Sailor*. Org. de Vincent McInerney. Londres: Richard Bentley, 1850.

CHAPMAN, Anne. *European Encounters with the Yamana People of Cape Horn, Before and After Darwin*. Cambridge: Cambridge University Press, 2013.

CHAPMAN, Craig S. *Disaster on the Spanish Main: The Tragic British-American Expedition to the West Indies During the War of Jenkins' Ear*. Lincoln: Potomac Books, University of Nebraska Press, 2021.

CHARNOCK, John. *Biographia Navalis, or, Impartial Memoirs of the Lives and Characters of Officers of the Navy of Great Britain, from the Year 1660 to the Present Time*. Cambridge: Cambridge University Press, 2011. v. 5.

CHILES, Webb. *Storm Passage: Alone Around Cape Horn*. Nova York: Times Books, 1977.

CHRISTIAN, Edward; BLIGH, William. *The Bounty Mutiny*. Nova York: Penguin, 2001.

CLARK, William Mark. *Clark's Battles of England and Tales of the Wars*. Londres: William Mark Clark, 1847. v. 2.

CLARKE, Bob. *From Grub Street to Fleet Street: An Illustrated History of English Newspapers to 1899*. Brighton: Revel Barker, 2010.

CLAYTON, Tim. *Tars: The Men Who Made Britain Rule the Waves*. Londres: Hodder Paperbacks, 2008.

CLINTON, George. *Memoirs of the Life and Writings of Lord Byron*. Londres: James Robins and Co., 1828.

COCKBURN, John. *The Unfortunate Englishmen*. Dundee: Chalmers, Ray, & Co., 1804.

COCKBURN, William. *Sea Diseases, or, A Treatise of Their Nature, Causes, and Cure*. 3. ed. Londres: Impresso para G. Strahan, 1736.

CODRINGTON, Edward. *Memoir of the Life of Admiral Sir Edward Codrington*. Londres: Longmans, Green and Co., 1875.

COLE, Gareth. "Royal Navy Gunners in the French Revolutionary and Napoleonic Wars". *The Mariner's Mirror*, v. 95, n. 3, ago. 2009.

COLERIDGE, Samuel Taylor. *The Rime of the Ancient Mariner*. Nova York: D. Appleton & Co., 1857.

CONBOY, Martin; STEEL, John (orgs.). *The Routledge Companion to British Media History*. Londres; Nova York: Routledge, 2015.

CONRAD, Joseph. *Lord Jim*. Ware, Hertfordshire: Wordsworth Editions, 1993. [Ed. bras.: *Lorde Jim*. São Paulo: Abril Cultural, 1971.]

______. *Complete Short Stories*. Nova York: Barnes & Noble, 2007.

COOK, James. *Captain Cook's Journal During His First Voyage Round the World Made in H. M. Bark Endeavour, 1768-1771*. Londres: Elliot Stock, 1893.

COOPER, John M. *Analytical and Critical Bibliography of the Tribes of Tierra del Fuego and Adjacent Territory*. Washington, DC: Government Printing Office, 1917.

CUYVERS, Luc. *Sea Power: A Global Journey*. Annapolis: Naval Institute Press, 1993.

DANA, R. H. *Two Years Before the Mast, and Twenty-Four Years After*. Londres: Sampson Low, Son & Marston, 1869.

______. *The Seaman's Friend: A Treatise on Practical Seamanship*. Boston: Thomas Groom & Co., 1879.

DARNTON, Robert. *The Literary Underground of the Old Regime*. Cambridge, MA; Londres: Harvard University Press, 1982.

DARWIN, Charles. *The Descent of Man*. Nova York: D. Appleton and Company, 1871. v. 1. [Ed. bras.: *A origem do homem e a seleção sexual*. Trad. de Eugênio Amado. Belo Horizonte: Garnier, 2019.]

______. *A Naturalist's Voyage*. Londres: John Murray, 1889. [Ed. bras.: *Viagem de um naturalista ao redor do mundo*. Trad. de Pedro Gonzaga. São Paulo: L&PM, 2008.]

______; AMIGONI, David. *The Voyage of the Beagle: Journal of Researches into the Natural History and Geology of the Countries Visited during the Voyage of HMS Beagle Round the World, Under the Command of Captain Fitz Roy, RN*. Ware: Wordsworth Editions, 1997. Wordsworth Classics of World Literature. [Ed. bras.: *A viagem do Beagle*. São Paulo: Edusp, 2009.]

DAVIES, Surekha. *Renaissance Ethnography and the Invention of the Human: New Worlds, Maps and Monsters*. Cambridge: Cambridge University Press, 2016.

DEFOE, Daniel. *The Earlier Life and Works of Daniel Defoe*. Org. de Henry Morley. Edimburgo; Londres: Ballantine Press, 1889.

DEFOE, Daniel. *The Novels and Miscellaneous Works of Daniel Defoe*. Londres: George Bell & Sons, 1890.

______. *A Tour Through the Whole Island of Great Britain*. New Haven: Yale University Press, 1991.

______. *Robinson Crusoe*. Londres: Penguin, 2001. Penguin Classics.

DENNIS, John. *An Essay on the Navy, or, England's Advantage and Safety, Prov'd Dependant on a Formidable and Well-Disciplined Navy, and the Encrease and Encouragement of Seamen*. Londres: Impresso para o autor, 1702.

DICKINSON, H. W. *Educating the Royal Navy: Eighteenth and Nineteenth Century*

Education for Officers. Londres; Nova York: Routledge, 2007. Naval Policy and History.
DOBSON, Mary J. *Contours of Death and Disease in Early Modern England*. Cambridge: Cambridge University Press, 2002.
______. *The Story of Medicine: From Bloodletting to Biotechnology*. Nova York: Quercus, 2013.
DRAKE, Francis; FLETCHER, Francis. *The World Encompassed by Sir Francis Drake, Being His Next Voyage to That to Nombre de Dios. Collated with an Unpublished Manuscript of Francis Fletcher, Chaplain to the Expedition*. Londres: The Hakluyt Society, 1854.
DRUETT, Joan. *Rough Medicine: Surgeons at Sea in the Age of Sail*. Nova York: Routledge, 2000.
EDER, Markus. *Crime and Punishment in the Royal Navy of the Seven Years' War, 1755-1763*. Hampshire, UK; Burlington, VT: Ashgate, 2004.
EDWARDS, Philip. *The Story of the Voyage: Sea-Narratives in Eighteenth-Century England*. Cambridge: Cambridge University Press, 1994.
EMPERAIRE, Joseph; OYARZÚN, Luis. *Los nomades del mar*. Santiago: LOM Ediciones, 2002. Biblioteca del Bicentenario. v. 17.
ENNIS, Daniel James. *Enter the Press-Gang: Naval Impressment in Eighteenth--Century British Literature*. Newark: University of Delaware Press, 2002.
EQUIANO, Olaudah; CARRETTA, Vincent. *The Interesting Narrative and Other Writings*. Nova York: Penguin, 2003.
ETTRICK, Henry. "The Description and Draught of a Machine for Reducing Fractures of the Thigh". *Philosophical Transactions*, v. XLI, n. 459, 1741.
FARR, David. *Major-General Thomas Harrison: Millenarianism, Fifth Monarchism and the English Revolution, 1616-1660*. Londres; Nova York: Routledge, 2016.
FIRTH, Charles Harding (org.). *Naval Songs and Ballads*. Londres: Impresso para Navy Records Society, 1908.
FISH, Shirley. *The Manila-Acapulco Galleons: The Treasure Ships of the Pacific: With an Annotated List of the Transpacific Galleons*, 1565-1815. UK: AuthorHouse, 2011.
FISH, Shirley. *HMS Centurion, 1733-1769: An Historic Biographical-Travelogue of One of Britain's Most Famous Warships and the Capture of the Nuestra Señora de Covadonga Treasure Galleon*. UK: AuthorHouse, 2015.
FLANAGAN, Adrian. *The Cape Horners' Club: Tales of Triumph and Disaster at the World's Most Feared Cape*. Londres: Bloomsbury Publishing, 2017.
FRÉZIER, Amédée-François. *A Voyage to the South-Sea and Along the Coasts of Chile and Peru, in the Years 1712, 1713 and 1714*. Cambridge: Cambridge University Press, 2014.

FRIEDENBERG, Zachary. *Medicine Under Sail*. Annapolis: Naval Institute Press, 2002.

FRYKMAN, Niklas Erik. "The Wooden World Turned Upside Down: Naval Mutinies in the Age of Atlantic Revolution". PhD diss., Universidade de Pittsburgh, 2010.

GALLAGHER, Robert E. (org.). *Byron's Journal of His Circumnavigation, 1764--1766*. Londres: Hakluyt Society, 1964.

GARBETT, H. *Naval Gunnery: A Description and History of the Fighting Equipment of a Man-of-War*. Londres: George Bell and Sons, 1897.

GARDNER, James Anthony. *Above and Under Hatches: The Recollections of James Anthony Gardner*. Org. de R. Vesey Hamilton e John Knox Laughton. Londres: Chatham, 2000.

GAUDI, Robert. *The War of Jenkins' Ear: The Forgotten War for North and South America*. Nova York: Pegasus Books, 2021.

GILJE, Paul A. *To Swear Like a Sailor: Maritime Culture in America, 1750-1850*. Nova York: Cambridge University Press, 2016.

GOODALL, Daniel. *Salt Water Sketches; Being Incidents in the Life of Daniel Goodall, Seaman and Marine*. Inverness: Advertiser Office, 1860.

GORDON, Eleanora C. "Scurvy and Anson's Voyage Round the World, 1740--1744: An Analysis of the Royal Navy's Worst Outbreak". *The American Neptune*, v. XLIV, n. 3, jun./ago. 1984.

GREEN, Mary Anne Everett (org.). *Calendar of State Papers, Domestic Series, 1655-6*. Londres: Longmans & Co, 1882.

GRIFFITHS, Anselm John. *Observations on Some Points of Seamanship*. Cheltenham: J. J. Hadley, 1824.

GUSINDE, Martin. *The Lost Tribes of Tierra del Fuego: Selk'nam, Yamana, Kawésqar*. Nova York: Thames & Hudson, 2015.

HALL, Basil. *The Midshipman*. Londres: Bell and Daldy, 1862.

HANNAY, David. *Naval Courts Martial*. Cambridge: Cambridge University Press, 1914.

HARVIE, David. *Limeys: The Conquest of Scurvy*. Stroud: Sutton, 2005.

HAY, Robert. *Landsman Hay: The Memoirs of Robert Hay, 1789-1847*. Org. de M. D. Hay. Londres: Rupert Hart-Davis, 1953.

______. *Landsman Hay: The Memoirs of Robert Hay*. Org de Vincent McInerney. Barnsley, UK: Seaforth, 2010.

HAYCOCK, David Boyd; ARCHER, Sally (orgs.). *Health and Medicine at Sea, 1700--1900*. Woodbridge, UK; Rochester, NY: Boydell Press, 2009.

HAZLEWOOD, Nick. *Savage: The Life and Times of Jemmy Button*. Nova York: St. Martin's Press, 2001.

HEAPS, Leo. *Log of the Centurion: Based on the Original Papers of Captain Philip*

Saumarez on Board HMS Centurion, Lord Anson's Flagship During His Circumnavigation, 1740-44. Nova York: Macmillan Publishing Co., 1971.
HICKOX, Rex. *18th Century Royal Navy: Medical Terms, Expressions, and Trivia*. Bentonville, AR: Rex Publishing, 2005.
HILL, J. R.; RANFT, Bryan (orgs.). *The Oxford Illustrated History of the Royal Navy*. Oxford: Oxford University Press, 1995.
HIRST, Derek. "The Fracturing of the Cromwellian Alliance: Leeds and Adam Baynes". *The English Historical Review*, v. 108, 1993.
HOAD, Margaret J. "Portsmouth — As Others Have Seen It". *The Portsmouth Papers*, n. 15, mar. 1972.
HOBBES, Thomas. *Leviathan, or, The Matter, Forme, & Power of a Commonwealth Ecclesiasticall and Civil*. Nova York: Barnes & Noble Books, 2004. [Ed. bras.: *Leviatã ou matéria, forma e poder de um Estado eclesiástico e civil*. São Paulo: Martin Claret, 2014.]
HOPE, Eva (org.). *The Poetical Works of William Cowper*. Londres: Walter Scott, 1885.
HOUGH, Richard. *The Blind Horn's Hate*. Nova York: W. W. Norton & Company, 1971.
HOUSTON, R. A. "New Light on Anson's Voyage, 1740-4: A Mad Sailor on Land and Sea". *The Mariner's Mirror*, v. 88, n. 3, ago. 2002.
HUDSON, Geoffrey L. (org.). *British Military and Naval Medicine, 1600-1830*. Amsterdam: Rodopi, 2007.
HUTCHINGS, Thomas Gibbons. *The Medical Pilot, or, New System*. Nova York: Smithson's Steam Printing Officers, 1855.
HUTCHINSON, J. *The Private Character of Admiral Anson, by a Lady*. Londres: Impresso para J. Oldcastle, 1746.
IRVING, Washington. *Tales of a Traveller*. Nova York: John B. Alden, 1886.
JARRETT, Dudley. *British Naval Dress*. Londres: J. M. Dent & Sons, 1960.
JONES, George. "Sketches of Naval Life". *The American Quarterly Review*, v. VI, dez. 1829.
JOURNAL of the House of Lords, v. 27, jun. 1746. Londres: His Majesty's Stationery Office.
KEEVIL, J. J. *Medicine and the Navy, 1200-1900*. Edimburgo; Londres: E. & S. Livingstone Ltd., 1958. v. 2.
KEMP, Peter. *The British Sailor: A Social History of the Lower Deck*. Londres: Dent, 1970.
KEMPIS, Thomas à. *The Christian's Pattern, or, A Treatise of the Imitation of Jesus Christ*. Halifax: William Milner, 1844.

KENLON, John. *Fourteen Years a Sailor*. Nova York: George H. Doran Company, 1923.

KENT, Rockwell. *Voyaging Southward from the Strait of Magellan*. Nova York: Halcyon House, 1924.

KEPPEL, Thomas. *The Life of Augustus, Viscount Keppel, Admiral of the White, and First Lord of the Admiralty in 1782-3*. Londres: Henry Colburn, 1842. 2 v.

KEYS, Ancel; BROZEK, Josef; HENSCHEL, Austin; TAYLOR, Henry Longstreet. *The Biology of Human Starvation*. Minneapolis: University of Minnesota Press, 1950. v. 1.

KING, Dean. *Every Man Will Do His Duty: An Anthology of Firsthand Accounts from the Age of Nelson, 1793-1815*. Nova York: Open Road Media, 2012.

KING, P. Parker. *Narrative of the Surveying Voyages of His Majesty's Ships Adventure and Beagle*. Londres: Henry Colburn, 1839. v. 1.

KINKEL, Sarah. *Disciplining the Empire: Politics, Governance, and the Rise of the British Navy*. Cambridge, MA; Londres: Harvard University Press, 2018. Harvard Historical Studies. v. 189.

KIPLING, Rudyard. *The Writings in Prose and Verse of Rudyard Kipling*. Nova York: Charles Scribner's Sons, 1899.

KNOX-JOHNSTON, Robin. *Cape Horn: A Maritime History*. Londres: Hodder & Stoughton, 1995.

LAMB, Jonathan. *Scurvy: The Disease of Discovery*. Princeton: Princeton University Press, 2016.

LAMBERT, Andrew D. *Admirals: The Naval Commanders Who Made Britain Great*. Londres: Faber and Faber, 2009.

LANMAN, Jonathan T. *Glimpses of History from Old Maps: A Collector's View*. Tring: Map Collector Publications, 1989.

LAVERY, Brian. *The Arming and Fitting of English Ships of War, 1600-1815*. Annapolis: Naval Institute Press, 1987.

______. *Building the Wooden Walls: The Design and Construction of the 74-Gun Ship Valiant*. Londres: Conway, 1991.

LAVERY, Brian (org.). *Shipboard Life and Organisation, 1731-1815*. Aldershot. Inglaterra: 1998. Publications of the Navy Records Society. v. 138.

______. *Royal Tars: The Lower Deck of the Royal Navy, 857-1850*. Annapolis: Naval Institute Press, 2011.

______. *Wooden Warship Construction: A History in Ship Models*. Barnsley: Seaforth Publishing, 2017.

LAYMAN, C. H. *The Wager Disaster: Mayhem, Mutiny and Murder in the South Seas*. Londres: Uniform Press, 2015.

LEECH, Samuel. *Thirty Years from Home, or, A Voice from the Main Deck*. Boston: Tappan, Whittemore & Mason, 1843.

LEPORE, Jill. *These Truths: A History of the United States*. Nova York e Londres: W. W. Norton & Company, 2018.

LESLIE, Doris. *Royal William: The Story of a Democrat*. Londres: Hutchinson & Co., 1940.

LIND, James. *An Essay on the Most Effectual Means of Preserving the Health of Seamen in the Royal Navy*. Londres: D. Wilson, 1762.

______. *A Treatise on the Scurvy*. Londres: Impresso para S. Crowder, 1772.

LINEBAUGH, Peter; REDIKER, Marcus. *The Many-Headed Hydra: Sailors, Slaves, Commoners, and the Hidden History of the Revolutionary Atlantic*. Boston: Beacon Press, 2013.

LIPKING, Lawrence. *Samuel Johnson: The Life of an Author*. Cambridge, MA: Harvard University Press, 1998.

LLOYD, Christopher; COULTER, Jack L. S. *Medicine and the Navy, 1200-1900*. Edimburgo; Londres: E. & S. Livingstone, 1961. v. 4.

LONG, W. H. (org.). *Naval Yarns of Sea Fights and Wrecks, Pirates and Privateers from 1616-1831 as Told by Men of Wars' Men*. Nova York: Francis P. Harper, 1899.

LOSS of the Wager Man of War, One of Commodore Anson's Squadron. Londres: Thomas Tegg, 1809.

LOTHROP, Samuel Kirkland. *The Indians of Tierra del Fuego*. Nova York: Museum of the American Indian Heye Foundation, 1928.

MACCARTHY, Fiona. *Byron: Life and Legend*. Nova York: Farrar, Straus and Giroux, 2002.

M'ARTHUR, John. *Principles and Practice of Naval and Military Courts Martial*. Londres: A. Strahan, 1813. 2 v.

MAGILL, Frank N. (org.). *Dictionary of World Biography*. Pasadena: Salem Press, 1998. v. 4.

MAHON, Philip Stanhope. *History of England: From the Peace of Utrecht to the Peace of Versailles*. Londres: John Murray, 1853. v. 2 e 3.

MALCOLM, Janet. *The Crime of Sheila McGough*. Nova York: Alfred A. Knopf, 1999.

MARCUS, G. J. *Heart of Oak*. Londres: Oxford University Press, 1975.

MARRYAT, Frederick. *Frank Mildmay, or, The Naval Officer*. Ithaca, NY: McBooks Press, 1998. Coleção Classics of Nautical Fiction.

MARSHALL, P. J. (org.). *The Oxford History of the British Empire: The Eighteenth Century*. Oxford; Nova York: Oxford University Press, 1998. v. 2.

MATCHAM, Mary Eyre (org.). *A Forgotten John Russell: Being Letters to a Man of Business, 1724-1751*. Londres: Edward Arnold, 1905.

MCCARTHY, Justin. *A History of the Four Georges and of William IV*. Leipzig: Bernhard Tauchnitz, 1890. v. 2.

MCEWAN, Colin; BORRERO, Luis Alberto; PRIETO, Alfredo (orgs.). *Patagonia: Natural History, Prehistory, and Ethnography at the Uttermost End of the Earth*. Princeton: Princeton University Press, 1997.

MEAD, Richard. *The Medical Works of Richard Mead*. Dublin: Impresso para Thomas Ewing, 1767.

MELBY, Patrick. "Insatiable Shipyards: The Impact of the Royal Navy on the World's Forests, 1200-1850". Monmouth: Western Oregon University, 2012.

MELVILLE, Herman. *White-Jacket: or, The World in a Man-of-War*. Londres: Richard Bentley, 1850. [Ed. bras.: *Jaqueta Branca, ou O mundo em um navio de guerra*. Trad. de Bruno Gambarotto. Rio de Janeiro: Zahar, 2021.]

______. *Redburn: His First Voyage: Being the Sailor-Boy Confession and Reminiscences of the Son-of-a-Gentleman, in the Merchant Service*. Nova York: Modern Library, 2002.

MILLER, Amy. *Dressed to Kill: British Naval Uniform, Masculinity and Contemporary Fashions, 1748-1857*. Londres: National Maritime Museum, 2007.

MIYAOKA, Osahito; SAKIYAMA, Osamu; KRAUSS, Michael E. (orgs.). *The Vanishing Languages of the Pacific Rim*. Oxford; Nova York: Oxford University Press, 2007. Oxford Linguistics.

MONSON, William. *Sir William Monson's Naval Tracts: In Six Books*. Londres: Impresso para A. and J. Churchill, 1703.

MORRIS, Isaac. *A Narrative of the Dangers and Distresses Which Befel Isaac Morris, and Seven More of the Crew, Belonging to the Wager Store-Ship, Which Attended Commodore Anson, in His Voyage to the South Sea*. Dublin: G. and A. Ewing, 1752.

MOUNTAINE, William. *The Practical Sea-Gunner's Companion, or, An Introduction to the Art of Gunnery*. Londres: Impresso para W. and J. Mount, 1747.

MOYLE, John. *Chirurgus Marinus, or, The Sea-Chirurgion*. Londres: Impresso para E. Tracy and S. Burrowes, 1702.

______. *Chyrurgic Memoirs: Being an Account of Many Extraordinary Cures*. Londres: Impresso para D. Browne, 1708.

MURPHY, Dallas. *Rounding the Horn: Being a Story of Williwaws and Windjammers, Drake, Darwin, Murdered Missionaries and Naked Natives — A Deck's Eye View of Cape Horn*. Nova York: Basic Books, 2005.

NARBOROUGH, John; TASMAN, Abel; WOOD, John; MARTENS, Friedrich. *An Account of Several Late Voyages and Discoveries to the South and North*. Cambridge: Cambridge University Press, 2014.

NELSON, Horatio. *The Dispatches and Letters of Vice Admiral Lord Viscount Nelson*. Org. de Nicholas Harris Nicolas. Londres: Henry Colburn, 1845. v. 3.

NEWBY, Eric. *The Last Grain Race*. Londres: William Collins, 2014.

NICHOLS, John. *Literary Anecdotes of the Eighteenth Century*. v. 9. Londres: Nichols, Son and Bentley, 1815.

NICOL, John. *The Life and Adventures of John Nicol, Mariner*. Tim F. Flannery (org.). Nova York: Grove Press, 2000.

NICOLSON, Marjorie H. "Ward's 'Pill and Drop' and Men of Letters". *Journal of the History of Ideas*, v. 29, n. 2, 1968.

O'BRIAN, Patrick. *Men-of-War: Life in Nelson's Navy*. Nova York: W. W. Norton & Company, 1995.

______. *The Golden Ocean*. Nova York: W. W. Norton & Company, 1996.

______. *The Unknown Shore*. Nova York: W. W. Norton & Company, 1996.

OLIPHANT, Margaret. "Historical Sketches of the Reign of George II". *Blackwood's Edinburgh Magazine*, v. 104, n. 8, dez. 1868.

OLUSOGA, David. *Black and British: A Forgotten History*. Londres: Macmillan, 2017.

OSLER, William (org.). *Modern Medicine: Its Theory and Practice*. Filadélfia; Nova York: Lea Brothers & Co., 1907. v. 2.

PACK, S. W. C. *Admiral Lord Anson: The Story of Anson's Voyage and Naval Events of His Day*. Londres: Cassell & Company, 1960.

______. *The Wager Mutiny*. Londres: Alvin Redman, 1964.

PADFIELD, Peter. *Guns at Sea*. Nova York: St. Martin's Press, 1974.

PEACH, Howard. *Curious Tales of Old East Yorkshire*. Wilmslow: Sigma Leisure, 2001.

PEÑALOZA, Fernanda; CANAPARO, Claudio; WILSON, Jason (orgs.). *Patagonia: Myths and Realities*. Oxford; Nova York: Peter Lang, 2010.

PENN, Geoffrey. *Snotty: The Story of the Midshipman*. Londres: Hollis & Carter, 1957.

PEPYS, Samuel. *Pepys' Memoires of the Royal Navy, 1679-1688*. Org. de J. R. Tanner. Oxford: Clarendon Press, 1906.

PEPYS, Samuel. *Everybody's Pepys: The Diary of Samuel Pepys. Org. de O. F.* Morshead. Nova York: Harcourt, Brace & Company, 1926.

______. *The Diary of Samuel Pepys: A New and Complete Transcription*. Orgs. de Robert Latham e William Matthews. Berkeley; Los Angeles: University of California Press, 1983. v. 10: Companion.

______. *The Diary of Samuel Pepys: A New and Complete Transcription*. Orgs. de Robert Latham e William Matthews. Londres: HarperCollins, 2000. v. 2: 1661.

PHILBRICK, Nathaniel. *In the Heart of the Sea: The Tragedy of the Whaleship Essex*. Nova York: Penguin, 2001.

PHILIPS, John. *An Authentic Journal of the Late Expedition Under the Command of Commodore Anson*. Londres: J. Robinson, 1744.

PIGAFETTA, Antonio; SKELTON, R. A. *Magellan's Voyage: A Narrative of the First Circumnavigation*. Nova York: Dover, 1994.

POPE, Alexander. *The Works of Alexander Pope*. Londres: Impresso para J. Johnson, J. Nichols and Son e outros, 1806. v. 4.

POPE, Dudley. *Life in Nelson's Navy*. Londres: Unwin Hyman, 1987.

PORTER, Roy. *Disease, Medicine, and Society in England, 1550-1860*. Cambridge: Cambridge University Press, 1995.

PURVES, David Laing. *The English Circumnavigators: The Most Remarkable Voyages Round the World*. Londres: William P. Nimmo, 1874.

REDIKER, Marcus. *Between the Devil and the Deep Blue Sea: Merchant Seamen, Pirates and the Anglo-American Maritime World, 1700-1750*. Cambridge: Cambridge University Press, 2010.

REECE, Henry. *The Army in Cromwellian England, 1649-1660*. Londres: Oxford University Press, 2013.

REGULATIONS and Instructions Relating to His Majesty's Service at Sea. 2. ed. Londres, 1734.

RESÉNDEZ, Andrés. *The Other Slavery: The Uncovered Story of Indian Enslavement in America*. Boston; Nova York: Mariner Books; Houghton Mifflin Harcourt, 2017.

REYES, Omar. *The Settlement of the Chonos Archipelago, Western Patagonia, Chile*. Cham: Springer Nature Switzerland AG, 2020.

RICHMOND, H. W. *The Navy in the War of 1739-48*. Cambridge: Cambridge University Press, 1920. 3 v.

ROBINSON, William. *Jack Nastyface: Memoirs of an English Seaman*. Annapolis: Naval Institute Press, 2002.

RODGER, N. A. M. *Articles of War: The Statutes Which Governed Our Fighting Navies, 1661, 1749 and 1886*. Homewell; Havant; Hampshire: Kenneth Mason, 1982.

RODGER, N. A. M. *The Wooden World: An Anatomy of the Georgian Navy*. Nova York: W. W. Norton, 1996.

______. *The Safeguard of the Sea: 660-1649*. Nova York: W. W. Norton, 1999.

______. "George, Lord Anson". In: LE FEVRE, Peter; HARDING, Richard, *Precursors of Nelson: British Admirals of the Eighteenth Century*. Mechanicsburg: Stackpole, 2000.

______. *The Command of the Ocean: A Naval History of Britain, 1649-1815*. Nova York: W. W. Norton, 2005.

ROGERS, Nicholas. *The Press Gang: Naval Impressment and Its Opponents in Georgian Britain*. Londres: Continuum, 2007.

ROGERS, Pat. *The Poet and the Publisher: The Case of Alexander Pope, Esq., of Twickenham versus Edmund Curll, Bookseller in Grub Street*. Londres: Reaktion Books, 2021.

ROGERS, Woodes. *A Cruising Voyage Round the World*. Londres: Impresso para A. Bell, 1712.

ROPER, Michael. *The Records of the War Office and Related Departments, 1660--1964*. Public Record Office Handbooks, n. 29. Kew, UK: Public Record Office, 1998.

ROSE, Elihu. "The Anatomy of Mutiny". *Armed Forces & Society*, v. 8, n. 4, 1982.

ROTH, Hal. *Two Against Cape Horn*. Nova York: Norton, 1978.

ROWSE, A. L. *The Byrons and Trevanions*. Exeter: A. Wheaton & Co., 1979.

SCOTT, James. *Recollections of a Naval Life*. Londres: Richard Bentley, 1834. v. 1.

SHANKLAND, Peter. *Byron of the Wager*. Nova York: Coward, McCann & Geoghegan, 1975.

SLIGHT, Julian. *A Narrative of the Loss of the Royal George at Spithead, August, 1782*. Portsea: S. Horsey, 1843.

SMITH, Bernard. *Imagining the Pacific: In the Wake of the Cook Voyages*. New Haven: Yale University Press, 1992.

SMOLLETT, Tobias. *The Miscellaneous Works of Tobias Smollett*. Edimburgo: Mundell, Doig & Stevenson, 1806. v. 4.

______. *The History of England, from the Revolution to the Death of George the Second*. Londres: W. Clowes and Sons, 1864. v. 2.

______. *The Works of Tobias Smollett: The Adventures of Roderick Random*. Nova York: George D. Sproul, 1902. v. 2.

SOBEL, Dava. *Longitude the Story of a Lone Genius Who Solved the Greatest Scientific Problem of His Time*. Nova York: Walker, 2007.

SOMERVILLE, Boyle. *Commodore Anson's Voyage into the South Seas and Around the World*. Londres; Toronto: William Heinemann, 1934.

STARK, William F.; STARK, Peter. *The Last Time Around Cape Horn: The Historic 1949 Voyage of the Windjammer Pamir*. Nova York: Carroll & Graf, 2003.

STEWARD, Julian H. (org.). *Handbook of South American Indians*. Washington, DC: US Government Printing Office, 1946. v. 1.

STITT, F. B. "Admiral Anson at the Admiralty, 1744-62". *Staffordshire Studies*, n. 4, fev. 1991.

STYLES, John. *The Dress of the People: Everyday Fashion in Eighteenth-Century England*. New Haven: Yale University Press, 2007.

SULLIVAN, F. B. "The Naval Schoolmaster During the Eighteenth Century and the Early Nineteenth Century". *The Mariner's Mirror*, v. 62, n. 3, ago. 1976.

THE History of Commodore Anson's Voyage Round the World [...] *by a Midshipman on Board the Centurion*. Londres: M. Cooper, 1767.

THE Parliamentary History of England from the Earliest Period to the Year 1803. Londres: T. C. Hansard, 1812. v. 10.

THE Trial of the Honourable Admiral John Byng, at a Court Martial, as Taken by Mr. Charles Fearne, Judge-Advocate of His Majesty's Fleet. Dublin: Impresso para J. Hoey, P. Wilson, et al., 1757.

THOMAS, Pascoe. *A True and Impartial Journal of a Voyage to the South-Seas, and Round the Globe, in His Majesty's Ship the Centurion, Under the Command of Commodore George Anson.* Londres: S. Birt, 1745.

THOMPSON, Edgar K. "George Anson in the Province of South Carolina". *The Mariner's Mirror*, n. 53, ago. 1967.

THOMPSON, Edward. *Sailor's Letters: Written to His Select Friends in England, During His Voyages and Travels in Europe, Asia, Africa, and America.* Dublin: J. Potts, 1767.

THURSFIELD, H. G. (org.). *Five Naval Journals, 1789-1817.* Londres: Publications of Navy Records Society, 1951. v. 91.

TROTTER, Thomas. *Medical and Chemical Essays.* Londres: Impresso para J. S. Jordan, 1795.

TROYER, Howard William. *Ned Ward of Grub Street: A Study of Sub-Literary London in the Eighteenth Century.* Nova York: Barnes & Noble, 1967.

TUCKER, Todd. *The Great Starvation Experiment: Ancel Keys and the Men Who Starved for Science.* Minneapolis: University of Minnesota Press, 2007.

VELHO, Alvaro; RAVENSTEIN, E. G. *A Journal of the First Voyage of Vasco Da Gama, 1497-1499.* Cambridge: Cambridge University Press, 2010.

VIEIRA, Bianca Carvalho; SALGADO, André Augusto Rodrigues; SANTOS, Leonardo José Cordeiro (orgs). *Landscapes and Landforms of Brazil.* Nova York; Berlim; Heidelberg: Springer, 2015.

VOLTAIRE; WOOTTON, David. *Candide and Related Texts.* Indianapolis: Hackett, 2000.

WALKER, N. W. Gregory. *With Commodore Anson.* Londres: A. & C. Black, 1934.

WALKER, Violet W.; HOWELL, Margaret J. *The House of Byron: A History of the Family from the Norman Conquest, 1066-1988.* Londres: Quiller Press, 1988.

WALPOLE, Horace. *The Letters of Horace Walpole.* Filadélfia: Lea and Blanchard, 1842. v. 3.

WALTER, Richard. *A Voyage Round the World.* Londres: F. C. & J. Rivington, 1821.

WALTER, Richard; ANSON, George; ROBINS, Benjamin. *A Voyage Round the World, in the Years MDCCXL, I, II, III, IV.* Org. de Glyndwr Williams. Londres; Nova York: Oxford University Press, 1974.

WARD, Ned. *The Wooden World.* 5. ed. Edimburgo: James Reid Bookseller, 1751.

WATT, James. "The Medical Bequest of Disaster at Sea: Commodore Anson's Circumnavigation, 1740-44". *Journal of the Royal College of Physicians of London*, v. 32, n. 6, dez. 1998.

WILLIAMS, Glyndwr (org.). *Documents Relating to Anson's Voyage Round the World*. Londres: Navy Records Society, 1967.

______. *The Prize of All the Oceans: Commodore Anson's Daring Voyage and Triumphant Capture of the Spanish Treasure Galleon*. Nova York: Penguin, 2001.

WILLIS, Sam. *Fighting at Sea in the Eighteenth Century: The Art of Sailing Warfare*. Woodbridge: Boydell Press, 2008.

WINES, E. C. *Two Years and a Half in the American Navy: Comprising a Journal of a Cruise to England, in the Mediterranean, and in the Levant, on Board of the US Frigate Constellation, in the Years 1829, 1830, and 1831*. Londres: Richard Bentley, 1833. v. 2.

WOODALL, John. *De Peste, or the Plague*. Londres: Impresso por J. L. para Nicholas Bourn, 1653.

______. *The Surgions Mate*. Londres: Kingsmead Press, 1978.

YORKE, Philip C. *The Life and Correspondence of Philip Yorke, Earl of Hardwicke, Lord High Chancellor of Great Britain*. Cambridge: Cambridge University Press, 1913. v. 3.

ZERBE, Britt. *The Birth of the Royal Marines, 1664-1802*. Woodbridge; Rochester: Boydell Press, 2013.

Glossário de termos náuticos

ADERNAMENTO: oscilação da inclinação lateral de grandes embarcações, em função dos ventos ou de manobras operadas pelos condutores do navio.

ADRIÇA: cabo utilizado no içamento das velas.

ALHETA: parte curva do costado entre a popa e o través.

AMURADA: a parte do costado acima do convés que serve como guarda-corpo das embarcações.

ANFÍBIO: ataque militar operado a partir do mar.

BARLAVENTO: parte da embarcação que recebe o vento; oposto de sotavento.

BELONAVE: o mesmo que navio de guerra.

BOMBORDO: lado esquerdo da embarcação, visto da proa.

BOTALÓS: peça usada para içar as velas do gurupés, o mastro inclinado que se projeta para fora da proa.

BRIOL: cabo utilizado no recolhimento das velas.

BUJARRONA: grande vela de formato triangular, fixada na proa das embarcações.

CALAFETAGEM: preenchimento dos vãos do casco com betume ou cera; impermeabilização do casco de navios.

CAVERNAME: o conjunto de traves ou "costelas" de madeira que formam o esqueleto dos antigos navios.

CESTO DA GÁVEA: local utilizado para observação, geralmente no topo do mastro principal.

CHALUPA: veleiro de pequeno porte.

CONVÉS: a cobertura transitável dos navios.

CORDAME: conjunto dos cabos de içamento dos navios.

COSTADO: partes laterais externas das embarcações.

CÚTER: pequeno barco de transporte.

ENXÁRCIA: conjunto de cabos fixos de sustentação dos mastros.

ESCALER: embarcação de transporte de pequeno porte.

ESTAIS: cabos de sustentação que estruturam a enxárcia.

ESTIBORDO: lado direito das embarcação, visto da proa.

GALEÃO: navio de grande porte, movido por velas, com grande capacidade para transporte de cargas e também para atuação em guerras.

GÁVEA: plataforma localizada no ponto mais alto de cada mastro; cesto de observação ("cesto da gávea"); cada uma das estruturas que se projetam para cima do mastro real.

GURUPÉS: mastro inclinado que se projeta fixamente para fora da proa.

IOLE: pequeno barco de transporte, a remo ou a vela.

JOANETE: parte mais alta dos mastros de gávea.

LASTRO: materiais pesados (ferro ou rochas) utilizados para que o navio tenha peso suficiente para não tombar.

MESTRA: a vela principal de pequenas embarcações.

MEZENA: o mastro e a respectiva vela situada na popa; a última vela de uma embarcação grande, contada a partir da proa.

PASSADIÇO: passagem estreita que une o tombadilho ao convés do castelo de uma embarcação.

PATARRÁS: cabos de grosso calibre, ligando os mastros das velas ao costado dos navios.

POPA: parte traseira de uma embarcação, em oposição à proa.

PROA: parte dianteira de uma embarcação, em oposição à popa.

PUNHO: borda interna das velas, onde se fixavam os cabos de sustentação.

RETRANCA: verga horizontal para sustentação de velas grandes.

RIZAR: ato de diminuir o tamanho das velas em situações de vento forte.

SOTAVENTO: direção à qual é soprado um veleiro, oposta ao barlavento.

TOMBADILHO: a parte do convés superior de um navio perto da popa, tradicionalmente reservada aos oficiais.

TRAQUETE: o mastro e a respectiva vela situada na proa; a primeira vela de uma embarcação grande, no extremo oposto à popa.

TRAVÉS: parte lateral de um navio, ponto central dos costados.

VALUMA: borda externa de uma vela, por onde o vento escapa.

VERGAS: barras horizontais que servem de apoio às grandes velas.

Créditos das imagens

p. 1: Retrato de John Byron por Joshua Reynolds, 1748. Newstead Abbey, Nottinghamshire. Reprodução: Nottingham City Museums & Galleries/ Bridgeman Images.

p. 2 (acima): *The Press Gang*. Pintura de George Morland, 1790. Royal Holloway, Universidade de Londres. Reprodução: Bridgeman Images.

p. 2 (abaixo): Retrato de David Cheap por Allan Ramsay, *c.* 1748. Reproduzido com a gentil permissão do Strathyrum Trust. Reprodução: C. H. Layman.

p. 3: Pintura do estaleiro de Deptford por John Cleveley, 1757. National Maritime Museum, Greenwich. Reprodução: © National Maritime Museum, Greenwich, Londres.

p. 4 (acima): Convés de bateria. Reprodução: © Nick Depree.

p. 4 (abaixo): Gravura em cobre do dr. Robert James, *A Medicinal Dictionary*, pub. T. Osborne, Londres, 1743. Reprodução: Wellcome Collection, Londres.

p. 5: *The Burial at Sea of a Marine Officer*. Pintura de Eugène Isabey, 1836. The Montreal Museum of Fine Arts, compra, Adrienne D'Amours Pineau and René Pineau Memorial Fund, Museum Campaign 1988-1993 Fund, Montreal Museum of Fine Arts' Volunteer Association Fund, e o Leacross Foundation Fund. Reprodução: MMFA/ Christine Guest.

p. 6 (acima): Diário de bordo do *Centurion*. Reprodução: © National Maritime Museum, Greenwich, Londres.

pp. 6-7 (abaixo, página dupla): Gravura colorida de Piercy Brett, dez. 1740. Coleção de Colin Paul. Reprodução: © Michael Blyth.

p. 7 (acima): Um albatroz no cabo Horn. Reprodução: Mike Hill/ Getty Images.

p. 8: *The "Wager" in Extremis*. Pintura de Charles Brooking, *c*. 1744. Coleção do finado comandante David Joel, reproduzida com permissão. Reprodução: Dave Thompson, cortesia C. H. Layman.

p. 9: Ilha Wager. Reprodução: David Grann.

p. 10 (acima): Gravura colorida de um artista anônimo, de *The Loss of the Wager Man of War, one of Commodore Anson's Squadron* [...] *and the Embarrassments of the Crew, Separation, Mutinous Disposition, Narrow Escapes, Imprisonment and Other Distresses*, pub. T. Tegg, Londres, 1809. Reprodução: © Michael Blyth.

p. 10 (abaixo): Gravura de frontispício de Samuel Wale baseado em Charles Grinion, para John Byron, *The Narrative of the Honourable John Byron: Being an Account of the Shipwreck of The Wager; and the Subsequent Adventures of Her Crew*, pub. S. Baker, G. Leigh & T. Davies, Londres, 1768. Reprodução: Wellcome Collection, Londres.

p. 11 (acima): Ilha Wager. Reprodução: Chris Holt.

p. 11 (centro): Alga marinha. Reprodução: David Grann.

p. 11 (abaixo): Aipo. Reprodução: David Grann.

p. 12 (acima): Fotografia de um kawésqar, de Martin Gusinde, 1923-4. Reprodução: © Martin Gusinde/ Anthropos Institute/ Atelier EXB.

p. 12 (abaixo): Fotografia de uma canoa, de W. S. Barclay, *c*. 1904-7. Reprodução: Royal Geographical Society/ Alamy.

p. 13 (acima): um acampamento costeiro dos kawésqar. Fotografia de Martin Gusinde, 1923-4. Reprodução: © Martin Gusinde/ Anthropos Institute/ Atelier EXB.

p. 13 (abaixo): Gravura em cobre de George Anson, *A Voyage to the South Seas, and to Many Other Parts of the World*, pub. R. Walker, Londres, 1745. British Library, Londres. Reprodução: © British Library Board. Todos os direitos reservados/ Bridgeman Images.

p. 14 (acima): *The Capture of the Spanish Galleon "Nuestra Señora de Covadonga"*. Pintura de John Cleveley, 1756. Shugborough Hall, Staffordshire. Reprodução: National Trust Photographic Library/ Bridgeman Images.

p. 14 (abaixo): Retrato de George Anson atribuído a Thomas Hudson, anterior a 1748. National Maritime Museum, Greenwich. Reprodução: © National Maritime Museum, Greenwich, Londres.

pp. 14-5 (abaixo, página dupla): Mapa do estreito de Magalhães. Reprodução: © British Library Board. Todos os direitos reservados/ Bridgeman Images.

p. 15 (acima): Um resquício do *Wager*. Reprodução: Chris Holt.

p. 15 (acima, à esq.): Página de título de John Narborough, *An Account of Several Late Voyages and Discoveries to the South and North*, pub. S. Smith e B. Walford, Londres, 1694. Reprodução: Shapero Rare Books Ltd.

p. 16 (acima): Pintura de John Cleveley, 1760. National Maritime Museum, Greenwich. Reprodução: © National Maritime Museum, Greenwich, Londres.

p. 16 (abaixo): Costa chilena. Reprodução: Ivan Konar/ Alamy.

Índice remissivo

ESTA OBRA FOI COMPOSTA PELO ESTÚDIO O.L.M. / FLAVIO PERALTA EM MINION
E IMPRESSA EM OFSETE PELA LIS GRÁFICA SOBRE PAPEL PÓLEN NATURAL
DA SUZANO S.A. PARA A EDITORA SCHWARCZ EM FEVEREIRO DE 2024